新・国際売買契約ハンドブック

第2版

住友商事株式会社法務部
三井物産株式会社法務部
三菱商事株式会社法務部
編

第２版はしがき

本書の前身である『国際売買契約ハンドブック』（旧版）の初版が出版されてから，はや35年が経とうとしている。昭和から平成へ，平成から令和へと移り変わる年月の中で，我々を取り巻く事業環境にも大きな変革がもたらされた。中国をはじめとする新興国の台頭，SDGsの策定とサステナビリティ経営の普及，働き方改革の推進。35年前の今日，誰がこの“いま”を想像できていたであろうか。

変革は上記のようなマクロの動きだけではない。通信技術の発達，それからCOVID-19の流行といった特殊事情も相まってリモートワークが一般化し，地球の反対側にいる顧客との商談に茶の間から参加することも可能となった。多様化する価値観の中で，各人の働き方，働く意義についても，もはや固定化された正解は存在しない。

さらに特筆すべきは，この変革は留まることを知らず，いまこの瞬間においても進行し，また，指数関数的にそのスピードを速めているということである。これから先の35年は，今までの35年とは比較にならないほどのスピードで，進んでいく。

本書は，そのような変革の渦中において，法務業務に関わるすべての方々にとっての指針であり続けるべく，1994年に旧版の改訂が，2018年に新版の発行が，それぞれ行われた。

今回の改訂は，2020年4月の改正民法（債権法）の施行を受け，全面的に見直しを行うものであるが，改訂箇所は改正民法に関するものに限られない。急速に活用が拡大する電子署名に関する記述や，COVID-19の流行およびIncoterms 2020の発効を踏まえた契約書上の規定など，昨今のトレンドに即した修正も加えている。

その一方で，旧版から受け継がれる本書の基本精神に変わりはない。今回も，国際売買取引の初心者からベテランまで，幅広い読者にとって有益な内容であってほしいという願いを込めて改訂を行った。これまでと同様，本書がなるべく多くの読者に読まれ，法務業務を行ううえで何かしらのヒントとなるものであれば，これ以上の幸せはない。

最後に，本書の出版にあたり多大なるご協力を頂いた，株式会社有斐閣法律編集局書籍編集部部長の藤本依子様および同部の島袋愛未様にこの場を借りて心からお礼申し上げたい。

2021 年 11 月

編者一同

初版はしがき

本書の前身である『国際売買契約ハンドブック（改訂版）』（旧版）の刊行から数十年の時を経て，大きな進化を遂げて新たに誕生したのが本書である。

旧版は，国際取引に携わる企業法務の実務家が著した本としては先駆的な著作であり，実務に則した解説と豊富な実例の掲載により，現在に至るまで，実務家を中心に，大変多くの読者の方々に，座右の書として愛用され，好評を得てきた。一方で，予てより多くの方々から「環境変化に対応した最新情報が盛り込まれた形の書籍を」とのご要望が寄せられていたことから，これにお応えすべく，旧版を全面的にアップデートした新たな書籍の出版に向けて，編者の3社が再度結集することとなった。

改めてこの数十年を振り返ってみると，国際売買取引を取り巻く環境は大きく変化してきた。具体的には，取引の電子化という取引実務の変化・迅速化，さらに近年ではIoTやAIなどが実用化に向けて日々技術革新が進む中，国際化・ボーダーレス化，取引相手国の多様化が加速的に進み，国際売買取引はより身近なものへと変化を遂げている。また，法分野においても，この数十年の間に，国際物品売買契約に関する国際連合条約（ウィーン売買条約/CISG）への日本の加盟，Incoterms2010年および信用状統一規則（UCP600）の発効，ニューヨーク条約加盟国の増加に加え，2017年6月2日には，改正民法（債権法）が公布され施行を待つ段となり，現在は，さらに海商法やIncotermsもその改訂に向けて既に動きを見せているなど，変化の大きい時期・時代を迎えている。

本書の作成にあたっては，旧版の基本的構成を活かしつつ，変化のあった点を書き加える方針で，3社の間で活発な意見交換を行い，第1部および第2部では，法令や判例等の改正内容を加え，取引方法や通信手段等を現在の取引実務・慣行に即した内容に改めた。また，各社で培われた国際売買取引におけるノウハウをありのまま書き下ろすべく，特に，第2部のサンプル条項，Variation Clauseや第3部の書式については，敢えて書式間の形式等を統一することなく，様々なバリエーションを示した。

このように，本書作成の基本姿勢は旧版を引き継ぐものであるため，本書も旧版と同様に，初心者からベテランまで，幅広い層の読者の方々にご活用頂ける内容となっている。すなわち，国際売買取引実務の初心者の方々には，国際売買取引に関する基礎的法律・実務知識の分かり易い解説が役に立ち，実際に実務を担当しておられる方々には，契約の検討やドラフティングの仕方，交渉の際の重要ポイントといった実務的解説部分が特に有用であり，かつ，国際売買取引のベテランや後進の指導にあたられている方々には，教則本としても本書をご活用頂けるように，契約書の文例，契約の履行に伴う各種の標準的レターを数多く提供している。

本書の出版にあたっては，この数十年間の取引実務および法分野における大きな変化を可能な限り取り込み，かつ，改正民法（債権法）に対応すべき点についていち早く解説を加えた実務書として出版すべく，有斐閣法律編集局書籍編集部部長の藤本依子様および同部小林久恵様に多大なる協力を頂いた。この場を借りて心から謝意を表したい。

我々は，本書が旧版に続き，国際売買取引の実務家や勉強されている方々に少しでもお役に立てることを念願しており，多くの方々に長く読んで頂ける書籍として進化をし続けるためにも，今後とも多くの読者の方々からご意見を頂けることを期待している。

2017年11月

編者一同

目　次

第1部 国際売買契約の基礎

第1章　国際売買取引の流れ ……………………………………… 2

1　取引の開始から終了まで　2

2　引合い　3

3　契約交渉　3

4　売買契約書作成の必要性　4

第2章　売買契約の種類 ……………………………………… 7

1　国際売買契約と国内売買契約　7

2　覚書等と売買契約書　8

3　スポット契約と長期契約　10

4　基本契約と個別契約　12

5　Printed Contract Form と個別作成契約　13

第3章　売買契約の成立 ……………………………………… 16

1　申込み　16

(1)　申込みの意味（16）　(2)　申込みの効力（17）

2　承　諾　20

(1)　承諾の意味（20）　(2)　承諾の効力（20）　(3)　条件付承諾と Battle of Forms（21）

3　その他，契約成立をめぐる諸問題　23

(1)　交叉申込み（cross offer）（23）　(2)　完全合意（entire agreement）条項（24）　(3)　未決事項（open terms）（24）

第4章　売買契約の締結 ……… 27

1　契約の締結権　27

(1)　会社の代表権（代理権）(27)　(2)　表見代理（28）　(3)　取締役会による授権・委任状（29）

2　契約書の形式　33

(1)　契約書の作成（33）　(2)　単独契約，捺印契約および Corporate Seal（英米法の考え方）(34)　(3)　公正証書（日本の場合）(35)

3　Witness（立会人）　35

(1)　目　的（35）　(2)　Witness の権利・義務（35）

4　サイン証明　36

(1)　目的・効果（36）　(2)　手続（日本の場合）(36)

第5章　売買契約の不履行と救済 ……… 39

1　契約違反　41

(1)　債務者の責めに帰すべき事由と過失責任主義（41）　(2)　英米法における契約違反の考え方（42）　(3)　CISG（42）

2　救　済　43

(1)　損害賠償（43）　(2)　契約義務からの解放と契約解除（45）　(3)　危険負担（47）　(4)　同時履行の抗弁権（48）　(5)　不安の抗弁権（48）

3　履行障害事由への対応　49

(1)　履行障害免責（49）　(2)　不可抗力に対する日本法と英米法の考え方の違い（51）　(3)　事情変更の原則（52）

第6章　売買契約と法律・貿易条件基準・統一規則・条約 ……… 54

1　売買契約と法律　54

(1)　売買法（54）　(2)　適用法の選択（57）

2　売買契約と条約　58

(1)　国際物品売買契約に関する国際連合条約（The United Nations Convention on Contracts for the International Sale of Goods：CISG）(59)　(2)　国際海上物品運送法（60）　(3)　国際航空運送法（61）　(4)　国際複合輸送に関する条約（61）　(5)　手形・小切手統一条約（62）　(6)　民事訴訟に関する条約（63）　(7)　商事仲裁に関する条約（63）　(8)　その他（64）

3 売買契約を取り巻く法律 65

(1) 貿易および為替管理法 (65) (2) 独占禁止法 (65) (3) 反ダンピング法 (66) (4) 知的財産権 (66) (5) 製造物責任 (67) (6) 税法 (67) (7) 担保法／物権法 (68) (8) 海商法 (69) (9) 保険法 (69) (10) 民事訴訟法 (70) (11) 仲裁法 (70) (12) その他 (70)

4 売買契約と貿易条件基準 71

(1) インコタームズ (Incoterms) (72) (2) 1941年改正米国貿易定義 (Revised American Foreign Trade Definitions, 1941) (73) (3) 米国統一商法典 (Uniform Commercial Code) (74)

5 売買契約と統一規則 74

(1) 信用状統一規則 (75) (2) 請求払保証状統一規則 (75) (3) 契約保証証券統一規則 (75)

第7章 売買契約と運送 …… 76

1 総 論 76

2 貨物の輸送手段 76

(1) 海上輸送 (77) (2) 航空輸送 (78) (3) 複合輸送 (78)

3 海上運送契約 79

(1) 個品運送契約 (contract of affreightment) (79) (2) 傭船契約 (charter party) (79) (3) 航海傭船契約で取り決められる事項 (81)

4 船荷証券 87

(1) 法的性質 (87) (2) 船荷証券に関する国際ルールと国際海上物品運送法 (88) (3) 船荷証券の種類 (90) (4) 船荷証券の記載事項 (92) (5) 発行・裏書形式 (93) (6) 船荷証券の危機 (94)

5 航空貨物輸送契約と航空運送状 (air waybill) 95

(1) 航空貨物輸送契約 (95) (2) 航空運送状の法的性格と船荷証券との違い (96) (3) 航空輸送にかかわる国際ルール (97) (4) モントリオール条約 (97)

6 国際複合輸送における複合運送人の責任 98

第8章 売買契約と保険 …… 100

1 被保険利益 100

2　国際売買契約と保険の手配　102
⑴　EXW（工場渡し）（102）　⑵　FCA（運送人渡し）（103）　⑶　CPT（運送費込み）（103）　⑷　CIP（運送費保険料込み）（103）　⑸　DPU（荷卸込持込渡し）（104）　⑹　DAP（仕向地持込渡し）（104）　⑺　DDP（関税込持込渡し）（104）　⑻　FAS（船側渡し）（105）　⑼　FOB（本船渡し）CFR（運賃込み）（105）　⑽　CIF（運賃保険料込み）（106）
3　保険条件（保険証券と保険約款）　106
⑴　英文証券フォーム（107）　⑵　保険約款（108）

第2部 国際売買契約書の書き方

第1章　頭　書　114
第2章　契約商品，品名　122
第3章　品　質　125
第4章　数　量　132
第5章　検品・検量　141
第6章　契約金額　150
第7章　支払条件　159
第8章　船積時期・条件，船積書類　170
第9章　所有権と危険負担　189
第10章　梱包・荷印　199
第11章　海上保険　205
第12章　品質保証　210
第13章　知的財産権　225
第14章　クレーム　235

第15章　契約違反とその救済　243

第16章　不可抗力　254

第17章　紛争の解決　268

第18章　準拠法　286

第19章　公租公課　289

第20章　相殺の禁止　293

第21章　契約の譲渡　297

第22章　権利不放棄　303

第23章　通　知　307

第24章　完全合意　312

第25章　契約の変更　316

第26章　契約の発効　322

第27章　署名欄　325

第3部
国際売買契約書文例および各種書式

1　レター・オブ・インテント ……………………………… 332

①　これまでの交渉結果を確認し，今後の交渉継続を約する例　332

②　買主の意図する買条件を提示し，正式契約締結のために努力することを約する例　333

③　守秘義務契約　335

2　申込書 ……………………………… 338

①　売申込書　338

②　買申込書　339

3　承諾書 ………… 343

① 無条件買承諾書　343

② 条件付買承諾書　344

③ 無条件売承諾書　345

④ 条件付売承諾書　346

4　見積書 ………… 347

5　スポット売買契約書 ………… 348

6　長期売買契約書 ………… 353

① 標　準　353

② 化学品　370

③ 液化石油ガス　380

④ 鉄鉱石　401

⑤ 砂　糖　426

7　個別売買契約書 ………… 433

8　変更契約書 ………… 435

① 部分的な変更契約書　435

② 全面的な変更契約書　438

9　契約の終了 ………… 441

① 解除契約書　441

② 和解契約書　446

10　売買契約の履行に伴う各種レター ………… 452

① 船舶指名通知　452

② 船積完了通知　*453*
③ 不可抗力による船積遅延通知　*454*
④ 船積受領拒絶通知　*455*
⑤ 品質不良クレーム　*456*
⑥ 受領拒絶通知　*457*
⑦ 不可抗力援用通知　*458*
⑧ 契約商品処分通知　*459*
⑨ 契約解除通知　*460*
⑩ 売買債権譲渡通知――譲受人　*461*
⑪ 売買債権譲渡通知――譲渡人　*463*
⑫ 支払遅延クレーム　*464*
⑬ 和解の申込み　*465*
⑭ 和解の承諾　*466*

折込み①　SALES　CONTRACT
折込み②　PURCHASE　CONTRACT

英文索引　*469*
和文索引　*475*

Column

① 継続的契約を解除する際の注意点　*13*
② 秘密保持契約のチェックポイント　*15*
③ 申込みの誘引（invitation to offer）　*17*
④ Electronic Data Interchange（EDI）　*26*
⑤ 中国における対外担保登記　*69*
⑥ Discovery について　*71*
⑦ here－，there－で始まる用語　*119*
⑧ 知的財産権と工業所有権の違い？　*226*
⑨ 東日本大震災と不可抗力条項　*258*

⑩ 新型コロナウィルスと不可抗力条項 259
⑪ CIETAC 内部分裂とその帰結 273
⑫ Assignment と Delegation と Novation について 302
⑬ Severance/Severability（分離/分離可能性） 314

◆略　語

1　条約・国際ルール

インコタームズ　Incoterms
International Commercial Terms
＊本書では原則として最新の 2020 年版を引用している。

CISG　ウィーン売買条約
The United Nations Convention on Contracts for the International Sale of Goods

ヘーグ・ルール／ヘーグ・ヴィスビー・ルール
船荷証券統一条約
International Convention for the Unification of Certain Rules of Law Relating to Bills of Lading

UCP600　信用状統一規則
The Uniform Customs and Practice for Documentary Credits

2　外国法令

UCC　米国統一商事法典
Uniform Commercial Code

英国動産売買法　Sales of Goods Act

中国民法　中国民法典

3　日本法令

日本の法令については，原則として有斐閣『六法全書』の「法令名略語」によった。

執筆者紹介（五十音順）

住友商事株式会社法務部

第１部第３章・第４章，第２部第１章～第４章・第12章～第14章，第３部８・９，折込み

石橋春華　大林　悟　大矢文之　實野容道　田口悦宏　永山由美
東　義之　三家本佳道　森川　茂　山口英一
（改訂者）　小澤　聡　川上玄太郎　髙橋尚大　三家本佳道

三井物産株式会社法務部

第１部第１章・第２章・第６章，第２部第17章～第27章，第３部６・10

岩田航介　内田博史　大橋奈都子　平良夏紀　高野雄市
堀内謙一郎　渡辺真由美
（改訂者）　伊藤雅史　岩本真理亜　名山理美　藤田唯乃

三菱商事株式会社法務部

第１部第５章・第７章・第８章，第２部第５章～第11章・第15章・第16章，第３部１～５・７

今井裕貴　遠藤次郎　加藤裕子　小林一郎　佐久間貴之
中尾智三郎　野島嘉之　三澤智子　三輪真久　安田拓也
（改訂者）　小林一郎　小坂展生　近藤雄介　神保えり
張　憶　引間千晶　横山　諒　料屋恵美

■旧版執筆者

＊所属は刊行時。分担は左記と同じ。

住友商事株式会社文書法務部

上田良治　中川英彦　片岡正一　早川克彦　小川　潔　福井英俊
小林正憲　八ヶ代透　渋谷年史
（改訂者）　金田俊彦　南波佐久男　實野容道　細野充彦

三井物産株式会社文書部

加藤　格　田中信幸　鳩山　明　村山太郎

三菱商事株式会社法務室

池下裕造　仲谷卓芳　福井正徳　松木和道　水品　昭

第一部　国際売買契約の基礎

第1章

国際売買取引の流れ

1 取引の開始から終了まで

国際売買取引は，商品の販売活動から始まり，売買契約の履行によって終わる。その間の段階は商品の性質や業界の慣習などによっても相当異なるが，次のように整理することができよう。

① 販売活動 (sales activities)	売主による商品の宣伝，カタログの送付等
② 引合い (enquiry)	買主による価格，数量，性能，積期等の問合せ
③ 見積り (quotation または estimation)	売主による価格等の見積り
④ 契約交渉 (negotiation of contract)	売主・買主間の売買契約の諸条件の交渉
⑤ 合意（契約）の成立 (agreement)	契約交渉の結果，売主・買主間に商品の売買について合意が成立
⑥ 契約の締結 (execution of contract)	合意成立の際の諸条件を売買契約書として作成，署名
⑦ 契約の履行 (performance of contract)	売買契約は売主・買主の債務の履行により終了

ただし，上に述べた順序は，典型的な場合を示したものにすぎず，実際の商取引においては，いくつかの段階が省略されたり，または，いくつかの段階が

同時並行的に進行したりするのが通常である。

例えば，当該商品の取引が国際的な商品取引所を通じて行われる銅，アルミなどの非鉄金属の取引，または麦，とうもろこし等の穀物等のいわゆる相場商品の取引では，売主・買主はオンラインで交渉を行うとともに，その場で契約の合意をすることが多い。また，大型機械や設備類の輸出の場合には，技術面での交渉を含め，上記のすべての段階を長期にわたって踏んだ後に契約が締結されることが多い。

このように，国際売買取引の開始から終了までの手順は千差万別であるが，本章においては，このうち引合いと契約交渉に焦点を絞って説明することとし，契約の成立，契約の締結および契約の履行については，第1部第***3***章，第***4***章および第***5***章を参照されたい。

2　引合い

国際取引においては，目的とする市場で有望と思われる相手を見つけた場合，その相手方に対し自社商品のカタログ，見本等を送付して商品の販売活動を開始する。もちろん，かかる相手方の信用調査は事前に終了しておくことが望ましいが，カタログ，見本等の送付と同時に信用調査機関，商社の現地店等を通して信用調査をすることもある。

カタログ，見本等の送付を受けた相手方がその商品に興味を示して価格，数量，積期等に関し問合せを行うことを引合い（enquiry）といい，これにより取引のための協議が開始される。

価格の問合せの引合いに対して価格を知らせることを見積り（quotation または estimation）という。見積りは，後述する申込み（オファー）と解されないよう「オファーではない」旨を明記する等，十分な注意を払う必要がある。

3　契約交渉

相手方が見積りに対して条件を付けた回答をしてきた場合には，当該条件につき当事者間の交渉が必要になってくる。

交渉の手段としては書面，ファクシミリ，電子メール，電話等によるものや，当事者が集まって直接交渉する方法がある。

交渉事項としては数量，価格，積期，梱包，海上保険付保等の取引事項のほかに，契約違反とその救済方法，紛争の解決方法，準拠法等の法律事項の取決めも重要であり，詳しくは第2部を参照されたい。

契約交渉を自己に有利に導くための重要な点は，あらかじめ売買の基本的条件を網羅した自社フォームの契約書を作成し，これを基に相手方との交渉に入ることである。最近では自社に有利な一般条項（general terms and conditions）を盛り込んだいわゆる printed contract form を作成している会社が多いため，特に両当事者がそれぞれに自社フォームを有しているような場合は，自社フォームにそのまま相手方の署名を取り付けることが困難な場合が多い。しかし，自社に有利な条件を盛り込んだ自社フォームの契約書を最初に相手方に提示することは交渉のテクニックとしては極めて重要である。なぜならば，自社フォームの契約書に相手方が合意しない場合でも，自社に有利なフォームを基に訂正交渉ができるからである。

このように自社フォームをいかに相手方に認めさせて自己に有利な売買契約を締結するかが国際売買取引において重要であるが，それゆえ，当事者双方が互いに相手方に自社フォームでの調印を認めさせようとすることが起こりがちである。このような契約書フォームの争いは battle of forms（書式の戦い）といわれている。Battle of forms の詳細については，第1部第 ***3*** 章 *2*(3)を参照されたい。

4　売買契約書作成の必要性

国際売買取引は，国内契約とは違い，言葉，宗教，伝統，習慣，法律，考え方の異なる者との取引であり，誤解や紛争が生じることが多い。また，誤解や紛争が生じた場合，考え方等の相違により，一般的に，協議による解決が困難である。さらに，国際売買取引は，その国際性，隔地性のゆえに，国内契約よりも取り決めておくべき事項が多岐にわたる。したがって，将来の取引を迅速かつスムーズに行い，また誤解や紛争を避けるためにも，契約交渉が成立したら直ちに売主・買主間で売買契約の諸条件（商品，数量，価格，支払条件，クレーム・紛争の解決方法等）を盛り込んだ契約書を取り交わすことが重要となる。

仮に，口頭で成立した契約をそのままにしておくと，後日，紛争が生じた際，言った言わないの争いとなり水掛論になる。もちろん口頭による契約も原則は有効であるが（法律により書面による契約の締結が義務付けられている場合を除く），契約内容は必ずその内容を正確に盛り込んだ書面にして確認することを忘れてはならない。

売買契約書は，通常2通作成し，売主・買主が各自1通保管する。しばしば問題になるのは，売主が自社フォームの契約書に署名の上，買主の署名を求めたのに対し，買主が売主フォームに署名せずに自社フォームに署名の上，売主の署名を要求してくる場合である。この場合，双方の署名が揃わない売主フォームと買主フォームの2つの契約書が存在することになり，契約が成立しているのか，また，契約が成立しているとしてどちらの契約書が適用されるのかという問題が生じる。この問題を避けるためにも，契約内容を正確に盛り込んだ1つの契約書を作成すべきである。

契約書の作成にあたっては次の点に注意すべきである。

①　契約書には，諸条件を漏れなく網羅しておくこと。

②　契約書には，法的に有効な権限をもつ者の署名があること。

③　契約成立の日付を明確にすること。

④　契約書の言語に注意すること。例えば，契約書の正文を日英両言語とすると，両言語間で作成した契約書の内容に相違がある場合，どちらの言語での作成内容が優先して契約当事者に適用されるかで無用の紛争を招くおそれがあるため，正文は原則1か国語にすべきである。また，契約書に使用する用語は法律上の概念を正確に伝える必要があり，そのためにも言語の選択には注意を要する。ただし，例えば中国企業との取引で中国語を正文とすることを受け入れざるを得ない場合も少なからずあり，その場合は，英語と中国語または日本語と中国語の2か国語を正文とするよう交渉することもある。

⑤　契約を締結する国の法律に注意すること。例えば，収入印紙を貼付したり，公証人の認証を受けたりしないと契約が法的拘束力をもたない場合も

あるので注意を要する。

また，わが国では契約書に調印するにあたっては契約書を袋とじにするが，国際売買契約書の場合は，袋とじはむしろ例外的であり，単にホチキス等で留め，契約書の各ページに署名者のイニシャルを記入するだけの場合の方が多い。いずれの方式も契約書の各ページを勝手に変更したり，新しいページを勝手に挿入したりできないようにするための工夫である（第2部第***27***章*4*(3)参照）。

第2章

売買契約の種類

1　国際売買契約と国内売買契約

売買契約（sale and purchase contract）は，国際売買契約（international sale and purchase contract）と国内売買契約（domestic sale and purchase contract）とに分類される。どのような売買契約が国際売買契約にあたるかについて定説はないが，例えば，国際物品売買契約を規律する統一準則の制定を目指して結ばれた国際物品売買契約に関する国際連合条約（The United Nations Convention on Contracts for the International Sale of Goods：CISG）の1条（第1部第**6**章*2*(1)参照）では，同条約は営業所が異なる国にある当事者間の物品売買契約に適用すると規定されている。

国際売買契約も国内売買契約もいずれも売買契約であり，契約書の中に記載される事項はほぼ同じであるが，一般的には，次の点において差異がみられる。

(i)　**契約言語**　　国際売買契約の契約書は，ほとんど英語またはその他の外国語で書かれる。したがって，外国語による法律知識が要求される。

(ii)　**記載内容**　　国内売買契約は，日本国内の当事者同士という同じ文化・習慣・言語を有する当事者間の契約となるため，問題が発生しても互譲の精神に基づき協議により解決することが可能な場合も多く，仮に裁判になったとしても日本国内における一般的商慣習により当事者の合理的意思が推定されやすいこともあり，契約書に詳細を規定しない傾向にある。これに対して国際売買契約では，国内売買契約に比して契約内容が具体的かつ詳細に規定される傾向がある。言葉，宗教，伝統，習慣，法律，考え方等が異なれば，意見の相違や誤解による問題も発生しやすく，かつ，互譲の精神に基づく協議による解決も困難な場合が多いため，売主・買主両当事者が合意した事項を細大漏らさず契約書に規定しておく必要がある。

(iii) **準拠法**　国が異なれば法律も違い，同じ表現であっても法律の違いにより権利・義務の内容が異なるということがしばしば起きる。例えば，「直接損害（direct damages）」という用語に含まれる損害の範囲は法律によって考え方が異なり（第1部第**6**章*1*(1)(iii)，第2部第**12**章*2*(2)(iii)(b)参照），「相殺（set-off）」が認められるための要件および手続も法律によって異なる（第1部第**6**章*1*(1)(vi)，第2部第**20**章*3*参照）。そのため，国際売買契約では契約を解釈する際の基準となる法律，すなわち，準拠法が必ず記載される。これに対し，国内売買契約では，当事者意思の推定等により日本法が準拠法とされることから，契約書上に記載しない場合も少なくない。

(iv) **紛争処理**　国内売買契約においては，紛争が発生した場合には，まずは売主・買主間の協議により解決される旨規定され，協議による解決が困難な場合には，国内の特定の裁判所における裁判により紛争解決を行うことを規定するのが一般的であろう。

しかし，これが異なる国の当事者間の紛争となると事情が異なり，簡単に解決できるものではない。したがって，国際売買契約書の中には，通常，紛争処理に関する規定が詳細に定められる。例えば，紛争の解決は裁判によるのか，それとも仲裁によるのか，管轄裁判所または仲裁地はどこにするのか，さらに，仲裁の場合，どこの仲裁機関に付託するのか，等々が記載される。

(v) **国際性**　国際売買契約においては，商品の国際取引であることに伴い，国内売買契約とは異なる様々な規定が必要となる。例えば，通貨（売買代金の決済通貨），決済方法（電信送金，信用状決済等），輸送条件（輸送契約や保険契約の手配，輸送費，保険料，関税等の負担に関する取決め）等の規定が必要となる。

2　覚書等と売買契約書

売買契約の締結に先立ち，売買に関する覚書（memorandum），議事録（minutes），レター・オブ・インテント（letter of intent），タームシート（term sheet）（以下，併せて「覚書等」という）が取り交わされることがある。

当事者が覚書等を取り交わす目的には色々あろう。例えば，売買契約締結までの長い契約交渉の一里塚として書面に残しておきたい，相手方が他者と交渉するのをできるだけ制限して自己との売買契約締結にスムーズに持ち込みたい，交渉の成果を書面に残しておきたい等が考えられる。

覚書等の内容は，ケース・バイ・ケースだが，概ね将来締結される売買契約の主要条項を網羅している。例えば，商品，価格，支払条件，引渡時期，品質保証などが主要条項となろう。主要条項の規定の仕方は様々で，具体的に詳しく書いたり，あるいは抽象的に大雑把に書いたりする。要するに，覚書等が取り交わされる時点までの交渉の結果，当事者間で共通認識に至った事項がそのまま当事者の意図として書かれることになる。

覚書等の効力については，通常，当該覚書等に記載されていることは単に当事者の意図の表明にすぎず，法的拘束力をもたない旨が明記される。このような明記がある場合に覚書等の効力が問題にされることは少ないが，このような明記がない場合には問題が起こり得る。文書の表題として，覚書や議事録という語句を使用しているから，覚書等には法的拘束力がないと判断するのは早計であろう。覚書等に法的拘束力があるか否かは，最終的には裁判所または仲裁廷による覚書等の文言および交渉当時の当事者の意思解釈によることになるが，覚書等の効力をめぐる紛争を未然に防ぐため，覚書等に法的拘束力を与えたくないときは，その旨を明記すべきである。

なお，覚書等に法的拘束力を与えない場合であっても，例えば，覚書等の存在および交渉内容を第三者に漏えいしないことを約する秘密保持条項や，一定期間他者との交渉を制限する exclusivity 条項等を規定する場合には，これらの条項については法的拘束力を与えるよう記載する必要がある。レター・オブ・インテントの見本については，第3部 1-①を参照されたい。

これに対し，売買契約書は法的拘束力をもつことを前提として取り交わされる文書である。契約書は英語では contract または agreement と呼ばれているが，contract や agreement という用語を使用すれば，必ず法的拘束力をもつとは限らないことに注意を要する。法的拘束力の有無につき紛争になった場合には，最終的には裁判所または仲裁廷による契約書の文言および当事者の意思解釈により判断されることとなるため，契約書に使用する用語については慎重に判断しなければならない。

3　スポット契約と長期契約

売買契約は，契約期間に着目して，スポット契約（spot contract）と長期契約（long term contract）に分類される。商品の売買が1回限りで単発的に行われる契約をスポット契約と呼び，契約の履行に要する期間が長期にわたるものや，反復・継続して更新が予定されている契約を長期契約と呼ぶ。なお，スポットという用語は，金融用語では，先物に対する現物という意味であるが，国際取引においては，一般的に1回限りの単発の売買契約のことをスポット契約と呼称している。

国際売買取引において，スポット契約は典型的な契約であり，長期契約と比べ，その内容は一般的にシンプルである。そのため多くの企業は自社フォームである printed contract form をスポット契約に使用することが多い。なお，printed contract form については，*5*を参照されたい。

スポット契約も長期契約も契約書に規定される事項はほぼ同じであるが，長期契約においては長期取引に伴うリスクを回避する必要があり，契約内容が詳細になると共に長期契約であるための特別な規定が必要となってくる。長期契約を締結する理由は，売主にとっては，長期にわたって安定した買主を確保することに加え，売買代金を例えば工場建設の際の借入金の担保として提供できるという利点もある。なお，長期契約に基づく売買代金が売主の借入金の担保となる場合，いわゆる take or pay contract（第2部第***4***章*2*⑶参照）と称して，買主が必ず一定量の商品を買い受けるか，買受けができない場合には，一定額を支払う旨の契約をすることがしばしばある。他方，買主にとっての長期契約締結の理由としては，長期安定供給源を確保するということが考えられる。

長期契約の対象となる商品は，一般的に，石炭，鉄鉱石，銅鉱石，石油，天然ガスなど原材料が多い。

長期契約においては，一般的に次の事項に注意して，契約内容を柔軟なものとし，長期間の変化・変動に堪えられるようなものにしておかなければならない。

(i) **契約期間**　契約の履行に要する期間が定められる。

(ii) **契約価格**　契約価格を，契約の特定期間または全期間固定する固定価格方式と定期的（例えば，四半期ごと）に一定の基準に従って取り決める変動価格方式とに大別される。

固定価格方式は単純な固定価格方式と価格上昇条項（escalation clause）のような価格変更条項付きの固定価格方式に細分される。変動価格方式は，市場価格または特定メーカーのリスト・プライス（list price）もしくは公表価格（published price）に基づいて変動させる場合が多い。

売主・買主のいずれの立場にせよ，市場における実際の取引価格以外の価格で長期間にわたって契約価格を固定しようとするときは，長期的視野に立って十分注意を払わなければならない。また，契約価格またはその決定方法につき「別途合意により決定する」とのみ記載し，何ら具体的な取決めを行わない場合，契約価格につき売主・買主間で協議が調わないと取引が継続できないこととなるため，契約価格またはその決定方法については必ず合意しておく必要がある。

(iii) **契約数量**　一定期間（例えば，契約年（contract year）ごと）の引取量が規定される。この引取量は当事者の一方の選択により，一定量だけ増減されることもある。契約数量条項においては，同時に，各船積時の船積数量や船積時期も規定される。

(iv) **不可抗力**　当事者双方の責めに帰さない不測の事態発生に備えた不可抗力条項を置かなければならない。不可抗力条項は，長期契約でもスポット契約でも規定されるが，長期契約は契約期間が長期にわたることから，その間に契約締結時に予測もできなかった事態が発生し，各当事者が契約どおり履行することが物理的または経済的に不公平・不可能となることも起こり得るため，特に重要となる。

(v) **その他**　個々の船積の共通事項等についても規定される。

4 基本契約と個別契約

売買契約は，契約の役割に着目して，基本契約（basic contract）と個別契約（individual contract）に分類される。

基本契約とは，反復・継続して行われる取引について，個々の売買の基本または取引の共通事項について取り決めた契約をいう。基本契約が締結されても売主・買主間に個々の売買を行う権利・義務は発生せず，当該基本契約に基づいて個別契約が締結されることにより，個々の売買を行うという権利・義務を発生させるにとどまる。売主と現地の販売店との間で締結される販売店契約（distributorship contract）も，売主と販売店との間で個別契約の締結により個々の売買を行うことを取り決めているものは基本契約にあたる。

基本契約を締結する目的は売主と買主との間に長期安定的な契約関係を確立すると共に個々の取引に共通する事項を取り決め，それによって反復・継続する取引の簡素化・迅速化を図ることにある。基本契約においては，例えば，①契約期間，②契約価格の決定方法，③契約数量の決定方法，④決済条件，⑤引渡条件，⑥品質保証，⑦個別契約の締結方法，⑧紛争処理，⑨準拠法，⑩その他個々の売買の基本または共通事項が規定される。

個別契約とは，基本契約に基づいて取引される個々の売買の個別的な取引条件を定める契約をいう。個別契約を締結することによって，売主・買主間に商品の具体的な引渡義務や売買代金の支払義務が発生する。

個別契約においては，例えば，個別の取引の具体的な①売買代金，②船積数量，③船積時期，④その他の諸条件，が規定される。個別契約は通常シンプルな様式であり，その中で基本契約との関係について規定される。例えば，規定なき事項については基本契約の規定を適用する，というのが個別契約における基本契約との関係についての通常の記載であろう。

また，個別契約の締結に売主または買主の自社フォームであるprinted contract formが使用されることもしばしばある。この場合には，基本契約締結の際，基本契約の条項とprinted contract formの一般条項（general terms and conditions）との間に齟齬がないかをよく確認した上で，齟齬がある場合にはいずれの規定が優先的に適用されるかを基本契約において取り決めておかなければならない。個別契約において基本契約および printed contract form と異なる取決めを行う場合には，個別契約の特約条項（special terms and conditions）に記載し，基本契約および printed contract form に優先的に適用される旨を記載する。優先関係に関する取決めのない場合は，売主・買主の意思解釈によることとなり，一般的には，①個別契約の特約条項（special terms and conditions），②基本契約の規定，③個別契約の一般条項（general terms and conditions）の順序，つまり最新の合意内容が優先的に適用されるものと考えられる。Printed contract form については，5を参照されたい。

Column ① 継続的契約を解除する際の注意点

国によっては，法律・判例等により販売店契約などの継続的契約の終了が制限されることがある。具体的には，契約書上に当該契約の終了事由が規定されていても，その終了事由をもって契約の終了とせず相当の期間を経ないと契約が終了しないとされ，それにもかかわらず一方的に契約を終了させたときは，相手方の損害を賠償しなければならないとされることがある。日本法においても，継続的契約の解除または更新拒絶を行うためには，契約上の事前通知期間より相当の期間を経ないと契約が終了しないとする複数の裁判例がある。

5 Printed Contract Form と個別作成契約

Printed contract form とは各社が自社の典型的な取引を安全かつ画一的に行うために制定した売買契約の書式をいう。一般的には表面に商品，価格，支払・引渡条件といった主要項目を中心に構成される特約条項（special terms and conditions）が印刷され，裏面に一般条項（general terms and conditions）が印刷された表裏1枚の書式である。契約書の表面に特約条項の諸条件を入力するだけで裏面の一般条項と併せて簡単に契約書が作成できる仕組みになっているので，printed contract form と呼ばれている。なお，printed contract form は contract sheet や standard form とも呼ばれている。上述のとおり，スポット契約や個別契約はprinted contract formにより締結されることが多い。これに対し，個別作成契約とは，商品取引ごとに個別に作成される契約書をいう。個別作成契約も，同一商品についてはprinted contract formとほぼ同じ項目が記載されることとなるが，一般的に当該商品取引における重要・特殊事項に力点が置かれ，それらの点が具体的かつ詳細に規定される。

各社の制定しているprinted contract formには，一般的に，売契約と買契約の双方の書式があり，それぞれ売主または買主の立場を有利に規定した内容となっている。売契約の書式はsale noteまたはsale sheetと呼ばれ，買契約の書式はpurchase note, purchase sheetまたはpurchase orderと呼ばれている。なお，sale noteおよびpurchase noteの見本については，第3部折込みを参照されたい。

Printed contract formを使用する際の注意事項は次のとおりである。

① 裏面約款である一般条項（general terms and conditions）および表面約款である特約条項（special terms and conditions）を熟読し，当事者の合意内容と異なった事項が記載されていないかを確認する。裏面約款（一般条項）に合意内容と異なった事項が記載されている場合には，表面約款（特約条項）に合意内容を記載し，表面約款（特約条項）が裏面約款（一般条項）に優先する旨が規定されていることを確認する。

② 裏面約款（一般条項）に記載してある事項のうち当該売買取引または周囲の諸情勢に鑑み特に重要な事項は，重ねて表面約款（特約条項）として取り決めておく。裏面約款（一般条項）は場合によってはその全部または一部の条項の効力が認められないこともあるからである。

③ 契約によっては，printed contract formを使用するのには適さない場合がある。例えば，単に商品の売買にとどまらず売主が商品の据付けを行う義務を負う契約，有価証券の売買に関する取引等はprinted contract formの使用には適さないであろう。それにもかかわらず，printed contract formを使用してしまうと，契約書の内容が売主・買主間の実際の取決めから遊離してしまうこととなる。Printed contract formの使用に適さない取引の場合には，個別作成契約による必要がある。

Column②　秘密保持契約のチェックポイント

秘密保持契約とは,「秘密」とされる情報につき，両当事者が（または一方が),相手方に対し，当該情報を開示し，その相手方に当該情報の評価機会を与える一方，相手方は，開示された情報を所定の評価目的以外に使用しないこと，および第三者に漏えいしないこと，を約する契約である。売買契約の交渉を開始する前に，商品などに関する秘密情報を開示するために秘密保持契約が締結されることも多い。秘密保持契約を検討するポイント（主に被開示者の立場）は以下のとおりである。

① 開示情報のうち秘密保持義務の対象が明確にわかるよう，文書開示の場合はconfidential 等のラベリングがされ，また口頭開示の場合は開示者が内容を書面化し秘密情報である旨を明示するなどの手続が定められているか。

② 情報受領者の関係会社役職員，弁護士，共同出資者・銀行等の必要な関係者に秘密情報を開示できるようになっているか。

③ 秘密情報または秘密保持義務の例外として，公知情報，情報受領者が独自に開発した情報，情報受領者が既に保有しまたは他の第三者から正当に入手した情報，裁判所・政府から開示命令を受けた情報等が明示されているか。

④ 秘密保持期間は妥当か。

⑤ 契約に記載される秘密保持義務を守ることは，現実的に可能か（複製禁止,アクセス者の制限，アクセス者との個別の秘密保持契約締結等)。

⑥ 開示者から秘密情報の返却・破棄が要請された場合，社内書類（稟議書・取締役会議事録等）に記載されているものは返却・破棄せずともよく，またコンピューター・サーバーに保存されている情報は破棄しなくてもよい旨記載されているか。

⑦ 競業避止義務など，秘密保持義務以外の義務を負わされていないか。

売買契約の成立

国際間の売買契約は，国内での売買契約と同様，売主と買主との間で商品の売買について合意ができたときに成立する。実際の取引において売主・買主が売買についての合意に至る順序については，第1部第1章に述べたとおりである。

法律的には，売買契約は，「申込み（offer）」に対する「承諾（acceptance）」によって成立する。言葉でいうと簡単だが実際の取引においては，何が申込みであり，また何が承諾であるか，さらには，それはいつ効力を発するかなど，様々な問題がある。そこで，以下，これらについて詳述する。

1 申込み

(1) 申込みの意味

申込みとは，これに対する無条件の承諾があったときには契約を成立させ，これに拘束されるという確定した意思表示をいう。申込みは必ずしも書面で行う必要はなく，実際には，電話やファックス，電子メールによりなされるなど様々な方法で行われている。

申込みといえるためには，承諾がなされた場合，契約として内容を決定することができる程度に，内容が確定していなければならない。売買においては，少なくとも目的物たる商品のほか，数量，価格を定めていることが必要である。また，目的物の引渡時期・方法や代金の支払方法を定めている場合も多いであろうし，さらに細かい取引条件まで明確にならなければ申込みとはいえない場合もあろう。結局，申込みであるかどうかは，対象商品の性質，取引の慣行，申込者と被申込者との取引関係および申込者の意思表示の態様等から総合的に判断せざるを得ない。例えば，常時一定の価格・引渡条件・支払条件で，一定の商品を売買している当事者間において，売主が当該商品を一定数量売りたいと買主に申し入れた場合には，これは通常と同じ条件で売るという内容の申込みと解釈して差し支えないだろう。

Column ③　申込みの誘引（invitation to offer）

承諾があれば契約を成立させるという意思の表示が申込みの要素であるから，これを欠くもの，例えば見積りは申込みとはみなされず，相手方の申込みを勧誘するという意味で申込みの誘引または invitation to offer と呼ばれる。したがって，申込みの誘引に対して相手方がこれに応じる意思を表示してきた場合，その意思表示が申込みとなり，申込みの誘引をした者は，これを承諾して契約を成立させるか，これを拒絶するかを選択することになる。申込みか申込みの誘引かの区別は具体的事案において取引慣行等を考慮して判断しなければならない。申込みの誘引の例としては，商品や求人の新聞広告，不特定多数に対するカタログの送付などがこれにあたると考えられる。さらに，申込みの誘引のほかにも，申込みとみなされないものとして，①単なる意見の表示，②将来の行動についての意図の表明，③見積りの問合せなども挙げられるが，いずれにせよ，個別の事情と準拠法によって結論は変わってくる。

⑵　申込みの効力

日本法は意思表示の効力発生につき到達主義をとっており，申込みも，その通知が申込者から被申込者に到達した時に，効力を発生する（民 97 条 1 項）。また，申込者は，一定期間申込みを撤回することはできない。

具体的には，承諾の期間を定めてした申込みは，撤回をする権利を留保しない限り，その期間撤回できない（民 523 条 1 項）。承諾の期間を定めないでした申込みは，隔地者に対するものであれば，撤回をする権利を留保しない限り，申込者が承諾の通知を受けるのに相当な期間撤回することはできない（民 525 条 1 項）。“隔地者”とは“対話者”に対する概念で，書面，ファックス，電子メールで申込みを行う場合の相手方がこれにあたる。何が“相当な期間”かは，基本的には，申込みが到達するのに必要な期間に加え，申込みを受けた者がその内容を検討し，承諾を通知するのに要する期間ということになろうが，申込み・承諾の方法，契約の重要度といった要素のほか，関係商品の取引慣行も考慮の上決定される。例えば，相場商品であれば，数時間，あるいは数分というのが“相当な期間”ということになる場合もあろうし，機械類の場合であれば，1～2か月が“相当な期間”とされることもあろう。いずれにせよ，“相当な期間”の長短は一義的には確定しないので，実務的には，申込みをする場合に，申込みの有効期間（validity of offer）を明記しておくことが大切である。なお，承諾期間を定めないでなされた申込みについて，対話者間の場合には，特別の意思表示がない限り，対話者関係の継続している間においてのみ申込みの効力を有する（民525条3項）。一方，商取引においては，承諾期間の定めのない申込みは，隔地者間では相当の期間内に承諾の通知が発せられない限り，その申込みは効力を失うとされている（商508条）。したがって，申込みを受けた者が対話者関係の終了後，あるいは隔地者間では相当の期間経過後に承諾の通知を発しても，それによって契約は成立せず，その承諾は新たな申込みとして扱われることになる。

英国法においては，逆に，申込みは承諾あるまではいつでも撤回することができるのが原則とされている。これは，後述する英米法特有の約因理論（第1部第**4**章*2*(**2**)）によるもので，捺印証書（deed）によるか約因（consideration）が与えられている場合でないと約束は拘束力をもたず，このことは申込みにおいてもあてはまる。このため，たとえ申込みに承諾期間を定めていても，捺印証書によるか約因があるのでなければ，申込みは自由に撤回できるとされている。

米国法においても，コモン・ロー（common law）の原則としては，英国法同様，申込みは承諾がなされるまでは，たとえ承諾期間を定めていたとしても，自由に撤回が可能である。ただし，例外として，①一方的約束による契約（unilateral contract：承諾として求められるのは被申込者の行為であるような場合）や，②オプション契約（option contract：被申込者が申込みを承諾して契約を締結するか，契約をやめるかの選択を一定期間自由にできるという機能を，対価を払って（＝約因）

購入している場合，または，約因がなくても，公正な内容の捺印証書による場合）がある。さらに，ルイジアナ州を除くすべての州で採用されている米国統一商事法典（Uniform Commercial Code: UCC）第2章では，このコモン・ロー原則を一部変更し，商人間における動産の売買についてファーム・オファー（firm offer：確定的申込み）がなされた場合は，当該申込みに承諾期間が記されているときはその期間，記されていないときは合理的期間内（ただし，いずれの場合も最長3か月間）は撤回することができないとされている（UCC 2-205条）。ファーム・オファーとは，商人が署名ある書面により行う申込みで，その書面に申込みの効力が存続する（申込みを撤回しない）旨記載されているものをいい，例えば，次のような表現の注文書が商人より署名入りで送られてきた場合には，ファーム・オファーとなる。

We are pleased to make the following offer which is firm for ten (10) days from the above date.

CISGでは，申込みは，承諾期間を定めた場合などで撤回することができない（irrevocable）ものであっても，当該申込みが相手方に到着する以前のタイミングに取りやめ（withdrawal）の通知が届くことを条件に，申込みを取りやめることができる（CISG 15条2項）。他方，承諾期間の定めのない申込みの場合には，申込みが相手方に届いた後でも，相手方が承諾の通知を発する前に撤回の通知が到着することを条件に，いつでも申込みを撤回することができる（CISG 16条1項）。

また，CISGの影響を大きく受けて作られたといわれる中国法でも，申込みの通知が相手方に到着する以前であれば申込者は撤回できるし（中国民法475条，141条），申込みが到着した後でも，相手方が承諾を行う前であれば，一定の場合において申込みを取り消すことができる（同法475条，476条，477条）。

2 承　　諾

(1) 承諾の意味

承諾とは，申込みの内容を応諾して契約を成立させる旨の意思表示をいう。承諾は申込みと合致して契約を成立させるものであるから，承諾の内容が申込みの内容と一致している必要があり，その申込みに対する意思の表示であることが認識される必要がある。

承諾も申込みと同様，書面（注文請書など），ファックス，電子メール，口頭，電話等によるほか，行為によっても行うことができる。行為による承諾の例としては，申込みに応じて注文品を送付することや売買代金の前払をすることなどを挙げることができる。

通常，申込みを受けた者は，その申込みを承諾しない場合に，申込者に対してその申込みを拒絶する旨の通知をする必要はない。たとえ申込みに，「××日までに返事がない場合には，承諾したものとみなす」旨記載されていても同様である。しかし，例外的に，通知義務が課せられる場合がある。例えば，日本法の下では，商人が継続的な取引を行っている者からその営業の部類に属する申込みを受けたときは，遅滞なく諾否の通知をすることを要し，これを怠ると申込みを承諾したものとされる（商509条）。また，英米法の場合，原則としては，沈黙は承諾としてみなされないが，従来何度も同様の取引をしており，不承諾の場合はその旨を通知するのが合理的であったと考えられるような場合など，特殊な事情があるときは，沈黙も承諾にあたると考えられる場合がある。

(2) 承諾の効力

日本法においては，申込みと同様に承諾についても到達時に効力が発生することになり，契約は承諾が申込者に到達した時に成立する（民97条1項）。

米国法では，隔地者間において，被申込者が申込者から許容された通信手段（authorized mode of communication）により承諾の通知をした場合については，当該通知を発した時に効力が生じるとされている（mailbox rule. ただし，電話，ファックスなどの即時性のある手段により承諾する場合や，申込者から許容された手段以外の方法による場合は，到達した時に効力が生じる)。ここでいう許容された通信手段とは，申込者が指定した承諾の方法，あるいは明示の指定がない場合には，その状況に鑑みて合理的な方法・手段により承諾すればよいとされ，例えば，申込者が申込みに際して用いた方法と同じであれば，基本的には合理的な方法・手段とみなされる。したがって，郵便で申込みを受けた場合は，郵便で承諾を通知すればよいということになる。なお，許容された通信手段により承諾の通知がなされる限りは，その通知の延着や不到着のリスクは申込者が負う。

英国法でも，郵便局を通じての手紙または電報により承諾を通知する場合には，郵便局に発送・打電を依頼した時に効力が生じる（posting rule)。なお，電話やファックスの場合には，到達主義となる。電子メールによる承諾に関しては，米国法・英国法ともに，mailbox rule あるいは posting rule が適用されるべきか否かについてまだ確立されていないようである。

CISG では，承諾は相手方に到達することを要する（CISG 18 条 2 項)。事前の同意がなければ，拒絶の返事をしないなどの沈黙や不作為をもって承諾とはみなされない（CISG 18 条 1 項)。また，行為による承諾も認められている（CISG 18 条 3 項)。

中国法も到達主義を採用しており，承諾の通知は原則として申込者に到達した時に効力を生じる。通知が不要な承諾は，取引慣行または申込みの条件に従って承諾の行為をなした時に効力を生じる（中国民法 484 条，137 条)。

⑶　条件付承諾と Battle of Forms

承諾にあたって，申込みの内容と異なる条件や，申込みの内容には含まれていない追加の条件を付けて承諾（counter-offer）した場合，契約は成立するであろうか。例えば，買主側からの申込みが 8 月の船積を要求しているのに，売主側が「ただし，船積は 9 月」として承諾する場合である。日本法では，被申込者が申込みに条件を付けたり，その他変更を加えて承諾した場合，申込みの拒絶をし，かつ，新たな申込みをしたものとみなされるため（民 528 条)，上記の例では，契約は成立していないものと考えられる。

条件付承諾の問題と関連して，実務上問題になりやすいものに書式の争い（battle of forms）がある。多くの企業は，自社が行う販売あるいは購入に際して，統一的に適用する契約条件が印刷された契約書式，いわゆる printed contract form を用意しているため，売買の基本的条件（商品の数量，価格，受渡時期，決済条件等）について合意に達し，契約書準備の段階になると，自社の printed contract form で調印に持ち込もうとする。ところが，printed contract form 上の条件はいずれも自社に一方的に有利となっているのが通例なので，売主・買主いずれも互いに自社の printed contract form での締結を主張し合い，なかなか契約内容の合意に至らないことがある。このような状況が battle of forms である。また，その他，申込者が自社の printed contract form を使用して申込みをし，被申込者が承諾の旨を自社の printed contract form を使って通知するような場合も battle of forms となる。

Battle of forms となった後，互いに相手方に自社の printed contract form を送りつけたままの状態で放置してしまうことがあるが，このような場合，そもそも契約は成立したのか，契約が成立したとすれば，契約内容は売主の form によるのか，買主の form によるのかということが問題となる。日本法の下では，例えば，買主の form に対し，売主が自社の form をぶつけた場合には，民法 528 条が厳格に適用されれば，買主の申込みに対する条件付承諾と考えられるので，売主の行為は新たな申込みとみなされることになろう。したがって，契約は成立しないことになる。しかし，現実の取引においては，売主・買主の各々の form の食い違いがマイナーな点に限られ，諸条件の多くについて一致をみている場合など，契約が成立しているとみなされる可能性がある。

英米法の下で battle of forms があった場合，一方の当事者が最後に form を送った後に，その form を受け取った相手方が根負けして異議を唱えずに履行すれば，行為による承諾によって契約が成立する（これを last shot doctrine という）。行為による承諾がなければ，当初の申込みに対する承諾が全く存在しないことになり，被申込者が反対申込みを提示したとみなされるため，最終的に契約が成立したかどうかについては，当初の申込者がその反対申込みを承諾したかどうかの判断によることになる。ただ，このようなコモン・ローの厳格な原則に従って契約は成立しないとされると，実務的には不都合な場面もあることから，UCC では，この原則に対して一部修正が図られている。具体的には，申込みの内容と相違する条件または申込みの内容には含まれていない追加条件を付けて承諾がなされた場合であっても，一定の場合を除き契約は成立するものとされている（UCC 2-207条1項）。その場合，申込みの内容と相違する条件または新たに追加された条件は，原則として契約の一部となることはない（新たな申出と解釈される）が，売主・買主双方とも商人であるときは，一定の要件により契約の一部となることも認められている（UCC 2-207条2項）。ただし，この点は判例によりケース・バイ・ケースの判断がなされており，また，各州によっても議論が分かれるところである。

CISGでは，申込みの内容を実質的に変更しないときであって，かつ，申込者が遅滞なく異議を申し出ない場合に限り，条件付承諾も有効とされる（CISG 19条2項）。なお，申込みの内容を実質的に変更する場合としては，代金，支払，品質，数量，引渡場所または時期，責任の限度，紛争解決方法などが挙げられており（CISG 19条3項），やはり実務でどこまで成立が認められるかは前例に乏しい。

このように，battle of formsに対する考え方は準拠法によって異なり，battle of formsにもかかわらず，契約が成立しているものとして漫然と履行に着手したり，あるいは，契約が成立していないものとして履行の準備に取りかからないでいると，相手方から思わぬ主張（契約は成立していないから商品は受け取らない，あるいは，契約は成立しており履行期を徒過したのは契約違反だ）を受けて，トラブルが発生する元となる。やはりbattle of formsを放置せず，契約条件を確定した上で取引を実施することが望まれる。

3　その他，契約成立をめぐる諸問題

(1)　交叉申込み（cross offer）

当事者の一方が他方に対して申込みを行い，これが到達する前に他方も同一の内容の申込みを行うことを，交叉申込みといい，日本においては契約の成立を認めるのが通説である。この交叉申込みにおいては，一方を承諾と解することはできないので，双方の申込みが到達したときに契約が成立するというのが通説である。

英米法においては，この交叉申込みは，いわゆる申込みと承諾が存在しない

から，原則として契約は成立しないとされている。したがって，契約を成立させるためには，どちらかの申込みに対して他方が再度承諾をしなければならないことになる。

(2) 完全合意（entire agreement）条項

国際取引においては，定型的取引を除き，1回限りの申込みと承諾で契約が成立するということはまれであり，当事者は契約条件をめぐり，自己に有利な条件で契約を結ぶために，書面，ファックス，電子メール，あるいは口頭で何度もやり取りするのが通常である。このような場合，契約締結後，「そんなことは約束していなかった」とか，「交渉過程で話としては出たが合意したわけではない」というように，両当事者の了解の食い違いをめぐって紛争が発生しやすい。契約書中に記載された事項以外についても，合意事項があったかどうかが問題となるわけである。このような問題を避けるためには，契約書中に契約交渉の段階で様々なやり取りがあったとしても，契約条件はこの契約書に書かれているものに尽きるという旨を規定しておくことが大切である。この種の規定を完全合意（entire agreement）条項と呼ぶ。

ただし，契約書中にentire agreement条項を入れるときは，売主・買主間の合意事項がすべて当該契約書に規定されているか否かよく確かめなければならない。なお，entire agreement条項の詳細については，第2部第**24**章を参照頂きたい。

(3) 未決事項（open terms）

契約成立の際に，一部の事項について“to be agreed later”として処理することは，実務的によく行われている。それらの事項は，一般に，未決事項またはopen termsと呼ばれている。

しかし，将来協議しても未決事項について合意に達しなかった場合，成立したはずの契約がどうなるかについて考えてみる必要がある。

日本では，未決事項について当事者が合意に達しなかった場合に直ちに契約全体が無効になるということは少なく，契約締結時に当該事項が未決とされた経緯・趣旨，契約における当事者の期待，当事者の意思等を総合的に判断し，場合によっては任意規定を適用して，裁判所が未決事項について解決の道筋をつけるという傾向が強いのではないかと思われる。

一方，英国法の場合は，諸条件の完全な一致が契約成立の条件であり，未決事項が存在する限り，基本的には契約は成立していないことになる（ただし，英国動産売買法の8条・9条に価格が決まらない場合の処理について定めがある)。これに関して実務上問題になりやすいのは，契約諸条件の一致がない状態で，商品の出荷等により契約の履行に着手した場合である。その履行の着手が商品の出荷であれば，相手方には受領義務がないので，引取りを拒絶されても対抗のしようがない。このような事態を防止するためには，*2*(**3**)でも述べたように，履行着手前に諸条件について合意にこぎ着けておくことが必要である。

他方，UCCは伝統的な英米法の考え方を変え，仮に主要な条件が未決定であっても当事者に契約しようという意思がある場合は，これを尊重するという考え方を明確にしている（UCC 2-204条3項)。当事者間で一部の条件が合意できない場合は，最終的には裁判所の裁量に委ねられ，ケースごとに当事者の意思が斟酌され，合理的と判断される条件が設定されることになる。むろん，あまりに未決事項が多すぎる場合は，そもそも当事者間に契約の意思がなかったものと判断されることになろう。また，UCCは，価格，引渡場所，納期，支払時期等の主要条件について合意がない場合の条件（gapfillers）を規定している（UCC 2-305条～2-311条等)。

Column ④ Electronic Data Interchange（EDI）

インターネット等を利用した商取引として，Electronic Data Interchange（EDI）がある。EDI について，いずれの準拠法の場合であっても従来の法的枠組みでは想定されていない事項もあり，取引に先立って基本契約書で少なくとも以下の項目については明確に定めておくことが望ましい。

① 個別の売買契約の成立時期
② 送信した電子データの取消し（撤回），変更手続
③ 送信した電子データが無効となる場合
④ なりすまし等の無権限者による取引の処置
⑤ 取引の安全性（第三者による不正利用の防止，メッセージの不到達，データ化け等の手当）の確保
⑥ 事故，障害時による損失のリスク分担
⑦ 電子データの保存方法・期間

第4章

売買契約の締結

1　契約の締結権

ファックスや電子メール等により海外の相手方の担当者と契約条件の交渉を行い，最終段階に至って相手方より取締役会の承諾が得られないといった理由で，既に合意されていた条件がひっくり返されることがある。また，重要な契約書への署名の際に，署名者が署名権限を有することを証する委任状や証明書の交付を相手方から要求されることも多い。そこで，会社において誰がどのような契約締結権限を有しているかについて説明する。

(1)　会社の代表権（代理権）

日本においては，取締役会設置会社である株式会社の代表権は取締役会により選任される代表取締役が有するとされている（会社 349 条・369 条）（指名委員会等設置会社においては，代表執行役が会社の代表権を有する（同法 420 条））。したがって，代表取締役は，会社全体の通常の取引に関する売買契約を締結する権限を有する。この場合，代表取締役以外の取締役は，取締役会の一員として会社の意思決定に参画するが，取締役個人としては会社を代表する権限をもたないことに注意する必要がある。他方，支店長，工場長，部課長等の会社の職制に定められた役職者は一定の限度で会社を代理する権利を有する。

英米においては，会社の代表権（代理権）は，第一義的には取締役会が有する。しかし，それでは会社の日常活動に支障を来すことから，そのような日常の活動については定款または取締役会の決議により執行委員会（executive committee）または社長（米国では president，英国では managing director）や最高経営責任者（chief executive officer：CEO）等のいわゆる役員（officer）に委任されているのが通例である。会社の行う通常の売買契約についていえば，社長が契約締結権を有することは間違いない。しかし，売買契約でも巨額なもの，融資を伴うもの等通常のものとはいえないものの場合には，社長であっても権限をもたず，取締役会の承認を要すると考えるべきであり，契約の相手方に委任状または取締役会議事録の提出を要求すべきであろう。また，部課長（department manager/section manager）がその department/section の通常の商活動の範囲内での売買契約の締結権を有することはわが国の場合と同じである。

中国においては，法人の法定代表者が，法律または法人組織の定款の規定に基づいて，法人を代表して職権を行使する（中国民法 61 条）。例えば，会社の法定代表者は，董事長，執行董事，総経理である。

(2) 表見代理

第三者が会社の正当な代表者・代理人と信じて取引を行った相手方が実際には正当な権限をもっていなかった場合，その善意の第三者は全くその会社の責任を問えないのであろうか。このような場合，日本では民法 109 条・110 条および 112 条の表見代理の規定により，善意の第三者は保護される。第三者が相手方に代表権・代理権があると信ずることにつき，正当な理由がある場合（民 109 条 2 項・110 条・112 条 2 項）または代表権・代理権がないということにつき善意無過失である場合（民 109 条 1 項・112 条 1 項），会社はその第三者に対して対抗できないということである。具体的にどのような場合に第三者が保護されるかは，個々の取引に応じて商慣習・取引の背景等により決まることになる。

この表見代理については，会社法に特別の規定がある。会長，社長，副社長，専務，常務等一般に代表権を有する者と認められる名称を付した取締役（表見代表取締役）については，会社の代表権を有していない場合でも，第三者は代表権があると信じやすい。そこで，会社法は，これらの取締役のなした行為については，その者が代表権を有しない場合でも，会社は善意の第三者に対してその責任を負うとして第三者の保護を図っている（会社 354 条。なお，指名委員会等設置会社に関しては，同法421条参照)。

英米法の考え方も上述の日本の民商法の基本的考え方と大差はない。すなわち，第三者が会社の正当な代表者・代理人と信ずることにつき，その会社の慣習，慣行からして正当な理由がある場合または会社の定款もしくは取締役会の決議により，その者にその取引を行う権限が与えられていないことにつき善意無過失である場合，会社は第三者に対して責任を負うというものである。ただし，この考え方から具体的な結論を引き出すことは困難であり，個別の取引に応じて考える必要がある。

米国の会社における“vice president”の場合，一定の権限をもっていることは間違いないものの，日本の副社長とは異なり，大会社の場合には数十人もの vice president がいることもある。各 vice president につきそれぞれの担当分野が決まっている場合には，日本での部課長クラスと考えるべきで，担当分野に関する通常の売買契約の締結権を有すると考えてよい。少しでも疑わしい場合には，委任状または取締役会議事録により，その権限の確認をすべきであろう。Deputy manager，assistant manager については，権限が全くはっきりせず，必ず委任状または取締役会議事録により権限の確認をすることが重要である。

また，中国民法も表見代理の規定を定めている。そもそも代理権がない場合，代理権の範囲を超えている場合，または代理権が消滅した場合に，被代理人の名義で締結した契約において，相手方が行為者に代理権があると信じる理由がある場合には代理行為は有効とされており（中国民法172条），日本民法に近い。また，法人の法定代表者等の代表者が越権して締結した契約は，相手方がその権限踰越を知っていたか当然に知り得べき場合を除き，有効であると規定される（同法504条）。

(3) 取締役会による授権・委任状

相手方の会社の代表者・代理人としての権限・資格に少しでも疑義がある場合には，上記のとおり，その権限・資格についての確認を行うことになる。

確認の方法としては，次の①のような委任状の発行を要求することが一般的であるが，その場合，委任者（委任状の発行者）がそもそも委任事項につき，権限・資格をもっていることが前提であることはいうまでもない。

日本では，代表取締役の権限が非常に広いので，代表取締役が委任者であれば問題はない。むしろ代表取締役が委任者である委任状を要求すべきだということになる。

英米では，日常の商活動は社長に委任されているが，その範囲は日本の代表取締役の代表権より狭いといわざるを得ない。したがって，委任者がたとえ社長であっても委任事項につきそもそも権限をもっていない場合もあり得るわけで，その場合に備え，下記②のような取締役会議事録を取得しておくことも考えられる。

① 委任状

POWER OF ATTORNEY

KNOW ALL MEN BY THESE PRESENTS:

That we, ABC Corporation, a corporation organized and existing under the laws of Japan, having our principal place of business at 1-1, Marunouchi 1-chome, Chiyoda-ku, Tokyo, Japan hereby appoint Mr. Taro Urashima, Manager of Steel Tubular Section of our corporation as our true and lawful attorney-in-fact, for us and in our name, to negotiate with XYZ Company, Ltd. the terms and conditions for the sale by us to the said XYZ Company, Ltd. of 30,000 MT of steel tubular goods and to sign a sales contract therefor (the “Sales Contract”).

The authority hereunder is limited to negotiating with XYZ Company, Ltd. the terms and conditions of and signing the Sales Contract and the attorney-in-fact has no authority to negotiate terms and conditions for any contract other than the Sales Contract nor to sign any other contracts.

The attorney-in-fact has the right to appoint one or more substitute attorney-in-fact or attorneys-in-fact to carry out the foregoing purposes, and to revocate any such appointment.

This Power of Attorney will expire upon signing the Sales Contract.

IN WITNESS WHEREOF, we have caused this Power of Attorney to be executed by our duly authorized officer on this [*day*] of [*month*], [*year*].

ABC CORPORATION

____

Name: Ichiro Sato

Title: President

② 取締役会議事録

XYZ COMPANY, LTD.
MINUTES
OF
SPECIAL MEETING OF BOARD OF DIRECTORS

A Special Meeting of the Board of Directors of XYZ Company, Ltd. (the "Company") was held on [*month, day*], [*year*] at the principal office of the Company in Chicago, Illinois, U.S.A.

Those present were Mr. Jack A. Smith, Mr. Robert B. Johnson and

Mr. Frederic C. McDonald and together they constituted a quorum.

Mr. Jack A. Smith acted as Chairman and Mr. John D. Stone, Secretary of the Company, acted as Secretary of this Special Meeting.

Upon motion duly made and seconded, the following resolutions were unanimously adopted:

RESOLVED, that the Company enter into the contract with ABC Corporation for the purchase of 30,000 MT of steel tubular goods to be manufactured by the said ABC Corporation (the "Purchase Contract").

RESOLVED FURTHER, that Mr. Cedric E. Peterson, Manager of Purchasing Department of the Company, by himself or by an attorney-in-fact duly appointed by him, with powers of substitution and revocation, be authorized to execute on behalf of the Company the Purchase Contract.

There being no further business, the Chairman closed the Special Meeting.

____

Secretary of the Meeting
John D. Stone

なお，英米では，カンパニー・セクレタリー（company secretary）という会社の書記役が置かれる場合があり，カンパニー・セクレタリーは株主総会および取締役会等の議事録等の作成，法令等で会社に保管が義務付けられている文書や書類その他の記録の作成，維持管理および認証を行う。英米の会社との取引において，かかるカンパニー・セクレタリーによる証明付きの取締役会決議の証明書の提出を求められることがあるが，日本の現行の会社法ではこのようなカンパニー・セクレタリーに関する定めがないため，実務上は，相手方の了承を得た上で，代替として，取締役会事務を所管する法務部や総務部等の部長による証明書を提出することが行われている。

2　契約書の形式

(1)　契約書の作成

売買契約は，両当事者の合意により成立するため，口頭によっても契約は有効に成立し，契約書の作成は契約の成立要件ではない。CISG においても同様である（CISG 11 条。なお，96 条により，一定の要件を満たす締約国については，11 条の適用を留保することができることとなっている）。ただし，英米法において，次の(2)に述べるような考え方があるほか，各種立法により書面の作成が契約の成立要件とされている場合または成立要件ではないが書面の作成が義務付けられている場合がある。わが国においては，割賦販売法 4 条および宅地建物取引業法 37 条等で書面の交付が義務付けられているが，少なくとも会社間の通常の商活動に伴う売買契約については，そのような規制はない。米国の場合，UCC では 500 ドル以上の物品の売買契約については，その契約の成立を証する一定の書面がなければ，その契約に関して訴訟で争うことができない（強制力がない）との原則が規定されているので注意を要する（UCC 2-201 条）。英国においては，古くは 10 ポンド以上の動産の売買契約をはじめとする数多くの種類の契約について，書面がなければ強制力がないものとされていたが，現在では土地に関する権利（3 年以下の賃貸借を除く）の設定・移転に係る契約，および無償契約等について書面が必要とされる。このように一定の書面がないと法律上，契約を強制することができない旨定める法律を，詐欺防止法（statute of frauds）という。

また，売買契約書を作成する際にもその形式は自由であり，注文書・注文請書を交換することにより，売買契約書の作成に代えるということは，商慣習として極めてよく行われている。

口頭で契約が成立するにもかかわらずほとんどの場合，何らかの形で，売買契約書が作成される理由については，第1部第**7**章を参照されたい。

(2) 単純契約，捺印契約およびCorporate Seal（英米法の考え方）

英米法では，契約が成立するための要件として捺印証書という一定の方式に従うこと，または約因（consideration）があること，が要求されている。ただし，捺印証書の作成または約因の存在は現在ではかなり緩く考えられている。約因により成立する契約を単純契約（simple contract）といい，約因の有無を問わず捺印証書による契約を捺印契約（speciality contract または deed）という。ここに約因とは，契約上の債務の反対給付として提供される，作為・不作為または約束をいう。また，捺印証書とは，当事者の約束・合意を証する書面であって署名（sign）・捺印（seal）・交付（deliver）がなされたものであり，会社がその捺印に使用する印章は英国においては common seal，米国においては corporate seal と呼ばれている。なお，捺印証書が作成された場合の法的な効果としては，次のものが挙げられる。

① 捺印証書による禁反言（estoppel by deed）。すなわち，当事者は捺印証書に記載された事柄に反する主張が許されない。

② 捺印証書によって契約は有効に成立したと推定され，そうでないとの挙証責任は契約の不成立を主張する者が負うこととなる。

③ 英国では，出訴期限は，単純契約の場合6年であるが，捺印契約の場合は12年となる。

会社の行為または契約について，以前は必ず捺印証書によらなければならないとされていたが，現在では英米両国共にこの原則を採っていない。

例えばUCCにおいては，売買契約の場合，捺印されたとしても捺印証書とはみなされず，捺印証書に関する法は適用されないと規定されている（UCC 2-203条）。したがって，捺印証書作成の原則もほとんど有名無実なものとなっている。

このように現在では捺印証書作成の必要性は非常に低くなっており，通常の売買契約の場合にはほとんど作成されることはない。ただし，英国における委任状のように，捺印証書によらなければならないものも引き続き存在するので，注意を要する。

(3) 公正証書（日本の場合）

公正証書とは，法律により一定の身分と権限を与えられた公証人が，公証人法その他の法令の定めるところに従い，自ら聴取，目撃，実験した事実につき録取した証書のことである。

例えば，売買契約，賃貸借契約等を締結する場合，当事者間において取り交わす契約書はいわゆる私署証書であり，他方，両当事者（または代理人）が公証人の面前に出頭して契約内容を陳述し，それに基づいて公証人に作成してもらう契約書が公正証書である。

公正証書は他の私署証書に比べ強力な証拠力を有し，また，直ちに強制執行に服する旨の陳述（執行認諾文言）が記載される等一定の要件を満たした公正証書は執行力を有している（民執22条5号）。

3　Witness（立会人）

(1) 目　的

契約当事者以外の第三者がwitness（立会人）として契約書にいわゆる“witness sign”をすることがある。このwitness signの目的は，その契約が真正に調印されたことおよび当事者の署名が真正である旨を確認するところにある。しかし，この確認がなされていれば契約の成立につき全く疑義がなくなる，または疑義をはさむ余地がなくなるというわけではない。例えば，訴訟において契約の成立が争われるような場合，witness signがなされているからといって裁判所によって契約が成立しているという推定がなされることにはならない。

(2) Witnessの権利・義務

第三者がwitnessとして契約の調印に立ち会ったために，契約当事者の権利・義務が当該第三者に及ぶということはない。仮にある契約の中で，対象取引におけるwitnessの役割等について何らかの記載がある場合であっても，witnessが直ちにその契約に拘束され，当事者と同様の権利・義務を負うということにはならないであろう。ただし，その記載を盾に取られて，witnessが当事者間の紛争に巻き込まれる可能性はあり得る。このような場合には，witnessは単にwitnessとしてではなく，むしろ契約当事者となって自らの権利・義務を明確にしておく方が望ましい。

また，上記(1)に記載のような本来の意味におけるwitnessとしてではなく，実務上，取引の仲介または実質的なお膳立てをした者が，witness signを求められることがある。あるいは，契約当事者ではないが，その契約内容または取引の存在を認識していることの暗示として，もしくは当該取引への将来における何らかの関与を期待して，witnessとしてサインしているケースもまれに見受けられる。これらの場合も，witnessとしてサインしたことにより何ら権利・義務を負うわけではないが，実際問題として当事者間の紛争に巻き込まれる可能性は否定できないことに留意する必要がある。

4 サイン証明

(1) 目的・効果

わが国においては印鑑が独自の発達を遂げた結果，国内契約の調印は文字どおり記名捺印または自署捺印によってなされるのが慣例であり，印鑑が真正なものであるかにつき印鑑証明を要求されることがある。他方，外国においては，または外国との取引においては，契約書の調印は自署（代署）によってなされ，それが真正なものであることの証明を要求されることが多い。

このような場合に，サインが真正であることにつき公証人，商工会議所または大使館等の公的機関の証明を受けることにより，当事者間でその信憑性を確認しようとするのがサイン証明であり，第三者たる公的機関による証明であることから，訴訟等においてもサインが真正なものであるとの強い推定がなされ，真正ではないということの反証は非常に困難となる。

(2) 手続（日本の場合）

日本でサイン証明を取得する場合，その主なルートは以下のようになる。

① 公証(人)役場 → 法務局 → 外務省 → 駐日大使館・領事館 → 海外相手先
② 公証(人)役場 → 海外相手先
③ 公証(人)役場 → 駐日大使館・領事館 → 海外相手先
④ 商工会議所 → 海外相手先

上記①が本来のルートだが，駐日大使館・領事館での証明（領事認証）を得るまでの手続が煩雑であることから，後述のハーグ条約などにより簡素化が図られている。なお，経由ルートについては，海外相手先や提出する書類によって異なる場合もあるため，海外相手先または海外相手先の駐日大使館・領事館に確認することが望ましい。

参考までに東京都における具体的手続の概略は，次のとおりである。なお，具体的手続の詳細は各機関の窓口に問い合わせ願いたい。

〔Ⅰ〕 公証（人）役場における認証

認証方法には以下の３通りがあるが，契約書・委任状など，権利・義務関係を証する文書の場合は，面前認証が望ましい。

[1] 面前認証　署名者本人が公証人の面前でサインをする方法。

[2] 自認認証　署名者本人が公証人の面前で，自己のサインに相違ないことを述べる方法。

[3] 代理認証　署名者の代理人が公証人の面前で，署名者のサインが本人のものに相違ない，と本人が認めていることを述べる方法。

認証方法や署名者が誰か等により公証役場へ提出が必要な書類が異なるため，あらかじめ窓口に確認のこと。

〔Ⅱ〕 法務局における証明

公証役場で認証済みの書類について，公証人の署名，捺印が真正であることを証明してもらう。なお，公証役場において公証人の認証と法務局長の証明を同時に取得できるため，実際に法務局に書類を持参する必要はない。

〔Ⅲ〕 外務省における証明

公証役場および法務局で認証・証明済みの書類を持参し，法務局長の署名，捺印が真正であることを証明してもらう。なお，提出先の国が「外国公文書の認証を不要とする条約」（ハーグ条約（Convention Abolishing the Requirement of Legalisation for Foreign Public Documents））に加盟している場合は，公証役場において，条約で定められた形式のアポスティーユ（apostille：外務省の認証）が付いた認証文書が作成され，海外相手先の駐日大使館・領事館の証明も不要となるため，公証人の認証を得れば，法務局，外務省および駐日大使館（領事館）に出向かずとも，直ちに海外相手先に提出できる（上記ルート②。なお，apostille が付された場合でも，提出先国や提出する書類によっては駐日大使館・領事館での手続が要求されることがあるため，あらかじめ確認することが望ましい）。また，ハーグ条約未加盟国であっても，公証役場では，法務局と外務省の証明がある認証文書が作成されるため，公証人の認証を得た後，海外相手先の駐日大使館・領事館の証明を受ければ足りる（上記ルート③）。

〔Ⅳ〕 駐日大使館・領事館における認証

公証役場または外務省に認証・証明済みの書類を持参し，署名，捺印が真正であることを認証してもらう（領事認証）。大使館・領事館における認証手続は，受付時間，交付時間，大使館控用コピーの要・否，費用等が大使館ごとに異なるので，事前に確認の上，申請を行うこと。

〔Ⅴ〕 東京商工会議所における証明

東京商工会議所でサインの証明を受けるには，あらかじめ貿易登録に基づくサイナーの署名届の登録が必要となる。したがって，署名届をしていない者がサイン証明を受けようとする場合，まずサインの登録を行うこと（上記ルート④）。

売買契約の不履行と救済

一方当事者に売買契約の不履行があった場合に，相手方当事者に対してどのような救済手段を与えるかは，売買法の核心ともいうべき問題である。そこでの論点は大きく分けて，①いかなる場合に契約違反（債務不履行）があったといえるのか，②契約違反があった場合に相手方当事者にいかなる救済手段が与えられるのか，③いかなる場合に契約当事者が契約上の義務（債務）から免責されるのかの3つである。

この点，英米法的な契約責任論と人陸法的な債務不履行理論とでは，考え方をやや異にする。

英米法的な契約責任論は，当事者間でどのような合意がなされたかを重視する。当事者間で合意された内容がすなわち契約上の権利・義務であり，それに違反することはすなわち契約違反であると理解される（契約の拘束力を重視する契約観）。そこでは，当事者が契約締結時にいかなる合意をしたかが繊細に探究される。当事者の合意内容を探究するにあたっては，契約締結後に生じた事由についてどちらがリスクを負担していたかが問われ，リスクを負担していた者が契約責任を負うという発想にたつ。

一方，伝統的な大陸法のアプローチにおいても，当事者間の合意を契約の出発点とする点において英米法的な考え方と異なることはないが，想定する契約観は若干異なる。英米法のように，当事者が交渉を経て契約の詳細条件について合意に至ったという想定は置かれず，当事者間では契約の輪郭こそ取り交わされるものの，詳細条件は任意規定の補充に委ねていくような契約観が基礎に置かれる。当事者が目指すところの取引にふさわしい契約類型（典型契約）は何かが探究され，取引毎に選び出された典型契約が用意する任意規定が契約内容を補充していく。

こうした発想の微妙な違いは，売買契約の不履行や救済の局面において，如実に現れる。後述のとおり，伝統的な大陸法が，債務不履行を，履行不能・履行遅滞・不完全履行に分類し，債務不履行責任については，債務者の帰責事由を要求してきた点や，履行不能の局面については，債務者の帰責事由の有無によって，契約解除・危険負担という2つの制度を精緻に要件化してきた点などは，英米法には見られない特徴である。

遠隔地間の取引を規律する国際売買では，当事者が本拠とする国毎に商慣習や取引慣行も異なることから，当事者間の合意を詳細に取り決めていこうとする傾向が強い。したがって，国際売買契約における準拠法としては，契約合意の拘束力を重視する英国法，ニューヨーク州法などの英米法系の法律が好んで利用され，契約責任に関する国際的な実務慣行は，英米法的な考え方の影響を強く受けて確立されてきたと考えられる。日本法を含む大陸法においても，法律行為・典型契約の概念を用いた硬直的な債権・債務のとらえ方からの脱皮が図られており，当事者の合意内容は何かを重視する契約観が浸透してきている。

英米法と大陸法の融合を図った国際的な売買統一法として，1980年に採択され，1988年に発効したウィーン国際売買条約（CISG）がある。わが国も2008年にこれを批准しているが，わが国の企業の多くは，国際売買契約において同条約の適用を排除しているともいわれており，その利用はあまり進んでいない。その他，統一法に向けた動きとして，UNCITRALが公表しているユニドロワ国際商事契約原則（UNIDROIT Principles of International Commercial Contracts）やヨーロッパ契約法委員会が作成したヨーロッパ契約法原則（Principles of European Contract Law）などが存在する。ユニドロワ国際商事契約原則は売買法における統一慣習法（lex mercatoria）であるという指摘もあるが，一言で売買契約の実務とはいっても多種多様なものが存在し，理論的にも意見の対立を抱えた論点も多く，これを国際標準として認知し，受け入れる動きは，実務では，今のところ見られない。

1　契約違反

(1)　債務者の責めに帰すべき事由と過失責任主義

日本法上，債務者が不履行ないし契約違反の責任を負うためには，それが債務者の責めに帰すべき事由（帰責事由）によることが必要である。履行しないことまたは履行できないことが債務者の責めに帰することができない事由によるときには，債務者は責任を免れる。ここに帰責事由とは，伝統的には，故意・過失または信義則上これと同視しうる事由と考えられてきた（過失責任主義）。なお，旧民法上，帰責事由を要するのは，条文（旧民415条）上，履行不能の場合のみのようにも読めたが，不完全履行や履行遅滞の場合であっても帰責事由を要することは判例上確立しており，平成29年改正を経て，現在の民法ではこれが明文化されている。

「債務者の責めに帰すべき事由」とはどのようなことを指すのかについては，これまでも様々な議論が展開されてきた。伝統的には，債務不履行を履行不能・履行遅滞・不完全履行に分け，それぞれにおいて債務者の帰責事由が必要であると考えられてきたが，最近の支配的な考え方は，こうした三分法的な考え方は無意味であるとした上で，より現実に即した形で，ある結果の達成が求められている結果債務と，一定の行為が求められているが結果責任は問われない手段債務に分けて考察する。結果責任が問われない手段債務においては，求められる行為水準を満たさないことそのものが「責めに帰すべき事由」であり，「債務不履行」とほぼ同義に理解されるが，ある債務が結果責任を求められるようなものとして理解される場合には，「責めに帰すべき事由」とは，結果を妨げる要因となる事象に対する帰責性の問題として把握される。結果債務において，戦争や自然災害などの不可抗力は，「責めに帰することができない事由」であるとして，債務者免責の対象とされる。

このように，わが国の債務不履行理論は，「債務者の責めに帰すべき事由」を基軸として要件化が図られていたが，国際取引の潮流ともいえる契約の拘束力を重視する契約責任論と比較して，わかりにくく，時代遅れではないかと指摘されてきた。現在の民法は，こうした様々な議論を踏まえたうえで，よりわかりやすい民法への改良が図られている。

(2) 英米法における契約違反の考え方

英米法において，契約違反とは，契約の全体もしくは一部をなす約束を適法な免責事由なくして履行しないことであると解される。日本法が，結果が実現しなかったことや期待された行為を行わなかったことに対する債務者の帰責性を債務不履行の判断基準とするのに対し，英米法は，約束を履行したかどうかを端的に問い，契約の拘束力を重視する。

英米法では，履行拒絶（repudiation）という概念が契約違反の一態様として存在する。債務者が，契約上の履行期の到来する前に履行を拒絶することを表明した場合，相手方はこの拒絶を契約違反（anticipatory breach）であるととらえ，契約を解除の上，損害の賠償を求めることができる。なお，履行期まではアクションを起こさず，履行期になっても履行のないときに契約違反の責任を追及することも可能であるが，履行拒絶をした当事者は，相手方がこれに対して何らかの行動をとるまでの間は，履行拒絶を撤回して契約を存続させることが可能である。

履行拒絶の通知を受けた当事者が何らアクションを起こさなかった場合，当該当事者が得られる救済手段は制限されてしまうことに注意する必要がある。履行拒絶の通知を受領した後，損害を軽減できる代替手段がありながらもこれを講じなかった場合には，代替手段を講じていれば回避できたであろう損害を請求することはできなくなる（avoidable consequences doctrine）。同様に，履行拒絶の通知を受けながら契約解除などの措置を講じていない間に，相手方の契約の履行が不可抗力などによって免責されてしまった場合，履行拒絶があったという事実は無視され，契約違反に基づく責任の追及はできなくなってしまう。

(3) CISG

CISGでは，72条において履行期前の契約不履行に関する条文を置いている。当事者は，相手方が重大な契約違反を犯すことが履行期到来前に明白である場合には，履行期の到来を待たずに契約を解除することができる。時間が許す場合には，事前通知を行い，相手方が適切な保証を提供する機会を与えた上で解除を行う必要があるが，相手方が履行拒絶の意思表示を行った場合は，事前通知なく契約を解除することができる。

2 救　　済

ある契約当事者が契約に違反した場合，相手方は違反者より救済（remedy）を受けることができる。ただ，救済についての考え方は，日本法と英米法ではアプローチが異なる。

⑴ 損害賠償

一方の当事者に契約違反があった場合，相手方がこれによって被った損害の賠償を請求することができるのは，各国共通であり，その意味でも損害賠償は最も基本的な救済であるといえよう。

(i) 損害賠償の範囲　日本法では，違反によって「通常生ずべき損害」の賠償に加えて，「当事者が予見すべきであった」場合には，特別の事情によって生じた損害についても賠償が認められる（民416条1項2項）。

英米法においては，損害賠償の趣旨が，違反者から相手方に対して金銭を支払うことによって，相手方を契約の履行があった場合と経済的に同一の状態に置くことにあると考えられている。損害賠償の範囲については，英国の Hadley v. Baxendale［1854］がリーディング・ケースとなっている。同判決上，違反当事者の相手方が得られる損害賠償は，契約違反から通常当然に発生する損害である通常損害（general damages）と，「当事者が予見し，または予見し得たはず」の特別損害（special damages）に限られるとする判断基準が生まれ，斯かる基準を踏まえ裁判例が積みあがってきた。

このように，予見可能性を基準として損害賠償の範囲を画定する点において，英米法と日本法はさほど変わりがない。しかし，特別事情による損害の予見可能性の有無の判断時点は，日本法においては債務不履行の時とされているのに対し，英米法においては契約締結の時とされている点が異なる。英米法は，契約責任を契約締結時に取り決められたリスク分配の問題であるととらえることから，予見可能性についても契約締結時を基準として判断される。これに対し，日本法は，過失責任主義的な発想にたって，債務不履行となるまでの過程を振り返って債務者の帰責性を評価するというプロセスが求められることから，予見可能性の判断基準も，債務不履行時が基準となる。

(ii) **損害賠償額の予定**　損害賠償額は，契約であらかじめ合意しておくことも可能であり，納期遅延や支払遅延の場合に一定金額の遅延損害金を約定することは各国において一般に行われている。継続的な売買契約では，契約上定められた数量の引き取りがない場合であっても，代金は契約どおりに支払うことを定めるtake or pay条項が置かれる場合がある。日本法の下では，このような契約（損害賠償の予定）は通常どおり認められるが（民420条），英米法においては，賠償額の予定（liquidated damages）と違約罰（penalty）とは区別され，後者は禁止されており，その執行は認められない（Restatement (Second) of Contracts 356条）。賠償額の予定であるか違約罰であるかを判断するにあたっては，契約上どのような名称で呼ばれているかは問題とされず，賠償額の予定であると認められるためには，実際に生じ得る損害の賠償に合理的に近いものである必要があり，通常生ずる実損より著しく高いものや，様々な態様の違反に対してその結果にかかわらず一律に同じ賠償を約定している場合には，違約罰とみなされる傾向が強い。この点について，英国の従前の判例は，執行可能な賠償額の予定であるためには，契約違反時の金銭支払に関する取決めが，真に損害を事前に見積もったもの（“a genuine pre-estimate of loss”）であることを要求していた。だが，2015年の判例変更により，当該取決めにより保護される契約当事者の正当な利益（“legitimate interest”）との権衡を失した法外なもの（“exorbitant or unconscionable”）でなければよいこととされた。

なお，違約罰に似た概念として，懲罰的損害賠償（punitive damages）がある。加害者の行為が強く非難に値すると認められる場合，将来の同様の行為を抑止することを目的として，裁判所または陪審の裁量により，実損以上の支払が命じられる賠償のことを指すが，こちらは，不法行為上の救済に関するものであり，契約上の救済としては認められていない（Restatement (Second) of Contracts 355条）。

⑵　契約義務からの解放と契約解除

(i)　**日本法**　わが国では，一方の当事者が債務不履行となった場合に，相手方当事者を契約上の義務から解放するための手段として，契約解除の制度が設けられており，民法上，催告による解除（民541条）と催告によらない解除（民542条）とに区別されている。

前者について，一方当事者がその債務を履行しない場合には，他方当事者が相当の期限を定めて，その間に履行をなすべきこと，およびそれまでに履行のないときには契約を解除することを催告し，それまでに履行がなかった場合に初めて，改めて解除の通知をすることにより契約を解除することができるとされている。なお，催告期間中においても契約は存続しており，この間に相手方が履行してきた場合には解除権は消滅する。

後者については，無催告解除の対象として，債務者による全債務の履行拒絶時や，一部債務の履行不能による契約目的の達成不可能時など，実務上催告が意義を成さないと考えられる一定の場合が，民法上明文化されている。

商法は，確定期売買について定めを置く。確定期売買とは，一定の日時または期間内に履行がなければ契約の目的を達成できないような売買をいう。確定期売買において，一方の当事者が履行をなさないままその期間が経過したときは，相手方は直ちにその履行を請求しなければ，契約を解除したものとみなされる（商525条）。

また，従来，履行不能による解除については債務者の帰責事由が必要であると規定されており，履行遅滞による解除についても明文の規定はないものの，債務者の帰責事由が契約解除の要件と解されていた。しかし，例えば不可抗力による債務不履行など債務者側の帰責事由がない場合であっても，債権者による解除を認めるべき場合がある。平成29年改正を経て，現在の民法では，債務不履行による解除は債務者に対する責任追及のための制度ではなく，債権者を契約義務から解放するための制度であると整理され，債務の不履行が債権者の帰責性によるものでない限り，解除権が認められることとなった（民543条）。

なお，契約違反があれば，軽微な違反であっても常に契約解除が認められるというわけではない。付随義務違反を理由とする契約解除は認められないとする最高裁判例（最判昭和36・11・21民集15巻10号2507頁）があり，民法上も，このような考え方が明文化されている（民541条ただし書）。

(ii) **英米法**　英米法は，一方当事者の債務の重大な不履行を，牽連関係にある他方当事者の債務履行のための条件（conditions）の未成就であるととらえる。米国法においては，当事者の不履行が重大（material）なものであると認識される場合，相手方当事者は，当該不履行が治癒されるまでの間，履行義務から解放（discharge）される（Restatement（Second）of Contracts 237条）。債務者がインプラクティカビリティ（impracticability）やフラストレーション（frustration）によって免責される場合であっても，外形的には契約違反状態であると評価され，履行義務から解放される（Restatement（Second）of Contracts 267条）。履行が不能となった場合，履行の瑕疵の治癒が期待できない場合，履行期を大幅に徒過した結果履行が意味をなさなくなったような場合などにおいては，契約解除が認められると考えられている。

英国動産売買法は，契約条項を条件（conditions）と保証（warranty）に分類する。ある契約条項が条件（conditions）であると認定された場合，一方当事者の条件の不成就は，当該当事者による履行拒絶（repudiation）であるとみなされ，相手方当事者は，これを根拠に物品の受領を拒絶することができるが，ある条項が保証（warranty）であると認定された場合には，一方当事者の保証の違反に対し，相手方は契約の履行を拒絶することはできず，損害賠償の請求のみが認められる（英国動産売買法11条3項）。

英国動産売買法は，条件（conditions）としてとらえられるべき黙示の条項（implied terms）についていくつかの規定を置いている。例えば，同法13条1項は，商品の品質や仕様が指定された「記述による売買（sale by description）」において，物品は記述に合致するという黙示の条項（implied terms）があると規定し，この黙示の条項は条件（conditions）であるとする（同法13条（1A））。一方当事者の不履行を相手方にとっての履行の条件未成就の問題として構成しようとする考え方の表れであるといえる。

(iii) **CISG**　CISGは，契約解除ができる場面を重大な契約違反に限るとした上で，契約解除の要件を詳細に規定している（CISG 45条1項(a)・49条・51条・61条1項(a)・64条）。履行障害免責を定めた79条は，債務者が損害賠償責任を免責される場合であっても，債権者による契約解除権を排除していない

(CISG 79条5項)。国際売買の契約実務では，契約書の中で，契約の解除事由について詳細な規定を置くことが一般的に行われており，契約解除は，契約違反や債務不履行に対する救済としての意味合いを超えて，継続的契約において不可抗力が一定期間継続して履行の目途がたたない場合や，相手方に信用不安が発生した場合など，当事者を不安定な状況から解放するための手段として広く利用されている。

(3) 危険負担

旧民法においては，牽連関係にある債務の帰趨について定めた制度として，債務者に帰責事由のある履行不能の場合には契約解除，帰責事由のない場合には，債権者の反対給付債務が当然に消滅するという危険負担制度（対価危険負担）が活用されてきた。

これに対し，英米法では，牽連関係にある債務の帰趨の問題を当事者の帰責性によって峻別するような発想はなく，契約解除・危険負担のいずれも，双務契約における履行の暗黙の条件（constructive conditions of exchange）が成就できない場合の処理の問題としてとらえられ，危険負担であろうと，契約解除であろうと，突き詰めると当事者間のリスク分配の問題（履行危険負担）であると理解される。

このような理解の相違は，売買契約において頻出する危険負担条項の違いとして現れてきた。英米法を準拠法とする契約では，危険の移転について，シンプルに「約定品の危険は売主から買主に引き渡された時点で移転する」と規定されることが多いが，日本法を準拠法とする契約では，帰責性の有無によって牽連性を場合分けする旧民法の対価危険負担の考え方の影響を受け，「引渡し前に生じた物の滅失・毀損については，買主の責めに帰すべきものを除き売主の負担とし，引渡し後に生じたこれらの損害は売主の責めに帰すべき事由を除き買主の負担とする」などと定められてきた。今般の民法改正により，危険負担における消滅構成が否定され，債務の牽連関係を考慮する必要がなくなったことで，わが国における危険負担に関する条項も，シンプルに危険の移転時期を定める履行危険負担型の条項に変容していくことが予想される。

CISGでは，66条〜70条で，危険の移転（passing of risk）に関する規定が置かれている。66条は，売買の対象となる物が滅失または損傷したケースにおいて，いつの時点までに生じた滅失・損傷について売主が責任を負うか（履行危険負担）について定めるとともに，危険が既に買主に移転し，売主が責任を負わないとされた場合に，買主が代金支払義務を免れないこと（対価危険負担）についても定めを置いている。

⑷ 同時履行の抗弁権

同時履行の抗弁権とは，双務契約から生ずる対価関係にある両債務について履行上の牽連関係を認めることによって，当事者間の公平を図ろうとする原則である。一方当事者は，相手方が弁済期にある債務について，履行の提供をするまでは対価関係にある債務の履行を拒むことができる。例えば，買主が先払すべき契約代金を支払わない場合，売主は商品の引渡しを拒むことができる。契約商品の引渡しを受けていない場合，買主は後払の契約代金の支払を拒むことができる。

英米法では，同時履行の抗弁権の問題は，衡平法の観点から認められる契約上の条件（conditions）の問題として把握されている。一方の当事者の債務の履行期が相手方の履行期よりも後に到来する場合には，相手方の債務の履行が，自らの債務の履行の条件になると解されている。日本では，同時履行の抗弁権，契約解除，対価危険負担の問題は，それぞれ別個の制度として認識されているが，英米法では，これらは，いずれも，牽連関係にある債務の解放にかかわる契約上の条件の問題として整理されている。

⑸ 不安の抗弁権

代金先払の義務を負っている買主や商品を先に引き渡す義務を負っている売主（先履行義務者）は，相手方の将来の履行に不安をもった場合（例えば，極端な財産状態の悪化）に，自己の履行を拒否できるであろうか。英米法では，これは不安の抗弁権の問題としてとらえられてきた。UCC 2-609条によると，相手方の履行に不安（insecurity）をもつ十分な理由がある場合には，履行のための適切な保証（adequate assurance）の差入れを要求でき，これがなされるまでは自己の履行を見合わせてもよいとされている。CISGは，71条で不安の抗弁権に関する同様の規定を置いている。わが国では，下級審で，不安の抗弁権を認めた例はあるものの，必ずしも権利として確立されてはいない。

3　履行障害事由への対応

(1)　履行障害免責

契約締結後に何らかの障害事由が発生して履行が不可能もしくは困難となった場合に債務者に契約どおりの履行責任を追及できるかの問題は，履行障害法として理論化が図られている。自然災害などの不可抗力，役務提供契約における債務者の死亡，債権者の関与などの障害事由によって履行が不能または困難となった場合に債務者は免責される。前述のとおり，わが国では，このような履行障害事由は，「債務者の責めに帰することができない事由」に該当するものとされる。「債務者の責めに帰することができない事由」とは，伝統的な過失責任主義に照らせば，障害発生時において，当事者にとって予見不可能であり，結果の回避が不可能または困難である事象であると考えられる。

英米法における，履行障害免責の考え方は，コモン・ローの不能法理（doctrine of impossibility）に起源を有する。伝統的なコモン・ローは，債務者に対して履行不能の抗弁を認めることに消極的であったといわれている。「契約は守らなければならない」という原則が厳格に貫かれ，自らの責任で契約上の義務を負った以上，その後，いかなる困難や障害が生じたとしても，履行の免責は認めるべきではないと考えられてきた。ただし，コモン・ローは，①契約締結後に法令が改正された結果，履行が違法となった場合，②債務者が死亡した結果，履行が不能となった場合，③「神の仕業（act of God)」によって履行が不能となった場合の3事例については，例外的に，債務者の免責（excuse）を認めてきた。

その後コモン・ロー上の不能法理は，履行不能事由をもって債務者を免責することが契約上の黙示の条件（implied condition）とされていたかを問題とした。当事者の想定の範囲を超えた不測の事象が発生しないことは，契約上の履行義務が発生するための黙示の条件であると整理された。

コモン・ローの不能法理の厳格さは，20世紀になると，もはや時代にあわないものとして認識されるようになった。そこで，不能法理を現代的に進化させる必要に迫られ，フラストレーション（frustration）やインプラクティカビリティ（impracticability）の法理が生まれた。

フラストレーションは，契約の目的が達成不能となった場合の当事者免責を定めるものである。フラストレーションの法理の根源とされる判例は英国の戴冠式事件判決（Krell v. Henry [1902]）である。エドワード7世の戴冠式の祝賀行事を見物するため部屋を借りたが，エドワード7世が虫垂炎の手術を受けることとなり戴冠式は延期された。賃借人は，目的が不到達となった以上，賃料債務の支払は免責されると主張した。裁判所は，戴冠式が予定どおり行われることが契約上の黙示の条件となっていたと認定し，賃借人の免責を認めた。

米国法においては，UCC 2-615条が，売買契約における履行障害の免責要件を緩和したことで，伝統的な不能法理から，より柔軟なインプラクティカビリティへの脱皮が図られた。インプラクティカビリティは，契約上想定されていない障害事由が発生したことによって，債務者の履行が不能または困難となった場合に債務者を免責する。

契約法（第二次）リステイトメントによれば，ある障害事由が契約上想定されているかどうかの問題は，契約締結時にどちらの当事者がリスクを負担していたかの判断の問題と重なり合うものだと説明される（Restatement (Second) of Contracts, Chapter 11, Introductory Note）。債務者は，契約締結時において予見可能な不可抗力について，契約上リスクとして引き受けていたはずであるという一応の想定が存在する（UCC 2-615条 Official Comment 8）。逆に，不可抗力が契約締結時にはおよそ予見できないようなものであれば，債務者は，そのような事象の発生をリスクとして引き受けてはいなかったであろうと想定される。

なお，英国法では，米国法のように，契約目的の達成不能の事例をフラストレーション，履行が不可能または困難となった事例をインプラクティカビリティと区別せず，両者をまとめてフラストレーションと定義している（Law Reform (Frustrated Contracts) Act, 1943）。英国法でのフラストレーションに関する有名な判決としては，スエズ運河の封鎖を理由に，CIF契約の売主がフラストレーションを主張したケースが挙げられるが，裁判所は，喜望峰まわりで運送できるという理由で，その主張を退けている（Tsakiroglou & Co Ltd v. Noblee

Thorl GmbH [1962])。

CISGは，79条に債務者の支配を超えた障害による不履行の場合の債務者免責の規定，80条に債権者の作為・不作為によって生じた不履行の場合の債務者免責の規定を置いている。79条は，①自己の義務の不履行が自己の支配を超える障害によって生じたこと，②契約の締結時に当該障害を考慮することが合理的に期待できなかったこと，③当該障害またはその結果を回避・克服することが合理的に期待できなかったことを免責の要件として置いている。同条が，契約締結時における障害の予見可能性の問題を要件としていることは，英米法流に債務者が障害のリスクを引き受けたかどうかを問うものであるととらえられる。同条は，障害またはその結果を回避・克服できたかどうかについても要件として置いているが，かかる結果回避義務の要件は，英米法における損害軽減義務の考え方の影響を受けたものである。

(2) 不可抗力に対する日本法と英米法の考え方の違い

英米法では，不可抗力とは，契約締結時において債務者がリスクを負うことが想定されていなかった事象であると考えられている。そして，債務者がリスクを負っていたかの判断にあたっては，不可抗力の発生を契約締結時に予見し，または予見し得たかが重視される。不可抗力などの履行障害事由の発生を契約締結時に予見することが可能であったならば，当事者は，契約においてそのようなリスクを負うことを覚悟していたはずであるため，責任を負わないように契約時に合意しておけばよかったのであり，あえてそうしなかった以上，契約責任を負って当然であると整理される。英米法の実務では，契約条項の中で，いつどのように発生するか予測のできないような事象を不可抗力事由としてあらかじめ列挙しておき，当事者免責の範囲を契約上明確にすることが一般に行われている。

これに対し，わが国の履行障害法では，伝統的な過失責任主義の考え方を汲み，履行に向けた債務者の行為態様が評価され，債務者の帰責性（障害回避可能性）に応じて当事者を免責すべきかが判断される傾向にある。英米法と異なり，当事者が契約締結時にリスクを引き受けていたかどうかは，必ずしも決定的な要素とはならない。当事者にとって障害が回避不可能なものであったかどうかの定性的な評価が，契約締結時ではなく障害発生時を基準に行われるため，契約書にあらかじめ不可抗力事由を列挙しておくことは，契約法上必ずしも強く要請されているものではない。

(3) 事情変更の原則

わが国の契約法には，契約締結後に予期せぬ事象が発生した場合の対応に関して，事情変更の原則がある。これは，契約当時当事者が予見し得ない事情の変更が，当事者の責めに帰することができない事由によって生じた場合，契約どおりの履行を認めては信義則に反すると認められる場合には，これにより不利益を受ける当事者に，契約の解除または契約の改定を認めるという考え方である。しかし，わが国においても，一度取り決めた契約内容を修正し変更することについては消極的にとらえられており，事情変更の原則による契約の解除や契約の変更を認めた判例は非常に少ない。

事情変更の原則に期待される役割としては，急激なインフレ等の事情変更に際して，当事者で協議させて価格条件を改定に導くことが考えられる。しかし，事情変更の原則による価格改定が認められる場面は極めて限定的である。将来の価格条件の改定の可能性を念頭に置くのであれば，契約書の中で，ハードシップ条項や価格エスカレーション条項などを通じて契約改定の条件を具体的に取り決めておくことが求められる。

英米法におけるフラストレーションやインプラクティカビリティは，わが国の事情変更の原則に相当するものと説明されることがあるが，そのような認識は必ずしも正しくない。英米法では，フラストレーションもインプラクティカビリティも，契約上の条件未成就の問題として把握されており，当事者の再交渉や契約条件の変更を促す規範としての役割は，そもそも意図するところではない。フラストレーションやインプラクティカビリティは，事情の変動について契約締結時にどのような条件付け（リスク分配）がなされていたかを問うが，事情変更の原則は，わが国の多数説の見解によれば，事情の変動について，当事者の契約締結時の条件付け（リスク分配）を変更するものと説く。この意味において，英米法におけるフラストレーションやインプラクティカビリティとわが国の事情変更の原則は，法的性質を異にする。

免責法理・事情変更の原則の日米比較

類型	日本法	米国法
不可抗力	**履行不能（民412条の2）**	**インプラクティカビリティ**
等価関係の破壊	**事情変更の原則** 戦後不動産価格高騰事例に関し下級審判例があるが，最高裁は適用に消極的	**インプラクティカビリティ** 単なる市場の価格高騰事例について適用に消極的
契約目的の達成不能	**履行不能（民412条の2）** 事情変更の原則が適用された下級審判例もあり	**フラストレーション**

第6章

売買契約と法律・貿易条件基準・統一規則・条約

1 売買契約と法律

売買契約またはそれに基づく売主・買主の権利・義務を規制したり，これに影響を与えたりする法律としては，様々なものがあるが，法律の目的・趣旨により，契約に対する規制の程度，影響力はそれぞれ異なる。例えば，売買法（契約法）は，概して売買契約の基準を示した法律であり，そのほとんどは任意規定であるため当事者の特約によって変更，排除することができる。他方，消費者保護法などは，買主である消費者保護を目的とした法律であるため，原則として特約で排除することは許されない。また，独占禁止法などは，当事者間の売買契約とは全く別の次元からの考慮に基づき政策的に契約に干渉するものであって，売主と買主の取引に対し別の角度からの検討が必要となる。以下に売買契約と各種主要な法律との関係，注意点の概略について述べる。

(1) 売 買 法

売買契約に最も関係のある法律は，いうまでもなく売買および契約一般に関して規定する民法および商法である。ここでは，概括的に，契約締結に際して売買法をいかなる見地から検討すべきかを取り上げる。なお，各国の売買および契約一般に関する法制のうち，売買契約の成立（申込みおよび承諾）については第1部第***3***章，売買契約の不履行と救済については第1部第***5***章，売買契約の各条項（売主の担保責任，不可抗力，損害賠償，契約解除等）に関しては第2

部各章を参照されたい。

前述のとおり，売買法（契約法）の規定の多くは，任意規定であって，当事者間で特約すれば，その特約が優先するというのが原則（「契約自由の原則」または「私的自治の原則」）である。したがって，詳細な規定を置いた契約書においては，結果として各国の売買法の内容が問題となることは少ない（なお，どこの国の法律を適用法規（準拠法）とするのかの問題については(2)を参照されたい）。しかし，だからといって関係国の売買法（契約法）の研究が重要でないということでは全くない。すべての事項を契約書で網羅することは不可能であり，特約の記載がなければ適用法規（準拠法）が適用されることとなるし，契約の方式や特約の記載方法に関する規制がある場合もあるからである。また，当事者は，通常，自分の国の売買法（契約法）を基準にして取引条件を考えるものであり，交渉に際しての用語の使い方も，売買法（契約法）上の観念に準拠してくる。国際取引においては交渉の言語，契約書の言語が英語であることが多いことから，英米法の知識と，日本法と英米法との相違の研究は円滑な交渉と契約書作成に大いに重要である。

次に各国の法制に簡単に触れる。

〔日　本〕

民法および商法にそれぞれ「売買」の規定がある。日本法はフランス法およびドイツ法に近いいわゆる大陸法系に属し，英米法とは異なる部分が多い。このため，日本法を最初に学んだ人は，約因（第1部第**4**章*2*(2)）や詐欺防止法（同*2*(1)）といった英米法上の概念にとまどいがちである。また，英米法に比べ，日本法は裁判所による契約の当事者の合理的な意思解釈が比較的自由に行われる傾向にある。英米法との相違の主な注意点は次のようなところである。

(i)　**売主の担保責任**　　売主が売買の目的物に関して品質，所有権移転などの保証責任を負うという原則は各国共通であるが，その内容と違反に対する救済については相違がある。第1部第**5**章および第2部第**12**章を参照されたい。

(ii)　**不可抗力**　　日本法（および大陸法）においては，一方当事者の債務不履行が，売主・買主双方の責めに帰さない事由による場合には，比較的広く不可抗力による免責が認められるのに対し，英米法では「いかなる場合も契約は契約」という考え方があるため，原則として契約に規定されていなければ，免責されない。

(iii) **損害賠償**　契約違反があった場合，どの範囲の損害を賠償することになるかについて，日本ではいわゆる相当因果関係論が採られている。この点は大陸法系の国の中でも相違のあるところで，例えば，ドイツでは日本より賠償責任の範囲が広いとされる。また，例えば，直接損害（direct damages）や間接損害（consequential loss）という用語に含まれる損害の種類など（第2部第**12**章2(2)(iii)(b)参照），同じ用語であっても国によって解釈が異なる点にも注意が必要である。

英米法の場合，被害者は損害軽減義務を負うとされており，日本法上も裁判実務において被害者は同義務を負うとされてきたが，平成29年改正民法において，その内容が明文化された（民418条〔過失相殺〕）。

(iv) **違約罰（penalty）**　違約罰は損害額の予定との関係で問題となる。日本法では，公序良俗に反しない限りは，契約違反に対し実際の損害額を上回る金額をもって損害額の予定として合意しても，原則としてその効力が否定されることはない。英米法では損害額の予定につき契約上で合意することは可能であるが，予定された金額が実際の損害に比して過大であったり，違約罰的な要素を含む場合は無効とされるおそれがある。なお，米国法の場合は懲罰的損害賠償（punitive damages）の制度が存在し，裁判所は悪質な違反者に対して実際の損害額以上の高額の損害賠償額の支払を命じる場合がある。違約罰については第1部第**5**章2(1)(ii)を参照されたい。

(v) **契約解除**　日本法では，原則，債務不履行があれば，相当の期間を定めた催告の上契約を解除することができるが，判例上，債務不履行が軽微な場合は契約の解除ができないとされてきた。平成29年改正民法541条ただし書では軽微な債務不履行の場合は解除はできない旨が明文化され，さらに同法542条では無催告解除が認められる場合に関する条文が新設された。英米法では，どの程度重大な違反があれば契約解除ができるかという問題がある（第1部第**5**章2(2)(ii)）。

(vi) **相　殺**　日本法では，当事者双方が金銭債務のような同種の債務を相互に有している場合，相手方の債務の期限が到来している限りは原則として両債務を相殺する権利があるが，英米法では，訴訟における相殺など限られた場面においてのみ相殺が認められる（第2部第**20**章参照）。

〔米　国〕

米国は，英国と同じように，日本などのような法典国家ではなく，民事法の多くの分野が判例と単行法で成り立っているコモン・ローの法体系を有する国である。売買の分野においては，1952年に統一商法典であるUniform Commercial Code（UCC）が制定され，現在は一部のみの採択にとどまるルイジアナ州を除き全州で採用されている。UCCは度々改正されており全州が最新版を採択しているとは限らず，また，州ごとにUCCのモデル法文に修正を加えている場合もあることから，州によって内容が異なることに注意が必要である。UCCの売買に関する部分はArticle 2である。

UCCのほか，アメリカ法律協会（American Law Institute）が契約法や不法行為法等につき「リステイトメント（Restatement）」と呼ばれる各州の州法と判例法の分析を行ったものが存在する。リステイトメントは民間の団体が発行するものであり法律ではないが高い信頼と権威があり，裁判所や当事者によってしばしば引用される。売買契約においては，特に第二次契約法リステイトメント（Restatement（Second）of Contracts）が重要である。

〔英　国〕

1979年の動産売買法（Sale of Goods Act, 1979）が基本である。全部で64か条あり，品質保証や瑕疵担保について定めている。この法律以外にも売買証書法（Bills of Sale Act, 1878），消費者保護法（Consumer Protection Act, 1987），消費者信用法（Consumer Credit Act, 2006）などが売買契約に関連があるが，判例（コモン・ロー）もこれらに劣らず重要である。

(2)　適用法の選択

国際売買契約においては，輸出国と輸入国の少なくとも2つの法律が関わってくる。契約当事者が，さらに別の第三国に所在していれば，その国の法律も関係することになる。これら複数の国の法律が統一化されていれば問題はないが（後述の国際物品売買契約に関する国際連合条約も未だ世界中で使用されているという状況ではない〔*2*(1)参照〕），どの国や地域の法律を適用するかによって契約解釈の結論等が異なり得るため，いずれの国または地域の法律が適用されるかが問題とならないよう，契約書にはいずれの国または地域の法律が適用されるかを定めなければならない。契約における適用法については準拠法（governing law）ということが多い。

前記(1)で述べたように，どこの国の売買法（契約法）も概ね任意法規であって特約があればその特約が優先するので，詳細に取り決められた契約書においては準拠法の問題の重要性は比較的低いが，契約書ですべての事項を網羅することは困難であることから，準拠法がどこの国または地域の法律かは常に意識しなければならない。

ほとんどの国において，契約の準拠法は，当事者が合意によって指定したときは，それによるというのが原則である。合意がない場合の取扱いについては，各国に法律があり（必ずしも明文となっているとは限らないが），日本では「法の適用に関する通則法（平成18年法律第78号）」（通則法）がこの問題を扱っている。この合意がない場合の適用法の選択の問題は，国際私法（private international law），抵触法（conflict of laws），法の選択（choice of law）などと称される法分野であり，この法分野に踏み込んで事態を複雑にしないようあらかじめ当事者の合意によって準拠法を指定するのが一般実務である。

準拠法を指定する契約上の文言その他この問題の具体的な対処方法については，第2部第***18***章を参照されたい。

2　売買契約と条約

国際取引は，契約当事者が交渉により契約条件を自由に定め得るという面を有すると共に，定めのない事項についてはこれを解決すべき方策がない場合があり得る。すなわち，契約でいかに詳細に取り決めておいても，予想に反する事態は起こり得るのであり，また，仮に解決策が定められていても，その解釈は当事者によりそれぞれ違い得る。各国の法律等は必ずしも国際取引を念頭に置いて制定されていないし，また，ある国における最適解は必ずしも他の国においての最適解とは限らない。そこに，国際的なコンセンサスたる条約の必要性が生ずる。後に述べるインコタームズのような貿易条件基準もこのような要求に応えるように作られたものではあるが，法律のように強制力をもつものではなく，契約の当事者が採用することにした場合に初めてその意味をもつにすぎない。条約が意図するところは，契約の当事者が定めなかったことに関しての解決を図ることである（ただし，例えば，商品の所有権がどこにあるのかという問題は国際取引において極めて重要なものではあるが，国によって考え方がまちまちであるため，国際的統一になかなか馴染まない分野でもある）。

国際売買契約に関する条約およびそれに基づいて制定された法律には，売買契約そのものを規律しようとするもの，その周辺の分野を規律しようとするもの，訴訟・仲裁という手続法を規律しようとするもの，さらに次元が異なるが，私法の国際的統一という面から規律しようとするものと様々あるが，ここでは，特に重要なものについて解説する。

(1) 国際物品売買契約に関する国際連合条約（The United Nations Convention on Contracts for the International Sale of Goods: CISG）

1966年に設立された国際連合国際商取引法委員会（UNCITRAL）は，国際海上物品輸送，国際商事仲裁等に関する統一法制定作業を行ってきたが，最も大きな成果が本条約である。1980年ウィーンで採択されたため，俗にウィーン売買条約とも呼ばれる。

本条約は，1964年に成立したハーグの国際動産売買統一法（Uniform Law on the International Sale of Goods）をその作業の端緒としている。ハーグ条約が大陸法の影響を強く受けたものであったのに対し，UNCITRALの作成したCISGは国際貿易の実務および英米法（特にUCC）を相当程度に採り入れたもので，世界各国に広く受け入れられる性質のものとなっている。

CISGは，売買契約の成立および売主・買主の権利・義務を規律するもので，売買契約自体の有効性や対象商品の所有権の帰属等，売買契約により付与される権利については関知しない点に特徴がある。

CISGが自動的に適用される国際物品売買契約は，当該売買契約締結時において，契約当事者の営業所（place of business）が異なった国にあり，かつ，①それらの国がいずれも本条約の締約国である場合または② CISG締約国の法が準拠法に指定される場合である。CISGの対象となる「物品」については，積極的な定義はなく，有価証券，電気，船舶，航空機等，除外されるものが列挙されているにすぎない。例えば，プラント輸出契約などで，当該契約の支配的な部分が役務提供である場合には本条約の適用はないとされるが，その境界は必ずしも明確ではない。

CISGが自動的に適用される場合であっても，契約に明記することで適用を排除（opt-out）することが可能である。逆に，CISGが自動適用されない場合であっても，当事者間でCISGの適用を合意することもできる。本条約の加盟国は，2020年12月時点で約94か国（うち2か国は2021年に発効予定）である。主要国の中では，英国が加入していないことが注目される。

わが国でも2009年8月1日に発効している。

(2) 国際海上物品運送法

1924年にブラッセル海事法外交会議で成立した船荷証券統一条約（International Convention for the Unification of Certain Rules of Law Relating to Bills of Lading）（通称ヘーグ・ルール：The Hague Rules）をわが国が批准した結果，昭和32年法律第172号として成立したのが，国際海上物品運送法である。国際海上物品運送法は，海上貿易（国際海上物品運送）に広く適用されるので，その役割は大きい。本法は傭船契約または個品運送契約のいずれによるかを問わず船舶による物品運送につき，船積港または陸揚港が本邦外にある場合に適用され，船荷証券統一条約のように船荷証券が発行された場合のみという限定はない。

国際海上物品運送法の基となった船荷証券統一条約が1968年のいわゆるヘーグ・ヴィスビー・ルール（The Hague-Visby Rules）および1979年改正議定書により二度改正されたことに伴い，同法も改正され（国際海上物品運送法の一部を改正する法律（平成4年法律第69号）），1993年6月1日より施行された。また，2018年の商法改正に合わせて国際海上物品運送法も改正され（商法及び国際海上物品運送法の一部を改正する法律〔平成30年法律第29号〕），2019年4月1日より施行された。

なお，国際海上物品運送契約の私法的側面に関する統一条約として「1978年の海上物品運送に関する国際連合条約」（いわゆるハンブルグ・ルール）が1992年11月1日に発効しているが，わが国は批准していない。

さらに2008年にはUNCITRALの「その全部又は一部が海上運送である国際物品運送契約に関する条約（Convention on Contracts for the International Carriage of Goods Wholly or Partly by Sea：通称ロッテルダム・ルール）」が国連総会にて承認されている。本条約の発効には20か国の批准が必要なところ，2020年12月現在，ベナン，カメルーン，スペイン，トーゴおよびコンゴ共和国の5か国が批准しているにとどまっており，未だ発効していない。

⑶ 国際航空運送法

国際的な航空貨物，旅客の運送に関しては，航空運送人の責任の制限や航空運送状の記載事項等を定める1929年の「国際航空運送についてのある規則の統一に関する条約（Convention for the Unification of Certain Rules Relating to International Carriage by Air：ワルソー条約）」があり，日本でも1953年に発効している。同条約は数度の改正を経ているが，1999年に新たにモントリオール条約が採択され，現在わが国を含め100か国以上が加盟している。

⑷ 国際複合輸送に関する条約

複合輸送とは船舶，鉄道，航空機のように種類の異なる2つ以上の運送手段を用いた一貫貨物輸送のことをいう。運送手段によって上述のように法体系や運送人の責任が異なることから1つの運送手段を用いるよりも更に複雑である。複合輸送における考え方として，全区間同一責任原則（uniform liability system）と運送区間個別責任原則（network liability system）の2つがある。どちらのシステムを採用したとしても，通常，複合（元請）運送人は，運送区間中に発生した損害については責任を負い，更に損害を発生させた実（下請）運送人が特定できる場合には求償することになり，特定できない場合には求償できないことになる。その求償に際して，network liability systemであれば，運送区間に応じて求償することができるが，uniform liability systemであれば，uniform liability systemの責任ルールと，下請運送契約に適用される責任ルールとのずれにより，その求償に差異が生じる可能性がある。また，uniform liability systemの場合は，強行法規として適用される条約（ヘーグ・ヴィスビー・ルール等）との抵触のおそれもあるため，一般的にはnetwork liability system

が採用される。

複合輸送に関する国際的なルール統一化の試みとして，1980年に国際複合輸送人の責任について定めた「国際複合型貨物輸送に関する国際連合条約(United Nations Convention on International Multimodal Transport of Goods)」が成立したが，未だ発効していない。

民間による国際統一ルールとしては，1973年の国際商業会議所（ICC）による「複合運送証券に関する統一規則」および国際連合貿易開発会議（United Nations Conference on Trade and Development：UNCTAD）と国際商業会議所が共同で制定した「UNCTAD/ICC 複合運送書類に関する規則」（1992年1月1日発効）が複合輸送証券に記載する最小限の条項を定めている。

(5) 手形・小切手統一条約

1930年にジュネーブにおいて為替手形・約束手形および小切手に関する法律統一のための国際会議が開かれ，「為替手形及約束手形ニ関シ統一法ヲ制定スル条約」を中心に3つの条約が成立した。1931年に第2回目の同国際会議が開かれ「小切手ニ関シ統一法ヲ制定スル条約」等の3つの条約が成立し，いずれも1934年1月1日に発効した。わが国も当初からこれらの条約に参加しており，大半の大陸法系の諸国もこの条約に準拠した自国法を持っている。わが国では手形法（昭和7年法律第20号），小切手法（昭和8年法律第57号）がそれにあたる。しかしながら，本条約はすべて大陸法を基にしており，全く考え方を異にする英米法系諸国の参加がないままになっている。英国の手形法はBills of Exchange Act 1882であり，米国のそれはUCC 3条のNegotiable Instrumentsの定めに基づく各州法ということになる。このように，現在，世界の手形法・小切手法体系は完全に大陸法系と英米法系に分かれており，その内容は相当異なる。世界の「物」の流れを円滑に行うためには「支払」を円滑にする必要があり，そのためには世界の手形法・小切手法が統一されることが望ましく，統一のために1988年に「国際為替手形及び国際約束手形に関する国際連合条約（United Nations Convention on International Bills of Exchange and International Promissory Notes)」が成立したが，未だ発効していない。

(6) 民事訴訟に関する条約

国際取引における紛争の原因としては，契約書の不備によることもあるが，実際にはマーケットの変化によるもの，あるいは一方当事者の資金力不足によるもの等を原因とするものが多い。当事者間では解決できず，公権力による強制を頼りにする必要がある場合もある。このような場合には，訴訟を提起して判決を得て，相手方の任意の履行がない場合には強制執行を求める必要がある。ところが各国の裁判制度（判決手続，強制執行）は様々であり，それを統一することは不可能に近い。したがって，それぞれの国の手続法に従って裁判がなされることは，もはやいたしかたないとして，外国における訴訟行為の円滑な実施に対する協力を外国官庁または自国の在外公館に要請できる制度の充実という面からのアプローチがなされる。ここでの主な条約は，「民事訴訟手続に関する条約（昭和45年条約第6号）」，「民事又は商事に関する裁判上及び裁判外の文書の外国における送達及び告知に関する条約（昭和45年条約第7号）」であるが，多数国間条約ではなく二国間条約（例えば，日米間の日本国とアメリカ合衆国との間の領事条約など）も重要な役割を果たしている。また，わが国の国内法には「民事訴訟手続に関する条約等の実施に伴う民事訴訟手続の特例等に関する法律」（昭和45年法律第115号）および「外国裁判所ノ嘱託ニ因ル共助法」（明治38年法律第63号）がある。これらは，送達および証拠調べの実施といった点において，国際社会における紛争の解決を側面から支えている。

なお，1893年に設立されたヘーグ国際私法会議にて，1999年に「民事及び商事に関する裁判管轄及び外国判決に関する条約」として作成した草案の一部が，2005年に「管轄合意に関するヘーグ条約（Hague Convention on Choice of Court Agreements）」として採択され，2015年10月1日に発効した。

(7) 商事仲裁に関する条約

国際取引により生じた紛争の解決に関しては，裁判によるものも重要であるが，仲裁によるものがそれにも増して重要である（仲裁の得失については第2部第*17*章を参照されたい）。仲裁が国際紛争の解決に実際に役立つためには，仲裁に関する法律の充実，仲裁機関の整備もさることながら，①仲裁付託合意が各国において承認され裁判所の紛争解決権が排除され，さらに，②ある国でなされた仲裁判断が他国において承認・執行されることが，非常に大切である。これらに関連する条約として，① 1923年9月に署名された「仲裁条項ニ関スル議定書（Protocol on Arbitration Clauses。ジュネーブ議定書）」，② 1927年9月に署名された「外国仲裁判断の執行に関する条約（ジュネーブ条約）」，さらに③ 1958年に署名された「外国仲裁判断の承認及び執行に関する条約（Convention on the Recognition and Enforcement of Foreign Arbitral Awards。ニューヨーク条約）」が重要である（①および②は，③の締約時から③に代替される（ニューヨーク条約7条2項））。わが国は，このいずれの条約にも加盟しており，また米国をはじめ十数か国との間で仲裁規定を含んだ通商条約を締結しており，仲裁条項の承認および外国仲裁判断の承認・執行に関し，積極的な姿勢を示している。ニューヨーク条約の適用要件は仲裁判断が外国でなされたということのみであり，仲裁判断がなされた国が締約国か否かを問わず，また，紛争当事者の国籍も問わない（ただし，相互主義も宣言できる）。すなわち，執行が実施されんとする国，換言すれば，紛争の相手方の処分可能な資産が存在する国が，ニューヨーク条約の締約国か否かが重要となる。現在，世界の主要国はニューヨーク条約に加盟しており，それゆえ，国際紛争解決における仲裁の役割は大きいということとなる。仲裁に関する条約の加盟状況については，第2部第**17**章*2*(**3**)を参照されたい。

(8) その他

「国際動産売買の時効に関する条約（The United Nations Convention on the Limitation Period in the International Sale of Goods）」が1974年に成立しており，同改訂議定書と共に1988年8月1日に発効している。

なお，「国際動産売買契約の準拠法に関する条約（Convention of 22 December 1986 on the Law Applicable to Contracts for the International Sale of Goods）」も成立しているが，2017年4月1日現在，アルゼンチン，チェコ，スロバキア，オランダが署名しているにすぎず，未だ発効していない。

3　売買契約を取り巻く法律

次に記載するような特別な法分野においては，その性質上，法律の効力が及ぶ限りにおいて当事者に適用法を選択する余地はない（原則としては，かかる法律を定めている国の中において適用されるのが原則であるが（属地主義），「域外適用」されるものもある）。もし，この種の法律につき，複数の国の法律が競合して適用されるときは，両方の規制を受けることになる。

(1)　貿易および為替管理法

国際売買取引においては，商品の輸出入手続と代金の為替決済が伴うので，これらを規制する貿易・為替管理法が重要である。

わが国の法律（外国為替及び外国貿易法）は数次の改正を経て，特に1980年から1998年にかけて大幅に自由化されたが，法律，政令，省令，告示，通達などが入り組んでいて理解するのは容易ではない。それでもわが国の法令・通達等はその内容がほとんど公にされており，実務において隠された落とし穴があるということはまずない。これに対し，国によっては，法令に明文で記載されていない制度や禁止事項が当局の裁量で作られることもあるので注意を要する。輸出入，為替決済の規制に触れると，物や金を物理的に動かすことができなくなってしまうことから，このような事態が発生したときに備えて相手方よりあらかじめ保証金を取っておくとか，第三国の銀行の保証を取るなどの対応が必要となる。しかし，このような要求は，もちろん相手方の大きな負担となるから，どうしても求めなければならないものか，個別に十分検討する必要がある。

(2)　独占禁止法

米国やEUを中心とした独占禁止法の規定および執行の強化は，全世界的に拡大，定着している。特に，ターゲット市場の競争法が適用されるだけでなく，ターゲット市場そのものでなくとも影響を受ける市場の競争法が適用され得るので注意を要する。売買契約の取引条件について協議を行う際，次のような行為は国・地域によっては独占禁止法により違法，無効とされているため注意が必要である。

① 再販売価格の指定　売主が買主の転売先への販売価格を指定すること。
② 再販売先の制限　売主が買主の転売先につき拘束すること。
③ 抱き合わせ取引　他の商品を併せ購入することを条件とすること。
④ 排他条件付取引　競争者との取引を制限すること。

また，売買契約の取引条件として売主および買主間で合意されるものではないが，ある商品分野において競合関係にある売主同士，買主同士で販売価格や生産数量を合意したり（カルテル），入札参加者同士で受注者や応札価格を合意したり（入札談合），販売価格や生産数量などの機微情報（commercially sensitive information）の交換を行ったりすることも独占禁止法により禁止されている。

独占禁止法違反に対しては，米国独禁法に基づく三倍賠償請求制度や，EU競争法に基づくグループ全体の全世界売上の最大10％まで課されうる制裁金などの金銭面で多大なインパクトが生じ得ることに加え，個人に対しても禁錮刑が科せられることがあるので十分注意が必要である。

(3) 反ダンピング法

反ダンピング法については，WTO協定（GATT，AD協定）があり，各国とも原則としてこれに準拠している。基本的には，輸出国の国内取引価格より安く売られ，かつ，輸入国の国内産業を害するときにはダンピング税を課すことができるというのがその内容である。反ダンピング措置がとられるとダンピング税の支払あるいは保証金の供託なくしては輸入ができなくなるため，国際取引においては十分な注意を要する領域である。反ダンピング法に基づくダンピング税の賦課は，通常1年以内の調査に基づき最終決定されるが，調査完了前に暫定的にダンピング税の賦課や輸入時の保証金の供託が求められることもある。反ダンピングの件数が多いのは，米国，EU，豪州，インドである。

(4) 知的財産権

国際売買取引における知的財産権については，2つの問題がある。1つは売主が売主の国で有している知的財産権が買主の国でいかなる保護を受けるかである。もう1つは，対象商品の売買等が買主の国で他人が有している知的財産権の侵害となった場合に，対象商品の買主の国への輸入や使用，販売が禁止されることがあるか，である。売買契約上の問題としては，知的財産権侵害の最終的な責任を売主または買主のどちらがもつかという点である。詳細については，第2部第***13***章を参照されたい。

(5) 製造物責任

契約法の原理では，売主は自らの契約の相手方である買主に対してしか責任を負わない。他方，不法行為の理論では，自己の故意または過失による違法行為により，他人に損害を与えたときは，その損害を賠償する責任がある。多くの国では，製造物の欠陥による被害者の救済のため，被害者と契約関係にない製造者や輸入業者等に対しても直接責任追及が可能なように法整備がされている。EUにおいては，1985年7月に製造物責任法についての指令（directive）が成立し，それに従い多くの加盟国がそれぞれ国内法を制定している。米国においては懲罰的損害賠償が認められる場合もあることから，支払いを命じられる損害額も過大となり得る。製造物責任は不法行為責任の一種であり，契約に基づく責任ではないので，契約書に規定すれば責任を回避できるものではない。製造物責任を問われる可能性がある場合には適切な保険の付保等の対策が必要である。また，被害者との関係においては訴えられた者が損害賠償する義務を負うにせよ，中間業者の場合，最終的にその負担額を供給元に求償できるよう供給元との売買契約の中で取り決めておくことは重要である。

(6) 税 法

国際売買取引に関していかなる税金が課されるかは，取引の採算を考える上で極めて重要である。一般的に，所得税，法人税は各人それぞれが負担すべきものであるのに対し，物品税（sales tax, value added tax, excise tax），印紙税（stamp duty）ならびに関税（import duty）は売買におけるコストであるから，価格の建値を設定する際に，その負担を明確に取り決めておく必要がある。

所得税についても，相手方の国の制度や取引の形態によっては（例えば，現地での工事が伴う場合など）相手方の国でP. E.（permanent establishment：恒久的施設）課税が生ずることがある点に注意を要する。売主にとって買主の国でいかなる課税が生じるか不明な場合，これらを買主に負担させる旨が契約書中に規定される場合もある（第2部第**19**章参照）。

(7) 担保法／物権法

売買代金債権の担保の手段としては，売主が契約商品の所有権を代金完済まで留保する所有権留保が，その簡便さ（契約書中に記載すれば基本的に有効である）ゆえにしばしば利用される。所有権留保は，一般的に，契約の目的物を買主が自己の用に使う（すなわち転売されない）場合に有用であるが，契約の目的物が第三者に転売される場合は，その実効性は不確かである。

日本法の下では，所有権留保された目的物が第三者に転売された場合につき，善意の第三者は完全な所有権を取得し（善意取得），所有権留保権者は，第三者が買主に代金を支払う前に差押えを行うことで買主の第三者に対する売買代金債権について優先権を取得しうる（物上代位）とする説もあるが，これが認められるか否かについては議論があり，認められないとする説も有力である。

国際売買契約においては買主が代金を支払わなかった場合には，売主は買主の所在地において契約の目的物または転売代金債権の差押えを行わなければならないが，相手方の国において所有権留保に基づき商品の取戻しその他優先権を主張できるかは相手方の国の法律次第である。また，所有権留保に特別の方式や登録を要する国もある。特に転売代金についての優先権は，相手方の国の法律に従った債権譲渡の手続を経ない限り主張できないと理解しておくべきである。

このように，国際売買契約における所有権留保は担保としての実効性が十分とは言い難いものの，簡便であるので，しばしば契約書に記載される。その文例については第2部第**9**章を参照されたい。

また，売買代金債権の担保の手段として，相手方の資産に対し相手方の国で所有権留保以外の物的担保を取り付けても，その実行は容易ではない。もし相手方の国で担保を取得しようとするときは，当該国の法制，登記，登録の必要性，実行に際しての問題点などを十分に検討して，実務上の有用性の程度を見極める必要がある。国によっては外国人が担保（特に土地）を取得するにあたり制限があることがある点にも注意を要する。加えて，担保取付けについては債務者，担保提供者の国における破産法，会社更生法などの倒産処理法にも注意を要する。

なお，相手方の支払確保の手段としては，L/C の開設を受けるか，または輸出保険制度や銀行保証を利用するのが通常である。

Column ⑤　中国における対外担保登記

かつて中国においては，外国企業が中国企業に対する売買代金債権を担保するために中国の企業から担保を取得する場合には，中国外貨管理局の認可を受けた上で対外担保登記をしなければならず，かかる認可および登記を経ていない担保契約は無効とされていた。この規定は 2014 年度に改正され，上述のようなケースでは外貨管理局の認可および対外担保登記は不要となった。

(8)　海 商 法

国際取引に伴う運送契約（charter party ないし contract of affreightment）は，海商法により律せられるが，これは運送を手配する当事者（売買契約の条件により，売主または買主が当事者となる）と運送人との関係を規定するものであって，売主と買主との関係を規定するものではない。しかし，売買契約における船積条件の取決めにおいては，遅延の場合に船会社に対して支払を要する滞船料（demurrage）についての規定が置かれることがあるので（第 1 部第 *7* 章 *3*(3)〔XI〕参照），その背景について理解をしておくことが必要である。

(9)　保 険 法

運送中の商品に関する付保については保険法により律せられるが，通常は保険契約に詳細な規定があるから保険法を検討する必要は生じない。保険法には強行規定もあるが，適切な保険会社で付保している限り保険契約の約款は保険法に準拠して作成されているためである。なお，運送保険のほか，契約形態によっては（輸入国での工事が伴う場合など），特別の保険が必要な場合もある。

⑽ 民事訴訟法

売買契約について紛争が生じた場合，売主・買主間の協議で解決できなければ，最終的な解決は，訴訟か仲裁によることになる（第2部第**17**章参照）。また，協議の過程において，妥協しなかったらどうなるかを心づもりしておく意味でも，訴訟や仲裁の提訴・申立てをした場合を想定する必要がある。契約書上，紛争解決手段の定めがないときは，法律または執行可能性を踏まえて被告の住所地を管轄する裁判所に訴えなければならないケースも多く，その場合には相手方の国の民事訴訟法を検討しなければならない。

⑾ 仲 裁 法

仲裁人が仲裁判断を行うまでの手続や証拠採用上のルールは，当事者の合意，仲裁機関の規則，仲裁法等の定めによることになる（証拠採用に関しては，IBA（国際法曹協会）の証拠規則（IBA Rules on the Taking of Evidence in International Arbitration）を手続準則とした文書開示（document production）も広く行われている）。英米法（特に米国）の証拠開示手続（discovery）（Column ⑥参照）は大陸法のそれとかなり異なるため，裁判なのか仲裁なのかはその点においても違いをもたらし得る。また，仲裁手続において仲裁人が保全処分を出せるかどうかも仲裁規則，仲裁法の規定や，当事者・当事者代理人・仲裁人のバックグラウンド（英米法か大陸法か等）によることとなる。なお，仲裁の意義と有用性については第2部第**17**章を参照されたい。

⑿ そ の 他

売買取引に関しては，消費者保護の見地からの立法の適用がある場合がある。これらの立法は，独占禁止法，公正競争法の中に含まれている国もあり，また，割賦販売や利息制限についての立法の中にあることも多い。消費者保護立法がある場合でも，輸出入には適用のない場合もあるし，商人向けの（すなわち，消費者が買主ではない）取引には適用のないことも多いので，よく確認する必要がある。

Column ⑥　Discovery について

米国での民事訴訟では，訴状に対する被告の答弁が提出された後に，証拠開示手続（discovery）が開始される。この手続は，原告・被告両弁護士が主導的に行い，訴訟当事者は，この手続に応じなければ厳しい制裁が科せられる。まず，訴訟の当事者は，相手方が保有する訴訟に関係する書類（コンピューター・ファイルも含む）の提出を求め，またはその検査を行うことを要求できる。また，原告からの要求の有無にかかわらず，一定の事項について自発的な開示（disclosure）を強制している場合もあるので注意を要する。相手方が正当な理由なく書類提出要求に応じなかった場合，裁判所は書類提出要求を行った当事者が裁判に要した弁護士費用の負担をその相手方に命じることがあるほか，その書類提出に関する不備が過度に不当である場合には，裁判所侮辱罪として罰金を科したり，書類提出に応じなかった当事者を敗訴としたりすることもある。

他方，証言録取手続（deposition）と呼ばれる紛争の事実につき知識を有する者に対して証言を求める手続もある。証言録取手続において，虚偽の証言を行うと，偽証罪（perjury）として刑事罰の対象となるので注意を要する。

なお，米国においては，国際仲裁の場においてもこの discovery 制度が利用できるとする考え方もあるが，連邦高裁ごとに判例が分かれている状況である。

4　売買契約と貿易条件基準

国際売買取引は隔地者間の物と金の移転であるため，当事者の義務・責任の範囲（具体的には売買価格の建値条件および引渡条件等）を明確に定めることが肝要であるが，契約ですべて取り決めることは繁雑であり，現実的ではない。そこで重要な役割を果たしているのが貿易慣習であり，それを成文化・統一化した貿易条件基準，特に次に述べるインコタームズは重要である。インコタームズでは「FOB」や「CIF」といった略語が定義されており，通常の国際売買取引においても，これらの略語を使用することによって，当事者間で価格条件・引渡条件が取り決められるようになっている。ただし，「FOB」等の略語のもつ意味が各貿易条件基準により異なるので，どの貿易条件基準の定める略語であるのかを明確にするよう注意しなければならない。

(1) インコタームズ（Incoterms）

インコタームズはInternational Commercial Termsの合成語であり，国際商業会議所（International Chamber of Commerce：ICC）が，1936年にInternational Rules for the Interpretation of Trade Terms（貿易条件の解釈に関する国際規則）として制定したものに端を発する。1936年規則は，1953年に大幅改正され，その後，特にコンテナ輸送の発達に伴う国際複合輸送等に対応すべく，数次の改正が行われた。現在，2020年版が最新である。インコタームズは法律ではなく，ICCが定めた貿易条件にすぎないため，それを採用するか否かはひとえに契約当事者の意思にかかっている。インコタームズ2020には，EXW，FCA，FAS，FOB，CFR，CIF，CPT，CIP，DPU，DAP，DDPの11種類の貿易条件が定められている。代表的なものについては下記表のとおり。

工場渡し (EXW) EX WORKS	・売主が，売主の施設またはその他の指定場所（すなわち，工場，製造所，倉庫など）において物品を買主の処分に委ねたときに，売主の引渡義務が完了し，買主にリスクが移転。 ・売主は，引渡し地点までの費用を負担する（物品を車両に積み込む必要はなく，輸出通関義務もなし）。 ・売主にとって最小の義務を表わす取引条件。
運送人渡し (FCA) FREE CARRIER	・売主の施設で物品が輸送手段に積み込まれたとき，または，その他の指定場所で物品が買主の指定した運送人に委ねられたときに，売主の引渡義務が完了し，買主にリスクが移転。 ・売主は，輸出通関を行い，輸出通関までの費用を負担する。 ・リスクの移転時期と費用負担の分岐点が異なる。
本船渡し (FOB) FREE ON BOARD	・物品が本船の船上に置かれたときに，売主の引渡義務が完了し，買主にリスクが移転。 ・売主は，輸出通関を行い，その費用を負担する。 ・リスクの移転時期と費用負担の分岐点は，「物品が本船の船上に置かれたとき」。
運賃保険料込み (CIF) COST, INSURANCE AND FREIGHT	・物品が本船の船上に置かれたときに，売主の引渡義務が完了し，買主にリスクが移転。 ・売主は，輸出通関を行い，その費用を負担する。 ・売主は，指定仕向港へ物品を運ぶために必要な契約を結び，その費用（運賃）を負担する。

	・売主は，運送中における物品の滅失または損傷についての買主のリスクに対する保険契約を締結し，その費用を負担する。 ・リスクの移転時期は「物品が本船の船上に置かれたとき」であるが，費用負担の分岐点は「指定仕向港」。
荷卸込持込渡し (DPU) DELIVERED AT PLACE UNLOADED	・指定仕向地で物品が輸送手段から荷卸しされ，買主の処分に委ねられたときに，売主の引渡義務が完了し，買主にリスクが移転。 ・売主は，輸出通関を行い，その費用を負担する。 ・売主は，指定仕向地までの運賃および荷卸しの費用を負担する。 ・リスクの移転時期と費用負担の分岐点は「指定仕向地で物品が輸送手段から荷卸しされ，買主の処分に委ねられたとき」。
仕向地持込渡し (DAP) DELIVERED AT PLACE	・指定仕向地において，物品が荷卸しの準備が整った状態で輸送手段の上で買主の処分に委ねられたときに，売主の引渡義務が完了し，買主にリスクが移転。 ・売主は，輸出通関を行い，その費用を負担する。 ・売主は，指定仕向地までの運賃を負担する。 ・買主は，輸入通関および荷卸しを行い，輸入通関費用・関税および荷卸し以降の費用を負担する。 ・リスクの移転時期と費用負担の分岐点は「指定仕向地」。
関税込持込渡し (DDP) DELIVERED DUTY PAID	・指定仕向地において，物品が荷卸しの準備が整った状態で輸送手段の上で，輸入通関を完了し，買主の処分に委ねられたときに，売主の引渡義務が完了し，買主にリスクが移転。 ・売主は，指定地まで物品を運ぶことに伴う一切の費用，輸出および輸入の通関費用・関税を負担する。 ・買主にとって最小の義務を表わす取引。

(2) 1941年改正米国貿易定義 (Revised American Foreign Trade Definitions, 1941)

本定義は全米貿易協議会（National Foreign Trade Council, Inc.）が，1919年に制定した1919年米国貿易定義（American Foreign Trade Definitions）を基に，1941年に米国商業会議所（Chamber of Commerce of the United States of America），全米輸入者協会（National Council of American Importers）および全米貿易協議会からなる合同委員会が制定した貿易定義である。この定義には，EXW（named point of origin），FOB，FAS，C&F，CIF，Ex Dock が定められている。FOB はさらに，

FOB (named inland carrier at named inland point of departure)

FOB (named inland carrier at named inland point of departure) Freight prepaid to (named point of exportation)

FOB (named inland carrier at named inland point of departure) Freight allowed to (named point of exportation)

FOB (named inland carrier at named point of exportation)

FOB vessel (named port of shipment)

FOB (named inland point in country of importation)

の6種が定義されている。このように，改正米国貿易定義は特にFOBについてはインコタームズに比べてその意味するところが広い。したがって，米国企業とのFOB契約においては，本改正定義によるものか，インコタームズによるものか，それとも後述のUCCによるものかを明確に定めないと，互いにその理解しているものが違うおそれがある点に注意を要する。

(3) 米国統一商法典（Uniform Commercial Code）

米国統一商法典（Uniform Commercial Code：UCC）は，2-319条から2-322条の売買の項において，FOB，FAS，CIF，C&FおよびEx-Shipの各条件を定義している。UCCには「別段の合意なき限り（unless otherwise agreed）」という文言が用いられているため，契約書上に明確にどのルールに従うかの定めがなく，かつ，その契約の準拠法がUCCを採用している州の法律である場合は，本定義が適用される可能性がある。

5 売買契約と統一規則

前述のインコタームズもその1つであるが，ICCのような国際的な機関が制定し，当事者の自由な意思にその採用を委ねる国際的規則が各種存在し，広く活用されている。ここでは，国際売買契約に関係の深い3つの規則について簡単に解説する。

⑴　信用状統一規則

信用状は国際売買の代金決済をスムーズに行わせるための有効な手段であるが，国や銀行によってその取扱い方法や解釈が異なっていては十分な機能を果たすことができない。そこでICCは，1933年に，「商業荷為替信用状に関する統一規則および慣例（Uniform Customs and Practice for Commercial Documentary Credits)」を制定し，世界各国の銀行にその採用を呼びかけた。わが国ではこれを信用状統一規則と呼びならわしている。この信用状統一規則はその後数次の改正を経ており，2007年7月1日より施行されている「荷為替信用状に関する統一規則および慣例，2007年改訂版（The Uniform Customs and Practice for Documentary Credits, 2007 Revision)」（UCP600）が最新のものである。わが国をはじめ，世界中の銀行がこれを採用しており，荷為替信用状取引に広く採り入れられている。

⑵　請求払保証状統一規則

ICCは，請求払保証（demand guarantee）に適用される規則として「請求払保証状統一規則（Uniform Rules for Demand Guarantees)」（URDG458）を1992年に公表した。その後，2010年7月に改訂版の「請求払保証状統一規則（Uniform Rules for Demand Guarantees)」（URDG758）が発効し，保証の通知，条件変更，呈示の点検基準，一部請求，2つ以上の請求および不完全な請求，包括的な裏保証に関する記載等の定めが新たに追加された。請求払保証とは，海外建設・プラント輸出契約等に関し売主や請負人が差し入れる保証のうち，受益者（beneficiary）が保証状の条件に合致した請求をすれば実行される保証のことである。

⑶　契約保証証券統一規則

請求払保証が原債務との独立を旨とするのに対し，原債務に付従する保証に適用される規則として「契約保証証券統一規則（Uniform Rules for Contract Bonds：URCB524)」がある。こちらはICCにより1978年の「契約保証統一規則（Uniform Rules for Contract Guarantees：URCG325)」などをもとに，1993年に制定され，1994年から発効したものである。同規則の下では債権者は保証に基づく支払を受ける前に契約上の債務不履行があったことや損害を被ったことを証明する必要がある。

第7章

売買契約と運送

1 総　　論

売買契約において，約定品の船積に関する条件を定めるにあたっては，その背景にある運送契約の諸条件との連動を図る必要がある。特に，不定期船を利用した運送においては，航海傭船契約を通じて，船積・荷揚に関する条件が詳細にわたって取り決められるため，売買契約においても，これらを反映させた詳細の条件設定が必要となってくる。例えば，FOB 契約では買主が傭船することになるため，買主は，売買契約の中で，売主に対して傭船契約で取り決められた停泊期間内に船積を完了する義務を負担させ，滞船料が生じた場合には，売主に負担させることを取り決めておきたいと考える。一方，CIF 契約では売主が傭船することとなるため，売主は，買主に対し，傭船契約の条件に従った荷揚を要求し，滞船料が発生した場合には，買主に負担させることを取り決めておきたいと考えるだろう（これらのサンプル条項については，第2部第**8**章参照）。また，売買契約の裏面約款には，履行の過程において生じた増加費用の負担先を定めた増加費用（increased cost）条項が置かれ，滞船料等の追加費用を相手方に負担させるための根拠として利用されることが多い。

2 貨物の輸送手段

貨物の運送は，船舶，航空機，鉄道，自動車などの手段をもって行われる。

わが国の場合，国際売買取引において利用される主要な運送手段は船舶である。小型で少量の商品については，航空輸送が利用される。

運送契約の契約類型としては，運送人が自ら輸送手段を活用して運送を行う実運送契約と，下請運送人を履行補助者として利用しながら運送サービスを行う利用運送契約に分類される。実運送を行う事業者は実運送事業者あるいは実際運送人と呼ばれ，下請業者を利用した運送サービスを行う事業者は利用運送業者あるいは利用運送人と呼ばれる。航空貨物運送では，フレート・フォワーダーと呼ばれる利用運送業者が荷送人と個品運送契約を締結し，利用運送業者が実際運送人との間で個品運送契約を締結する場合が多い。国際海上輸送の世界では，荷送人との間で個品運送契約を締結し，実際の輸送は船主と傭船契約を締結して利用運送をなす傭船者が利用運送人として機能している。国際複合一貫輸送においては，複合運送人（multimodal transport operator）が利用運送業者として活動を繰り広げている。

(1) 海上輸送

海上輸送に利用される船舶は，定期船（liner）と不定期船（tramper）に分類される。

定期船（liner）は，所定のスケジュールに従って規則的に一定の航路を公示された運賃率で運航される。荷主は不特定多数であり，工業品など雑貨が主な輸送対象である。定期船を運航する船会社は，ほとんどの航路において運賃同盟または協定を結成して運賃の安定・過当競争の排除を図っている。

不定期船（tramper）は，定まった航路やスケジュールをもたず，よりよい運賃率の貨物の輸送を求めて運航される船をいう。鉱石，石炭，木材，穀物等が輸送の対象である。

現在の海上輸送の主流はコンテナ船である。米国のSea-Land Service社が，1966年に北大西洋航路に初めてフルコンテナ船を就航させて以来，主要国際航路におけるコンテナ化，コンテナ船の大型化，高速化が急速に進められた。コンテナ船の特徴は，貨物のコンテナによるユニット化，荷役の機械化による船舶の在港日数の大幅な短縮，船舶の稼動率の向上などにある。コンテナ貨物は内陸デポを経由し，あるいは直接にコンテナヤードに集結され，運送人によって本船に船積みされる。日本関係各航路はほとんどフルコン化，もしくはセミフルコン化されている。

⑵ 航空輸送

航空機による貨物輸送方法は，貨物専用機の出現により，バルク・ローディングから，パレット・ローディングやコンテナ・ローディングなどのユニット・ローディングの方向へと進んでいる。

バルク・ローディングとは，バラ積のことで，最も原始的な方法であるが，旅客機等の狭い貨物室での搭載効率を上げやすいことから現在でもかなり採用されている。パレット・ローディングとは，広胴機の下部貨物室や貨物専用機において，積卸しの効率を高めるため，貨物をユニット化して，パレット（一定規格のアルミ板）に仕向空港別に積載する方式である。パレットに載せられた貨物は，安全のためネットが掛けられることが一般的である。コンテナ・ローディングは，コンテナに貨物を積載する輸送方式である。パレット・ローディングに比べて，多様な形状の貨物のユニット化や貨物の保護に適しており，梱包費の節約にも繫がる。

⑶ 複合輸送

コンテナ化の進展は，種類の異なる輸送手段の接続を容易にし，複合輸送の急速な発展を促した。海陸の国際複合一貫輸送では，船会社もしくは非船舶運送業者（non-vessel operating common carrier：NVOCC）が，複合運送人としての活動を行っている。また，海空の国際複合一貫輸送は，主にNVOCCによって，空陸はコンソリデーターと呼ばれる航空貨物フォワーダーによって担われている。これらの運送においては，複合運送書類として航空運送状（air waybill），海上運送状（sea waybill），通し船荷証券（through B/L），あるいは複合運送証券（multimodal transport B/L）が運送書類として発行される。

複合輸送の輸送方式としては，経由地間を陸路で鉄道を利用するランド・ブリッジと呼ばれる運送手段が有名である。代表例としては，日本からナホトカまでは海上輸送で，ナホトカからサンクトペテルブルグ・モスクワ・欧州国境都市までをシベリア鉄道で，それらの都市と欧州各国との間を海上輸送または鉄道などの陸上輸送で結ぶシベリア・ランド・ブリッジ（Siberian Land Bridge：SLB），日本・極東から米国西岸を海上輸送し，米国横断鉄道を経て，米国東岸・欧州間を海上輸送するアメリカ・ランド・ブリッジ（American Land Bridge：ALB）などが挙げられる。その他，極東・米国西岸・米国東岸・ガルフを海陸で結ぶミニ・ランド・ブリッジ（Mini Land Bridge：MLB），極東・米国西岸・米国内陸都市を結ぶインテリア・ポイント・インターモーダル（Interior Point Intermodal：IPI）などがある。

3　海上運送契約

貨物の海上運送契約には，不特定多数の荷主の貨物の運送を行う個品運送契約（contract of affreightment）と，船舶の全部または一部を提供して運送を行う傭船契約（charter party）とがある。個品運送契約は主として定期船で，また，傭船契約は主として不定期船で行われる。

(1)　個品運送契約（contract of affreightment）

船会社が荷送人から貨物の運送を引き受け，これを運送する契約である。荷主は，貨物の荷揃，船積日等を勘案し，それらの条件を満たす船舶を選び，船名，貨物の種類，数量，荷姿，積地，揚地，運賃支払条件など必要な事項を示して船会社に口頭で運送を申し込む。通常，契約書は作成されず，運送は船会社所定の船荷証券に記載された条件に従ってなされることになる。

(2)　傭船契約（charter party）

傭船契約は，運送人が傭船者に対して船舶を貸し切る形態の物品運送契約に属する。通常，そのつど，契約書が作成される。傭船が一定の期間をもってなされるか，航海ごとになされるかによって定期傭船契約（time charter）と航海傭船契約（voyage charter）とに分けられる。

傭船契約は，貨物の輸送規模としても大規模であり運賃も高額にのぼることから，対等当事者間の契約として認識されており，個品運送契約のように，荷送人の保護の要請から規制を受けることもない。個品運送における海運同盟のような国際カルテルも存在せず，運賃相場はたえず変動し，契約条件も複雑なものとなる。

定期傭船契約，航海傭船契約のいずれについても，日本海運集会所，バルチック国際海運協議会（BIMCO），米国の海運仲立業代理店協会（ASBA），国際独立タンカー船主協会（INTERTANKO）などの団体によって各種標準契約書式が制定・公表されている。航海傭船契約の場合は，貨物により，また，同じ貨物でも航路によって種々様々な契約書式がある。契約書の作成は，これら書式の加除，修正によってなされることが多い。

(i) **定期傭船契約（time charter）**　6か月もしくは1年，あるいは1航海に要する期間といったように，期間を限って傭船する契約である。荷主が直接，定期傭船を行って自ら配船することもあるが，多くの場合，傭船者は船会社であり，船会社がその定期傭船した船を荷主に航海傭船する形が多く行われている。

定期傭船契約では，傭船料は期間建てないしは日建てで支払われ，傭船者は，引渡しを受けた船舶を，契約に定めた航路内であれば自由に配船できる。船主は船長に対して，堪航性の確保など船舶の管理にかかわる事項について指揮命令権を有するが，航海の遂行や積荷地・荷揚地などについては，傭船者が船長に対して指揮権を有する。船主は船員の給料，食料，飲料水，治療看護費などの船員に関する諸費用や，保険料や修繕費などの船費を負担し，傭船者は，燃料費や荷揚にかかわる諸経費などを負担する。

定期傭船契約の法的性質については，諸外国では一般に運送契約の一種として理解されているが，わが国では，定期傭船者が船舶所有者等から船舶賃貸と労務提供を受ける混合契約であると解されてきた。これは，船舶衝突の際に定期傭船者の第三者に対する責任を認めさせるべきであるとする政策的な配慮に基づくものである。

(ii) **航海傭船契約（voyage charter）**　ある港から他の港までといったように，特定の航海のために傭船する契約である。必ずしも一航海ごとの傭船とは限らず，連続した複数の航海を対象とし，あるいは専用船によるピストン輸送のように一定の期間を定めて傭船される場合もある。傭船者は荷主である。航海傭船契約において定められる事項については(3)で後述する。

(iii) 裸傭船契約（bareboat charter）・船舶賃貸借（demise charter） 定期傭船契約・航海傭船契約とは別にもう1つの傭船契約として，いわゆる裸傭船契約・船舶賃貸借がある。その法的性格は運送契約ではなく，船舶の賃貸借である。裸傭船にあっては，船主は船舶だけを傭船者に貸与し，傭船者が船長以下の船員の雇入れ，配乗を行う。したがって，傭船者は船長を通じて船舶を占有・支配し，一時的に船主の地位に立つことになる。

(3) 航海傭船契約で取り決められる事項

傭船契約の中でも，航海傭船契約については，船積や荷揚において，船主と傭船者の共同作業を要することから，その取決めは詳細にわたったものとなる。航海傭船契約において通常取り決められる事項は以下のとおりである。

〔Ⅰ〕 契約当事者

船主と傭船者が契約当事者となる。船舶を傭船に出す当事者が，他の船主から傭船した船舶を提供する場合，この当事者は傭船船主（chartered owner）または管埋船主（disponent owner）と称されることがある。

〔Ⅱ〕 船舶の表示

(i) 船 名 特定されるのが普通であるが，契約時には特定せず，単に「船名未定」（T. B. N.; to be noticed）または船級のみを定めて後日一定期日内に船主が船名を通知すべきこととされる場合もある。また，特定船を明記する場合でも，当該特定船の事故により傭船できなくなる場合に備えて，該船もしくは該船と同程度またはそれ以上の代船（or similar substitute）といった取決めがなされることもある。

(ii) 国籍（nationality） 船舶は，国際法上の問題に関係することが多いことから，その国籍は重要視され，国籍証書の発給を受けなければ航海の用に供することはできない。

(iii) 船齢（age of vessel） 通常，進水の年より起算して船齢を定める。普通，船舶が老朽化するに従って，傭船料，運賃は低率となるが，逆に貨物に対する海上保険料は，船齢16年以上の船舶に積載する場合，割増となる。

(iv) **船級（class of vessel）** 船舶，人命および積荷の安全のために民間の海事団体である船級協会が検査の上，船舶に等級を付し，船名録で公表している。これは傭船，船舶の売買，船体および積荷に対する海上保険等の条件の基準になっている。

船級協会としては，英国のLloyd's Register of Shippingをはじめ，米国のAmerican Bureau of Shipping，ノルウェーのDet Norske Veritas，ドイツのGermanischer Lloyd，フランスのBureau Veritas，わが国の日本海事協会などがある。

(v) **トン数** 船舶の大きさはトン数で表されるが，登録上のトン数（船舶原簿に登録されるもの），積トン数（船舶の貨物積載能力を示すもの），排水トン（軍艦の大きさを示すときのみに使用されるもの）などの表記法がある。

(vi) **吃水（draft）** 船舶が水に浮かんだ場合，その水中に没した深さを本船吃水という。吃水は船の前後および中央でそれぞれ異なるが，これの平均値を平均吃水（mean draft）という。貨物の積載重量の限度を示したものを満載吃水線（load line）といい，これを超えると本船の運航が危険であるので条約によりこれを超えることが禁止されている。

〔Ⅲ〕 貨物の種類，数量，荷姿

数量については，契約時に正確な積高数量を確定することは困難ゆえ，5～10% 増減船主任意とし，実際の積取のときに船長が正確な数量を宣言（declare）するのが通例である。

〔Ⅳ〕 積地，揚地

港名を特定する場合と数港名を列挙し，あるいは一定の範囲（range）を定め，後日傭船者が港名を特定する場合とがある。

積揚港，積揚バースは本船の入出港，積揚荷役に際して安全なものでなければならない。

本船が安全性を欠くことを理由に，傭船者が指定した港またはバースに船を進めることを拒否したことによって，艀代などの増加費用が生じた場合，あるいは，指定された港またはバースに船を進めたために，船に損害を生じた場合に，それら増加費用，損害の負担をめぐり港・バースの安全性が問題になる。傭船契約の規定にもよるが，通常，傭船者がその安全性につき責任を負うこととされる。安全な港・バースとは，本船が，戦争勃発などの異常な事態のない場合に，適切な航行および操船によっても避け得ない危険にさらされずに到着し，入港し，停泊し，そして出航できる港・バースをいう。

ある港あるいはバースが安全か否かは，港湾事情と本船の特性によって判断され，潮位，氷結状況などの自然気象条件だけでなく，港湾設備の状況や戦争など政治的事由も考慮される。

また，傭船契約には，バースについて，安全性に加え，“berth reachable on arrival”であることの要件が付される場合がある。これは傭船者の側に，船舶が港に到着次第着船できるバースを指定してこれを確保する義務のあることを示すものである。傭船契約の他の条件と共に傭船者の義務の内容を確かめることが肝要である。

〔V〕 積地回船日と解約日

本船が積地に入港して積荷開始可能となる日を積地回船日（commencing date）という。傭船契約に“Laydays not to commence before ____”とか“Time for loading, if required by Charterers, not to commence before ____”というように規定され，普通，本船入港予定日よりも数日前に定める。それより前に回船されても傭船者は積込みを行う義務はない。

一方，船積準備を完了しない場合，傭船者が損害賠償の義務なしに当該傭船契約を解約できる日を解約日（cancelling date）という。

〔VI〕 運賃条件

運賃算定の基準，支払時期（前払・後払），支払場所，支払通貨，換算率などが規定される。

計算の基礎となる積載量は積地数量による場合と揚地数量による場合とがある。なお，航海傭船契約の場合，運送人の受け取る対価は貨物の運送に対する報酬であるが，定期傭船の場合は船舶の期間的利用に対するもので，前者はfreight（運賃），後者はhire（傭船料）と呼ばれて区別される。

〔Ⅶ〕 積揚費用の負担

積揚荷役賃（stevedorage：ステベ賃）を船主，傭船者のいずれが負担するかにより次のように分けられている（第2部第**8**章*2*(2)参照）。

Berth termsまたはLiner terms　積揚荷役費とも船主負担。

FIO（free in out）　いずれも傭船者負担。

FI（free in）　積荷役費は傭船者負担（揚荷役費は船主負担）。

FO（free out）　揚荷役費は傭船者負担（積荷役費は船主負担）。

ここでいう，freeとは船主の側からみて費用を負担しないという意味である。

〔Ⅷ〕 停泊期間（laydaysまたはlaytime）と荷役条件

停泊期間とは，傭船者による貨物の全量の船積もしくは荷揚のために許容された日数をいう。

停泊期間は，“all despatch as customary”の如く荷役期間を確定しないものと，“5 running days”，“5 weather working days”といったように期間を確定するものとに分けることができる。

荷役期間を確定しない場合は，“all despatch as customary”，“with customary despatch”，“with all despatch, according to the custom of the port”などの文言で表され，その港の慣習的荷役能力および荷役方法で，できるだけ早く荷役をなすべき旨約するのが一般的である。わが国では一般にcustomary quick despatch（C. Q. D.）と略称されている。荷役期間は具体的な日数では確定されない。日曜，祭日が荷役日とされるかどうかは，その港の慣習による。

荷役期間を確定する場合，期間の設定の仕方として，日（days），連続日（running days），連続時間（running hours），作業日（working days），好天荷役日（weather working days：W. W. D.）などの基準がある。なお，停泊期間に関連する用語については，国際的な統一の努力がなされている。2013年に，万国海法会（Comite Maritime International：CMI），バルチック国際海運同盟（BIMCO），海運仲立業・代理店業協会全英連盟（FONASBA），およびバルチック海運取引所（The Baltic Exchange）によって公表されたLaytime Definitions for Charter Parties 2013は，1980年に公表された停泊期間に関する定義集をその後の判例の蓄積や商慣習の変化にあわせてアップデートしたものである。

〔IX〕 停泊期間の開始

停泊期間は，①船舶の着船（arrived ship），②荷役準備の完了（readiness to load or discharge），③荷役準備完了の通知（notice of readiness：N/R）の3条件が満たされたとき，またはその時を基準として開始する。

船舶の着船とは，契約で定められた到達地点への本船の到着をいう。到達地点は契約によって，①港（port）の場合，②港内の特定地域（dock）の場合，③さらに限定された現実の積揚作業をなす場所（berth, quay, wharf）がある。港が到達地点とされる場合につき，英国の判例では，本船が港域内に到達し，傭船者の手に委ねられたとき（at the immediate and effective disposition of the charterers）に着船とみなされ，具体的に港域内のどういう場所でよいかについては，通常の待機場所への到着をもって足りるとされている。

荷役準備の完了とは，本船自体の技術的な荷役準備のほか，検疫その他の必要な手続が終了している状態にあることをいう。

荷役準備完了通知は前述の2つの要件が整った時に直ちに傭船契約の定めるところに従い船長から傭船者に出されなければならない。停泊期間は，通常，この通知が出された時から一定の待機期間（turn time）をおいた時から開始する。GENCON（Uniform General Charter：1922年にバルチック国際海運協議会により制定された航海傭船契約書式）では，午前中に通知がなされた場合には午後1時から，また午後に通知がなされた場合にはnext working dayの午前6時より，停泊期間は開始する旨規定されている。

到達地点がバースの場合に本船が入港後直ちに所定のバースに着くことができない事態に備えてN/Rをバース到着前に出させるように，“N/R to be tendered whether in berth or not”の文言が入る例が多い。さらに，この場合，本船がバース未到着でも停泊期間はそのまま計算される旨を明確にするため，“Time lost in waiting for berth to count as laytime”といった文言が挿入されることも少なくない。

また，N/Rが出されてから停泊期間開始以前に荷役を開始した場合，その時より停泊期間も起算し得るように“unless sooner commenced”といった文言を入れることもある。この場合，N/R が出ていなくても，荷役を開始すればその時から停泊期間が起算される。また，待機期間中の荷役をした時間だけを停泊期間に算入する旨を取り決めることもある。

〔X〕 停泊期間の終了

停泊期間が契約で規定されていてその起算点が決定されれば，一定の許容停泊期間が満了する時が停泊期間の終了点となる。しかし，実際には許容停泊期間が満了しないうちに荷役が終了する場合，または，停泊期間を超過して終了する場合がほとんどである。この場合，終期として荷役終了時，本船出航準備完了時，本船積・揚地出港時のいずれかが考えられるが，一般には，荷役終了時を採用している。相当日時を経過してもなお積荷役が終了せず船長が積み残して見切り出港する場合には，最後の出港時が終期とされることが多い。

〔XI〕 滞船料（demurrage）と早出料（despatch money）

荷役が傭船契約に定められた停泊期間内（契約に停泊期間の定めがない場合は相当の期間内）に完了しない場合，超過停泊日数に対し，傭船者または荷主は，船主に滞船料を支払うべきこととなる。通常，1日いくらというように定められる。

早出料は，荷役が契約に定められた停泊期間終了前に完了した場合，その節約された日数に対し，船主より支払われる報償金である。通常，滞船料の2分の1の金額である。停泊期間の計算は，積揚日数を各々別個計算する場合と通算して計算する場合とがある。荷役が終了すると，船主と荷主の間で荷役の開始・終了日時，停泊期間，滞船料（早出料）などを記載した laydays statement が作成される。

〔XII〕 共同海損条項

航海上，船舶または積荷に生ずるすべての損害を広義の海損（average）と呼ぶが，これは，航海上の通常の原因によって生じる通常海損（または小海損）と，非常の原因によって生じる非常海損に分類される。非常海損は，さらに共同海損（general average）と単独海損（particular average）に分類される。共同海損とは，海上危険に際して，共同危険団体を構成する船舶，積荷，燃料，運賃等のいずれかが，関係者のすべての利益のために犠牲に供され，追加の費用の支出を余儀なくされた場合に，その犠牲や費用を，危険を免れた利益の割合に応じて利害関係人によって分担・精算する制度である。共同海損の成立要件，精算の対象となる損害・費用の範囲，共同海損時の精算方法等については，商法にも規定があるが（商788条〜791条，808条〜810条），実務上は，ヨーク・アントワープ規則によって処理されることがほとんどである。同規則は条約ではなく，万国海法会（CMI）の前身である国際法協会（International Law Association：ILA）によって1890年に採択され，万国海法会による幾度かの改正を経た国際規則であり，傭船契約書や船荷証券に記載することによってその採用が宣言される。

〔XIII〕 その他

その他，傭船契約では，船主の賠償額の限度について定めた違約金条項，戦争，ストライキ，氷結などの際の船主の免責を定めた免責条項，船長・船員の過失で貨物に滅失・損害が生じても共同海損が成立し，船会社が荷主に対してその費用の分担を請求できる船会社側の免責条項（いわゆるニュー・ジェイソン条項）などが規定される。

4　船荷証券

貨物が運送契約に基づき船積され，もしくは船積のために運送人に引き渡されると船荷証券（bill of lading：B/L）が発行される。

(1)　法的性質

船荷証券は貨物の船積もしくは船積のための貨物の受取りを証するとともに，当該貨物を証券面に記載された条件の下に運送して指定の仕向地でその正当な所持人にこれと引換えに貨物を引き渡すことを約する有価証券である。船荷証券は，これに記載された貨物に対する権利を化体表象し，船荷証券の引渡し・移転は，当該貨物に対する権利の引渡し・移転であり（物権的効力：商763条），貨物の処分は必ず船荷証券をもって行うべきこととなる（処分証券性：商761条）。

船荷証券は，記名式で発行されたとしても，裏書で譲渡し，又は質権の目的とすることができる（指図証券性：商762条）。荷送人が船舶を手配し，貨物積込後に運送人が取得する船荷証券を裏書の上荷受人に手交した場合，船荷証券記載の条件に従った運送契約が荷受人・船会社間に引き継がれると解されている。

船荷証券の所持人は船会社に対して貨物の引渡しを請求することができるので，船荷証券は債権的証券の性質をも有する。運送人は記載が事実と異なることを善意の船荷証券所持人に対抗することができない（文言証券性：商760条）。

コンテナ単位の大型貨物であるFCL（full container load）貨物の場合は，輸出者が貨物を自分でコンテナ詰めし，船会社は，船積港のコンテナヤードで貨物を受領することとなるため，船会社は船荷証券を発行する際に貨物の中身を確認することができない。このため，船会社は，輸出者からFCL貨物を受領する際，コンテナの外観からみて特に損傷がない限り，“shipper's pack”，“shipper's load and count”，“said to contain”などと記載された無故障船荷証券を発行するのが実務慣行となっている。これらの記載は，貨物の中身の状態について船会社は責任を負わないことを表したもので，不知約款と呼ばれる。商法は，運送品の種類，運送品の容積もしくは重量または包もしくは個品の数および運送品の記号は，荷送人から書面による通告があったときは，原則として通告に従って記載しなければならないとし（商759条1項），通告が正確でないと信ずべき正当な理由がある場合および通告が正確であることを確認する適当な方法がない場合は例外とする（商759条2項）。この例外にあたるときは，不知文言を付すことで，運送人は，船荷証券の記載どおりの義務から免れる（東京地判平成10・7・13判時1665号89頁）。

(2) 船荷証券に関する国際ルールと国際海上物品運送法

外航船による海上輸送では，積地と揚地とが異なる国にまたがり，運送人と荷主も必ずしも同じ国に属するものではない。1924年，19世紀来の船荷証券上の免責約款をめぐる船主と荷主との間の紛争を調停し，両者の利益を調和することを目的として，船荷証券統一条約（The Hague Rules：通称ヘーグ・ルール）が締結された。わが国は，1957 年に同条約を批准し，国際海上物品運送法が制定された。

その後，ヘーグ・ルールの現代化を図るため，1968 年 2 月に，同ルールを修正するヘーグ・ヴィスビー・ルール（The Hague-Visby Rules）が成立し（1977 年 6 月発効），日本は 1992 年にこれを批准した。わが国の国際海上物品運送法も，ヘーグ・ヴィスビー・ルールを踏まえて改正され，1993 年 6 月 1 日に施行された。ヘーグ・ヴィスビー・ルールは，米国を除く主要海運国のほとんどが批准しており，支配的なルールとして定着している。

このほか，1978 年 3 月には，国際連合貿易開発会議（UNCTAD）をベースとした開発途上国のイニシアティブによって，運送人の責任を大幅に強化した国際連合海上物品運送条約（The Hamburg Rules：通称ハンブルグ・ルール）が発展途上国の支持を受け成立したが，わが国は同条約を批准していない。

わが国の国際海上物品運送法は，1924 年ヘーグ・ルール，1968 年ヘーグ・ヴィスビー・ルール，1979 年 SDR 改正議定書を国内法化したものである。同法は，船舶による物品の運送で船積港または陸揚港が日本国外にある場合をその適用範囲とする（国際海運 1 条）。同法では，運送品の滅失・損傷・延着に関する海上運送人の責任原因として，運送品に関する注意義務違反（同法 3 条 1 項）と堪航能力の不備（同法 5 条）を定める。ただし，海上運送人は，船長，海員，水先人その他自己の使用する者の航海上の過失または船舶の火災により生じた運送品の滅失・損傷・延着については責任を負わない（同法 3 条 2 項）。また，運送人の責任には限度額（同法 9 条）が設けられているが，運送品に関する損害が運送人の故意により，または運送人が損害の発生のおそれがあることを認識しながら自己の無謀な行為により生じたものであるときは同法 9 条の規定にかかわらず，運送人は一切の損害を賠償する責任を負う（同法 10 条）。また，本法の規定よりも荷送人，荷受人または船荷証券所持人にとって不利益な特約は無効と定められている（片面的強行規定。同法 11 条 1 項）。

ヘーグ・ヴィスビー・ルールを中心とした国際条約と，各国が条約の趣旨を踏まえて制定した独自の国内法が併存し，運送人の責任範囲が，適用されるルールによって大きく変動するという複雑な現状に対し，海上物品運送法の国際的統一を目指して，2008年に，国際連合国際商取引委員会（United Nations Commission on International Trade Law：UNCITRAL）によって新国際連合国際海上物品運送条約（Convention on Contracts for the International Carriage of Goods Wholly or Partly by Sea：通称ロッテルダム・ルール）がまとめられた。同条約は，2019年11月時点で米国を含む25か国が署名しているが，発効のために必要な20か国の批准は得られていない。

(3) 船荷証券の種類

(i) 船積船荷証券（shipped B/L）と受取船荷証券（received B/L） 船積船荷証券（shipped B/L）は券面上にshipped on board...と貨物が現に特定の船舶に船積された旨が記載されたものである。受取船荷証券（received B/L）は貨物が船積されなくても船積のために貨物が運送人に引き渡されたならば発行され，券面上にはReceived...for shipment...との記載がなされる。

(ii) 無故障船荷証券（clean B/L）と故障船荷証券（foul B/L） 船積された貨物の荷造や数量に不完全な点があり，その旨の摘要（remarks）が記入されたものを故障船荷証券（foul B/L）といい，そのようなremarksのないものを無故障船荷証券（clean B/L）という。

(iii) 通し船荷証券（through B/L） 仕向地までの運送の途中で，船舶から他の船舶へ，あるいは船舶から鉄道へというように貨物が他の運送手段に積み替えられる場合で，最初の積込時に発行される船荷証券のみをもって全運送区間の運送がなされる場合の船荷証券を通し船荷証券（through B/L）という。

運送手段が同一の運送人に属する場合と運送手段は異なる運送人に属するが両者の間に連絡輸送の取決めのある場合とがある。複数の運送人のうちで最初の運送人のみが船荷証券に署名する場合と，2人以上の運送人が共同署名する場合とがある。

(iv) 海洋船荷証券（ocean B/L）とローカル船荷証券（local B/L） 通し船荷証券（through B/L）のうち，海上運送に関して最初の運送人のみで全運送区間の運送について発行するものを海洋船荷証券（ocean B/L）といい，第2，第3の運送人が最初の運送人に対して各自の運送区間に限って責任を負担するために内部的に発行するものをローカル船荷証券（local B/L）という。

(v)　**傭船契約船荷証券（charter party B/L）**　傭船契約（charter party）に基づく運送に対して発行される船荷証券で，傭船契約の条件が適用される旨を規定した船荷証券を傭船契約船荷証券（charter party B/L）という。

傭船契約船荷証券は荷送人に対して発行されるが，航海傭船契約における荷送人は，傭船者自身（多くの場合はCIF条件の売主）か，傭船者以外の第三者（多くの場合はFOB条件の売主）のいずれかになる。そして，傭船者以外の第三者に対して船荷証券が発行される場合には，当該船荷証券は，傭船者が準備した船荷証券の書式が用いられ，船長によって署名されるか，あるいは傭船契約の傭船者によって「船長のために（for the master)」署名されることが実務一般に行われている。船荷証券の裏面約款には，船舶所有者のみが運送人として責任を負う旨のいわゆるデマイズ条項が置かれる場合がある。海運実務上は，傭船者が準備した書式によって，傭船者が船荷証券に署名した場合であっても，これらを根拠に，傭船契約船荷証券上の運送人は船舶所有者であると整理されている。わが国の最高裁判例においても，船荷証券上部に定期傭船者の社名ロゴが記載されながらも，「船長のために（for the master)」と表示された上で定期傭船者によって署名がなされた船荷証券上の運送人の確定の問題につき，船荷証券所持人に対して誰が責任を負うかは，船荷証券の記載のみによって定まるとして，船舶所有者のみが運送人として責任を負うとの判断が示されている（最判平成10・3・27民集52巻2号527頁）。

傭船契約に基づく運送に対して船荷証券が発行される場合，この船荷証券は運送契約たる傭船契約に基づいて発行されるものゆえ，当事者間では，別段の取決めがなければ，運送契約たる傭船契約の規定が適用される。そこで，傭船契約船荷証券には，通常“Freight and all other conditions as per Charter Party”というような傭船契約の条件が摂取（incorporate）される旨の規定が置かれ，これにより第三者たる船荷証券所持人に対しても傭船契約の規定が適用されることになる。

傭船契約のどの条件が適用されることになるかは摂取文言の規定の仕方による。単に傭船契約を摂取（incorporate）する旨を示した一般的な文言が規定されている場合，傭船契約の条件のうちでも貨物の船積，運送，荷揚，運賃の支払に関する条項のみが船荷証券に摂取されるとするのが英国の判例である。

(vi) **コンテナ船荷証券**　コンテナ船積貨物についての特別約款を折り込んだ船荷証券をいう。

在来船積の場合，運送人の責任区間は，貨物の本船への積込みの時から荷揚まで（“from tackle to tackle”）であるが，コンテナヤード（CY）やコンテナ・フレイト・ステーション（CFS）等で貨物の受取り・引渡しがなされるコンテナ船積の場合は，CY・CFS等での貨物の受取時から，同じく仕向地ないしは仕向港のCY・CFSでの貨物の引渡完了時までとされる。貨物の受取り・引渡しの場所として内陸地が記載される場合，運送人は内陸から内陸までの運送を引き受け，責任を負うことになる。

B/Lの形式も，在来船積の場合には船積船荷証券（shipped B/L）が通常であるのに対し，コンテナ船積の場合は，すべて受取船荷証券（received B/L）である。

荷主により運送品がコンテナに詰められ封印がなされる場合，運送人は運送品の包装の中身のみならず包装や個数についても確認できず，これらについても運送人は不知であり，運送品がコンテナの封印に異常がない状態で引き渡される限り，運送人はコンテナの中身の損害ないし積付不良による損害につき責任を負わない旨，船荷証券の券面上に記載される。

信用状統一規則（UCP600）では，甲板積（on deck）される可能性がある旨記載された運送書類であっても信用状上の書類要件に反するわけではないが，甲板積であることが明記されている場合には，信用状上の書類要件を満たさない(UCP600-26条(a))。コンテナ船の場合は，元来コンテナ貨物を甲板積で運送することが予定されているため，同規則に準拠するためには，船荷証券の券面上，甲板積であることの記載を回避する必要があるが，実務上は，運送人に甲板積とするか船内積とするかの選択権を与える旨を券面上に規定することで対応している。

(4) 船荷証券の記載事項

商法758条1項により，次の事項（受取船荷証券については⑦および⑧の事項を除く）が船荷証券の法定記載事項となっている。

① 運送品の種類

② 運送品の容積もしくは重量または包もしくは個品の数および運送品の記号
③ 外部から認められる運送品の状態
④ 荷送人又は傭船者の氏名または名称
⑤ 荷受人の氏名または名称
⑥ 運送人の氏名または名称
⑦ 船舶の名称
⑧ 船積港および船積の年月日
⑨ 陸揚港
⑩ 運送賃
⑪ 数通の船荷証券を作ったときは，その数
⑫ 作成地および作成の年月日

以上の項目のうち船舶の名称，運送品の種類，重量，容積，記号，状態，陸揚港および船荷証券の発行通数の表示は船荷証券の本質上欠くことのできないものとされている。

(5) 発行・裏書形式

船荷証券の発行形式には，その荷受人の記載方法により次のような形式がある。いずれの形式によるかは信用状により要求されたところによる。

① 記名式　　荷受人は特定される。
② 指図式　　荷受人は“order”，“order of 何某”，“何某 or order”と表示される。
③ 選択無記名式　　荷受人は“何某 or bearer（持参人）”と記載される。
④ 無記名式（持参人式）　　荷受人は，“bearer（持参人）”と記載される。

船荷証券の譲渡は，裏書により行われ，その形式にはその被裏書人の記載方法により次のような形式がある。ただ，上記①の記名式船荷証券も，日本法上は裏書により譲渡でき，裏書を禁止する旨記載した場合に限り裏書による流通性を否定し得るが，米国法上は流通不能（non-negotiable）で，裏書による譲渡は認められない。

①′ 記名式裏書　　被裏書人は特定される。

②′ 指図式裏書　被裏書人は“order”，“order of 何某”，“何某 or order”と表示される。

③′ 選択無記名式裏書　被裏書人は“何某 or bearer”と表示される。

④′ 白地式裏書　被裏書人を記載せず，裏書人のみ署名する。

(6) 船荷証券の危機

近年，コンテナ船の登場による船舶輸送の高速化で，貨物の荷揚港到着にB/L到着が間に合わず貨物が引き取れないという，いわゆる「船荷証券の危機（B/L crisis）」が発生するようになっている。そこで，実務的には，買主が単独または取引銀行と連名で保証状（letter of guaranty）を差し入れることと引き換えに，運送人から船荷証券なしに貨物を引き取る保証渡しの商慣習が形成され，あるいは元地回収船荷証券（surrendered B/L）や海上運送状（sea waybill）が盛んに利用されるようになっている。

(i) **保証渡し**　保証渡しの場合，買主である荷受人が単独で差し入れる保証状は「シングルL/G」，銀行保証をつける場合の保証状は「バンクL/G」と呼ばれる。保証状を差し入れた買主または銀行は，船荷証券と引き換えでなく貨物を引き渡したことにより運送人が被る一切の損害につき責任を負う。

(ii) **元地回収船荷証券**　発効された船荷証券を元地回収するための実務手順は以下のとおりとなる。まず，本船が出港し船荷証券が発行された後，荷送人の依頼により，船積地の船会社が荷送人の白地裏書のあるオリジナルの船荷証券すべてを回収する。船会社は回収した船荷証券にその旨を証明する“SURRENDERED”の記載をする。船会社は元地回収船荷証券であることを，輸入地の支店または代理店に連絡をする。荷送人は船荷証券のコピーを荷受人に送付し，荷受人もオリジナルの船荷証券なしで輸入貨物を引き取ることができる。

(iii) **海上運送状**　海上運送状は，航空運送状と同様，貨物の受領書と運送引受条件記載書の性質を有する。表面の記載事項欄も船荷証券と同じであるが，船荷証券とは異なり流通性を有しない。貨物引取り時の提示は必要なく，海上運送状に記載された荷受人であることが確認できれば貨物の引取りが可能となるため，船荷証券のように，未着や紛失の際の保証渡しのために，銀行保証状を手配する必要はない。海上運送状は，「海上運送状に関するCMI規則

(CMI Uniform Rules for Sea Waybills)」を採用しており，荷送人が荷揚地，荷受人などの変更を指示することができる。信用状統一規則（UCP600）では，信用状取引であっても，海上運送状を利用することが可能であるとされる（UCP600-21条）。

5　航空貨物輸送契約と航空運送状（air waybill）

(1)　航空貨物輸送契約

航空貨物輸送契約は，対象となる貨物が直送貨物（direct cargo）か混載貨物（consolidation cargo）かによって，方式が異なってくる。

直送貨物とは，荷送人が航空貨物代理店を通じ，あるいは直接（ただし，荷送人が直接航空会社にコンタクトするのは稀である）航空会社に対して貨物の輸送を委託し，荷送人と航空会社との間の直接の運送契約によって輸送される航空貨物をいう。運賃は，定期航空会社の国際機構であるIATA（International Air Transport Association）の下部機構の運賃調整会議で協議され，加盟国政府の認可によって発行されるIATA運賃が基本となるが，貨物スペースの恒常的な供給過剰やカルテル批判を受け，主要路線でのIATA運賃は形骸化が進んでいる。

不定期便をチャーターして貨物を輸送する場合は，チャーター輸送契約が締結される。運送期間・スペース・運賃などは荷主と航空会社が個別に協議して決定される。この契約も航空貨物代理店を通して契約が締結されることが多い。チャーター運賃は，各航空会社が，自己の輸送原価や運送政策などに基づき設定する。

これに対して，混載貨物においては，荷送人と航空会社の間に混載業者が介在する。混載業者は，航空会社と違った独自の運送約款，タリフを持ち，これに基づいて個々の荷送人と運送契約を結ぶ者であるが，現実の航空輸送手段を所有していないので，その集荷した貨物を輸送するためには改めて航空会社との間で航空会社の運送約款による運送契約を締結することになる。混載業者は，個々の荷送人に対し混載運送状（house air bill）を発行し，航空会社から航空運送状（master air waybill）の発行を受ける。

(2) 航空運送状の法的性格と船荷証券との違い

航空貨物の運送契約が締結されると航空運送状が発行される。航空運送状は運送契約の証拠書類であり，かつ，貨物の受取りを証する書類である。航空貨物運送状は，荷送人から荷受人への貨物運送通知書としての性質を有する。また，記名式であり，譲渡可能ではない。航空運送状は，荷送人が原本3通（運送人用，荷受人用，荷送人用）を作成する。運送についての記録を保存する他の手段をもって航空運送状の交付に代えることが可能であるが，その場合，運送人は，荷送人の要請に応じて，貨物受取証を交付しなければならない（モントリオール条約4条2項）。

航空運送状は，反証がない限り，契約の締結，貨物の引受け，および運送の条件に関して証明力を有する（同条約11条1項）。航空運送状の記載の証明力は反証を許すという点において船荷証券とは性質が異なる。荷送人は，貨物到達地において荷受人が適法に貨物の引渡しを請求する時まで，貨物の返還を請求する等，貨物を処分する権利を有する（同条約12条1項）。一方で，運送人は，荷送人用の航空運送状または荷送人に交付した貨物受取証の提示がなされた場合でなければ，荷送人の貨物処分指示に従ってはならないとされる（同条約12条3項）。これらは，信用状発行銀行が，自らを航空運送状上の荷受人と指定させ，為替手形を割り引く際に荷送人の航空運送状を交付させることによって，荷送人による貨物処分権を封じ，貨物を譲渡担保の対象として確保することを可能にする。

航空運送状は，船荷証券や貨物引換証等とは異なり，当然には譲渡性，流通性をもつものではない。1955年のヘーグ議定書では，「この条約のいかなる規定も，流通性のある航空運送状の作成を妨げるものではない」（同議定書15条）と規定されていたが，モントリオール条約では，流通性のある航空運送状の作成の可否に関する条項は置かれていない。実務において，流通性のある航空運送状は使われていないが，銀行を荷受人として航空運送状を発行し，貨物到達地で銀行の許可を得てから荷受人に貨物を引き渡す方法をとることによって，信用状に基づく航空運送状の銀行買取りが可能となっている。

(3)　航空輸送にかかわる国際ルール

海上輸送と同様，航空輸送に関しても，国際航空運送人の責任に関する国際統一ルールが制定されている。古くは，1929年にワルソー条約（Warsaw Convention）が，運送証券の記載事項，航空会社の責任範囲等について定めており，わが国も本条約を1953年に批准した。その後，航空輸送による運送が劇的に拡大する中，ワルソー条約をより実態に即したものとすべく，1963年に，ワルソー条約を改訂するための議定書（ヘーグ議定書：ヘーグ改正ワルソー条約）が発効した。さらに，ヘーグ議定書を改正するモントリオール第四議定書が1998年に発効し，わが国は2000年にこれを批准した。

1929年のワルソー条約から始まり，数多くの改訂や追加の議定書をもつ「ワルソー・システム」が複雑化する中，条約の全体的見直しの必要性が認識され，1999年にモントリオール条約が成立し，わが国はこれを2000年に批准している。同条約は，2019年11月末時点で，加盟国は136か国となっている。同条約に加盟していない国とわが国との間の輸送に関しては，ヘーグ改正ワルソー条約が適用されるが，今日において，モントリオール条約は，航空輸送における支配的なルールとしての地位を確立しているといえる。

(4)　モントリオール条約

モントリオール条約1条2項は，条約の適用範囲となる国際運送について，出発地と到達地の両方が締約国にある国際航空運送，または出発地と到達地が単一の締約国内で，予定寄航地が他国であるもの（往復運送）と定義する。運送人の責任に関する規定は，片面的強行規定であるとする（同条約26条・47条）。すなわち，契約上の規定であって，運送人の責任を免除しまたは同条約に規定する責任の限度より低い額の責任の限度を定めるものは無効となる。同条約の規則に反することを意図した準拠法の選択や裁判管轄の選択も無効となる（同条約49条）。

モントリオール条約は，損害賠償額の定型化の制度は採用しておらず，条約に定める責任限度の範囲内で実損額にて賠償がなされる。運送人は，それが航空運送中に生じた場合のみ，事故による貨物の破壊・滅失・毀損の責任を負う（同条約18条1項）。この場合，運送人の免責事由は，(a)貨物の固有の欠陥または性質，(b)運送人またはその使用人もしくは代理人以外の者によって行われた貨物の荷造りの欠陥，(c)戦争行為または武力紛争，(d)貨物の輸入，輸出または通過に関してとられた公的機関の措置の4つに限定されている（同条約18条2項）。貨物の延着については過失責任とされるが（同条約19条），貨物の破壊・滅失・毀損・延着について，1kgにつき22SDR（Special Drawing Rights，令和元年12月1日現在1SDR＝150.69円）の責任制限が設けられている（同条約22条3項）。この責任制限は，運送人・使用人に故意があっても適用される（同条約22条5項・30条3項）。

6　国際複合輸送における複合運送人の責任

複合輸送とは，船舶と鉄道といったように，種類の異なる2つ以上の運送手段を用いた一貫貨物輸送の方式をいう。

海上運送人が通し船荷証券（through B/L）を発行し，海陸通し運送を引き受けることはこれまでも行われていた。その場合，海上運送人が引き受ける責任は自らが直接行う運送区間に限定されている。これに対し，国際複合輸送において，運送は，船舶，鉄道，航空機等の運送手段の組合せによって輸出国の貨物受取地から，輸入国の最終貨物引渡地まで一貫して行われる。その場合，その運送を引き受ける者が複合運送証券（multimodal transport B/L）を発行し，自ら実際に全運送区間を通じて運送を行うか否かにかかわらず全区間の運送につき契約の履行責任を負う場合も多い。しかし，陸上，海上，航空各々の輸送に関する法体系や運送人の責任原則が異なり，また，それらは国によっても異なるため，荷送人にとって複雑でわかりづらいという指摘がある。

国際複合運送に関しても，国際的な統一ルールに向けて，様々な試みがこれまでなされてきた。1980年5月には，国際複合輸送人の義務，権利，免責について定めた「国際複合型貨物輸送に関する国際連合条約」が成立した。同条約では，運送を引き受けて複合運送証券を発行した1人の海上運送人が，荷主に対して全運送区間につき責任を負うユニフォーム・ライアビリティ・システム（uniform liability system）が適用されることとなっている。しかし，同条約は，先進国と開発途上国との対立があり，未だ発効に至っていない。また，複合運送人にとって，下請運送人が複合運送人に対して負う運送責任と複合運送人が荷送人に対して負う運送責任とに乖離を生じさせることはリスク管理上も具合が悪い。そこで，複合輸送における責任原則は，各区間の運送にそれぞれ適用される既存の法律や約款によるネットワーク・ライアビリティ・システム（network liability system）が一般に採用されている。日本においても，平成30年の改正商法において，複合運送契約における運送人の責任について，ネットワーク・ライアビリティ・システムを基調とした規定が置かれることとなった（商578条1項）。

なお，民間による国際統一ルールとしては，1973年の国際商業会議所（ICC）による複合運送証券に関する統一規則がある。

第8章 売買契約と保険

売買契約により，売主は買主に対して商品の所有権と滅失・損傷の危険を移転し，買主は売主より当該商品の所有権を取得してこれらの危険を負担することになる。国際売買においては，海上運送または航空運送を伴うのが通例であり，運送に伴い商品に発生し得る海難や，盗難，破損，腐敗等の危険（事故）は，国内売買に比較してはるかに大きい。このような国際間の輸送中の事故に伴い商品に滅失・損傷が発生した場合に，それにより生じた損害をカバーするものが，いわゆる外航貨物海上保険である。この外航貨物海上保険は，特に英国保険業界が中心となって，その実務および法体系を発展させてきた。

国際売買においては，このような商品の滅失・損傷の危険に加え，契約相手国等の事情により輸出ができないといった非常危険や，相手方の代金不払といった信用危険にも注意を払わなければならない。こうした危険に伴う損害をカバーする保険は，一般的に貿易保険といわれ，日本では株式会社日本貿易保険（NEXI）が多く取り扱っている。

本章では，外航貨物海上保険に焦点を絞り，①被保険利益，②いずれの当事者が保険の手配を行うのか，③保険条件について取り上げる。

1 被保険利益

海上運送上，海上危険によって滅失や損傷を受けるおそれのある保険の対象物を保険の目的物（subject-matter insured）（保険6条1項7号等）といい，保険の目的物に危険が発生することによって経済的損失を被るおそれのある人と保険の目的物との関係を被保険利益（insurable interest）という。

被保険利益の典型例は，特定の物に対する所有権であり，例えば，貨物の所有者は航海中に発生した海上危険によってその貨物を失えば，そのために経済的な損失を受ける可能性があるが，この場合，保険の目的物は貨物であり，貨物の所有者はその貨物について被保険利益を有しているといえる。しかし，保険の目的物に存在する被保険利益は1つとは限らず，またこの利益は経済的利益であれば足り，必ずしも所有権といった法律上の権利の裏付けを必要としない。この貨物の売買契約の相手方である買主は，貨物の滅失によって期待していた転売利益を収得できなくなる可能性がある。また，運送人は貨物の滅失によって期待していた運賃を得られなくなったり，あるいは荷主に対して賠償責任を負う可能性もある。このように同一の保険の目的物の上には，所有者のもつ被保険利益のほかに，種々の被保険利益が存在し得る。

海上保険契約を含め，損害保険契約は，被保険者にこうした被保険利益が存在する場合に限り有効に成立・存続する。これは，損害保険契約は，保険者が一定の偶然の事故によって生ずることのある損害を填補することを目的とする契約の一種であることから，保険の目的物に偶然の事故が発生することにより損害を被る可能性がなければ，損害の填補を約する前提が存在しなくなるためである。したがって，国際売買契約における外航貨物海上保険について注意すべきことは，売買契約の条件の内容に応じて定まる被保険利益の内容に応じた，十分かつ必要な保険を付保することである。

例えば，FOB 条件をベースに貨物が本船の船上に置かれた時点で売主から買主に危険が移転する契約条件の場合，貨物が本船の船上に置かれるまでの間に貨物が滅失・損傷したとしても，売主としては依然として貨物の引渡義務を負担しているため，被保険利益は売主にあり，買主にはない。このような場合，例えば，買主が売主の工場出荷から輸入倉庫までを担保する保険を付保していたとしても，輸出地で貨物が本船の船上に置かれる前に発生した貨物の滅失・損傷については，売主が危険を負担するため，買主に被保険利益はなく，結局保険料の無駄払いとなってしまう。逆に FOB 条件の売主としては買主がどのような条件で海上保険契約を締結しているにせよ，買主の保険とは別に，自己の工場から本船に積み込まれるまでの危険を担保する保険をかけておかなければば，この期間の滅失・損傷のリスクに対応できない。

2 国際売買契約と保険の手配

上記のとおり，海上保険が保護の対象としているのは被保険利益であり，被保険利益は，貨物が輸送中に滅失または損傷した場合にその危険を負担する当事者が有することとなる。したがって，国際売買契約において，被保険利益をいつの時点で誰が有しているかは，当該契約において，売主から買主にいつの時点で危険負担が移転するかという点と密接に関連する。いずれにせよ，被保険利益を有している者，すなわち，契約条件に従い輸送中の危険を負担する者がそうしたリスクを回避・管理する手段として，被保険利益の内容に応じて必要かつ十分な付保を自ら行う必要がある。このように，国際売買契約との関係では，当事者間の契約上の義務の問題ではなく，契約条件に従い各当事者が負担する事故のリスクをカバーするものとして自ら付保を行うのが原則である。一方で，契約条件によっては，契約の相手方が有する被保険利益のために，契約上の義務として，保険の手配を行う義務を負う場合もある。

インコタームズでは，各取引条件に応じて，売主から買主への貨物の引渡時期および危険負担の移転時期，ならびに保険に関する売主・買主の義務および費用負担のルールを定めているため，以下では，インコタームズの条件を例に，保険手配を誰が行うべきか説明する。

インコタームズにおいては，後述のとおり，CIP および CIF 条件の場合を除いては，各当事者は保険手配の義務は負わないとされているため，各条件に応じて，各当事者は自己の費用で自己の被保険利益をカバーする必要十分な保険手配を行う必要がある。一方で，CIP および CIF 条件のように，被保険利益を有していない者が，相手方の被保険利益をカバーする保険の手配義務を負うような場合には，当該付保の条件を売買契約において規定する必要がある。この点は，第2部第***11***章を参照頂きたい。

(1) EXW（工場渡し）

売主および買主は保険手配の義務を負わない。EXW 条件においては，売主の施設またはその他の指定された場所で，物品を買主の処分に委ねた時に買主に危険が移転するため，当該引渡し以降の危険をカバーする保険の付保を買主が自ら行う必要がある。

⑵　FCA（運送人渡し）

売主および買主は保険手配の義務を負わない。FCA 条件においては，売主の施設またはその他の指定された場所で，買主によって指名された運送人またはその他の者に物品が引き渡された時に買主に危険が移転するため，当該引渡し以降の危険をカバーする保険の付保を買主が自ら行う必要がある。

⑶　CPT（輸送費込み）

売主および買主は保険手配の義務を負わない。CPT 条件においては，売主に指定された運送人に物品が引き渡された時に買主に危険が移転するため，当該引渡し以降の危険をカバーする保険の付保を買主が自ら行う必要がある。

⑷　CIP（輸送費保険料込み）

危険の移転時期はCPT 条件と同様であるが，CPT 条件と異なり売主が買主の被保険利益をカバーする保険手配の義務を負う。CIP 条件下で売主が買主のために付保する貨物保険の主な内容について，インコタームズでは，以下のとおりとされている。

(i)　**保険条件**　　別段の合意または特定の取引における慣習がある場合を除き，協会貨物約款（INSTITUTE CARGO CLAUSES）(A)または利用する運送手段に相応しい同様の保険約款に定める補償範囲をカバーする保険を付保しなければならない。また，売主は，買主から要求された際，買主の負担で，協会戦争約款，協会ストライキ約款，または同様の保険約款に定める補償範囲を追加でカバーする保険を付保しなければならない。

(ii)　**保険業者**　　売主は，信用力十分と認められる保険業者を選び，付保する必要があり，買主が直接保険会社に請求し得るものでなければならない。

(iii)　**保険金額**　　最低限，契約に定められた価格プラス 10%（希望利益）をもって保険金額とし，売買契約の通貨と同じ通貨による保険契約とすることを要する。

(5) DPU（荷卸込持込渡し）

売主および買主は保険手配の義務を負わない。DPU 条件においては，指定仕向地または指定仕向地内の合意された地点で物品が荷卸しされた後，買主の処分に委ねられた時に買主に危険が移転するため，指定仕向地等までの物品の輸送に伴う危険をカバーする保険の付保を売主が自ら行う必要がある。

(6) DAP（仕向地持込渡し）

売主および買主は保険手配の義務を負わない。DAP 条件においては，指定仕向地または指定仕向地内の合意された地点において，輸入通関せずに荷卸しの準備ができている輸送手段の上で買主の処分に委ねられた時に買主に危険が移転するため，指定仕向地等までの物品の輸送に伴う危険をカバーする保険の付保を売主が自ら行う必要がある。

(7) DDP（関税込持込渡し）

売主および買主は保険手配の義務を負わない。DDP 条件においては，指定仕向地または指定仕向地内の合意された地点において，売主が輸入通関を行い，輸送手段から荷卸しせずに物品を買主に引き渡した時に買主に危険が移転するため，仕向国への輸入のための「関税」を含めて，指定仕向地等までの物品の輸送に伴う危険をカバーする保険の付保を売主が自ら行う必要がある。

この場合，売主は輸入通関に関する一切の危険と費用を負担するため，輸入通関が済み，相手国の指定倉庫に搬入した際に損害が発見された場合，既に納入した関税の還付が難しく，当該関税の支払分が無駄となるため，輸入税保険を付保するかを検討する必要がある。輸入税保険は，貨物を輸入する際に課される関税に関して被る損害を対象とした保険であり，輸入通関時に損害が発見されず関税を支払ってしまった場合，輸入業者は貨物に関し損害を被る一方，関税に関しても実質的に損害を被るため，この関税に関する損害を補償するものである。

⑻ FAS（船側渡し）

売主および買主は保険手配の義務を負わない。FAS条件においては，売主は指定船積港において，買主によって指定された本船の船側に物品を置いた時に買主に危険が移転するため，当該引渡し以降の危険をカバーする保険の付保を買主が自ら行う必要がある。

⑼ FOB（本船渡し）CFR（運賃込み）

売主および買主は保険手配の義務を負わない。FOBおよびCFR条件においては，売主は指定の港の本船上で貨物を引き渡す義務を負い，物品が本船の船上に置かれるまで，貨物の滅失・損傷に関する一切の危険を負担する必要がある。物品が本船の船上に置かれた以降は，貨物の滅失・損傷の危険は買主の負担となるため，船積以降の危険をカバーする保険の付保を買主が自ら行う必要がある。

FOBおよびCFR条件においては，買主は船積以降の危険を負担するため，当該危険をカバーする保険の手配を行う必要があるが，船積後に売主より船積通知を受けるため，この時点で貨物保険の申込みを行おうとしても，既に買主の危険負担は開始しており，既に貨物に損害が発生している可能性もある。このような事態を回避するために用いられるのが予定保険契約であり，買主が船積通知により船積日，本船名等輸送の詳細を知る前でも，貨物保険の申込みを行うことができ，予定保険契約締結後に，詳細が確定した場合には保険申込書を使用して確定通知を行い，保険会社が確定保険として保険証券または保険承認状を発行している。

一方，売主側は貨物が本船に船積されるまでの危険を自ら負っているので，本船積込みまでの輸送区間に関し自ら保険手配を行う必要がある。FOBで輸出される貨物に関し，本船船積までの輸送中および，それ以前の港頭倉庫一時保管中の売主の危険をカバーする保険をわが国では，一般に輸出FOB保険と呼んでいる。この場合，貿易取引に適用される外航貨物海上保険ではなく，国内貨物を対象とする内航貨物海上保険の１つとして付けられる保険で，保険会社は和文の約款に基づいて引き受けている。

⑽　CIF（運賃保険料込み）

売主は，CFR 条件における売主と同じ義務を負うほかに，自己の費用で買主のために貨物が仕向地まで輸送される間の危険につき貨物保険を付保し，保険証券を取得して，これを買主へ提供する必要がある。CIF において売主が付保すべき保険の内容は，別段の合意または特定の取引における慣習がある場合を除き，協会貨物約款（INSTITUTE CARGO CLAUSES）(C)または同様の保険約款に定める補償範囲をカバーするものでなければならない。

この場合，売主はわざわざ自己の危険負担部分と，買主の危険負担部分を別々に付保する必要はなく，実務では，積地の売主倉庫搬出から仕向地の買主倉庫搬入までの全行程を保険期間とした貨物保険を付保し，本船船積後，買主へ保険証券を裏書譲渡することが行われている。

CIF 条件において荷為替手形（信用状付）による決済を行う場合には，輸入者取引銀行が開設する信用状の中に保険条項があり，どのような条件・内容の貨物保険証券が船積書類の１つとして輸出者から荷為替買取銀行に提出されなければならないかが規定されており，この指示内容に合致した保険証券の提出が求められる。仮にこの条件を満たさない場合には荷為替買取銀行は手形の買取りに応じない。これは為替銀行は輸出貨物を担保として輸出業者への金融を行っているため，担保である貨物が海難事故などにより，損失を被った場合には補償が得られるよう，その貨物に適切な保険が付けられていることを要求するためである。

3　保険条件（保険証券と保険約款）

外航貨物海上保険における契約条件，すなわち保険契約は，英国市場において伝統的に使用されてきた英文証券フォーム，ならびに英文証券フォームにおいて言及されるロンドン保険業者協会（Institute of London Underwriters）（現在のロンドン国際保険引受協会（International Underwriting Association of London）。以下同じ）にて制定された協会貨物約款およびその他付帯された約款により構成されている。以下においては，英文証券フォームおよび協会貨物約款の概要について説明する。

⑴ 英文証券フォーム

(i) **英文貨物海上保険証券**　外航貨物海上保険において，保険契約の証拠として保険会社が発行するのが保険証券である。保険証券は保険契約の成立を証明する書面であり，また，国内外の貿易上当事者間において授受される船積書類の1つである。国際間輸送の貨物を対象とする外航貨物海上保険において使用される保険証券は，国際的に流通性のある共通書式の使用が求められるため，わが国を含め世界の大多数の保険会社が英国の海上保険証券に基づいた英文貨物海上保険証券を使用している。これは英国が古くから海上保険の中心市場をなし，海上保険についての法律や慣習を確立してきた歴史的経緯によるものである。

具体的には，外航貨物海上保険で使用しているわが国の英文保険証券は，ロンドン保険業者協会が制定した様式を基礎としている。英文貨物海上保険証券は，S.G.フォーム（英国のロイズが古くから使用しているLloyd's S.G. POLICYに準じた旧フォーム）と，MARフォーム（1982年1月1日にロンドンで制定されたMARフォームに準じた新フォーム）の2種類があるが，S.G.フォームは英国における古い様式を踏襲しており，多くの古風で難解な文言から成っているため，MARフォームが現在わが国において主流の保険証券となっている。

英文貨物海上保険証券（S.G.フォーム，MARフォーム）には，“英国の法律・慣習による”旨の準拠法約款（GOVERNING CLAUSE）が含まれており，具体的には「この保険は，保険者の塡補請求に対する責任およびその決済に関しては，英国の法律および慣習に従う。(this insurance is understood and agreed to be subject to English law and usage as to liability for and settlement of any and all claims.)」という文言が含まれている。

この条項は，保険者の責任およびその決済に関してのみ，すなわち，クレームが発生した場合にそのクレームについて保険者に塡補責任があるかどうか，あるとすればどのようにしてこれを精算するかについては英国法に従うという意味であり，上記の英文海上保険証券を使用した保険契約の全てについて，英国法を適用するものではない。したがって，これ以外の事項，例えば保険契約の成立や効力に関しては，契約締結地が日本であれば，日本法が適用されるということになる。ただし，保険契約成立の問題なのか，保険者の塡補責任の問題なのか，この文言だけでは相当に不明確であり，この準拠法条項の解釈に関する未然の紛争防止という観点からは，より明確な文言が望まれる。

(ii) **MARフォーム保険証券**　MARフォームは，S.G.フォームを刷新するものとして，1982年1月1日に制定されたものであるが，S.G.フォームにおいては証券フォームそのものに担保危険などの保険条件が含まれていたのに対して，MARフォームでは証券フォームには保険条件に関する規定はなく，保険条件は，裏面の協会貨物約款において定められており，このため，構成がわかりやすくなっており，こうした理由から，上記のとおりMARフォームが現在わが国において主流の保険証券となっている。

(2) 保険約款

外航貨物海上保険に関する主条件を定める約款は，現在に至るまで，ロンドンにおいて作成された約款が国際標準として幅広く用いられている。具体的には，ロンドン保険業者協会が制定した協会貨物約款が多くの国々において幅広く利用されている。この協会貨物約款には，1963年に制定された1963年協会貨物約款，1982年に制定された1982年協会貨物約款，および2009年に1982年協会貨物約款の改訂版として制定された2009年協会貨物約款がある。S.G.フォームについては，1963年協会貨物約款が，MARフォームについては1982年協会貨物約款がこれまで使用されてきたが，2009年協会貨物約款の制定に伴い，現在わが国では，MARフォームに2009年協会貨物約款を使用する方式が主流となっている。

保険契約においては，この協会貨物約款が保険条件の主条件を定めることとなっており，これに特別約款として他の協会約款や保険者の独自の約款等が付帯されることにより，保険契約の条件が決定されることとなる。

2009年協会貨物約款は，担保する内容に応じて，いわゆるマリンリスクをカバーする協会貨物約款(A)，(B)，(C)の3種類と，別途特約として協会戦争約款，および協会ストライキ約款がある。

(i) **協会貨物約款(A)**　保険の目的物の滅失または損傷のすべての危険を担保（オールリスク担保）している担保危険の範囲が最も広い保険条件である。ただし，オールリスク担保であっても担保されるのは，外来的・偶発的な危険に限られ，下記の免責事由の多くは，その趣旨を明らかにしている。

(a) 被保険者の故意の違法行為

(b) 通常の漏損，重量・容積の通常の減少または自然の消耗，固有の瑕疵または性質

これらは主として保険の目的物の内在的要因による損害であり，特別な外来の要因がなくても自然に発生する可能性の強いもので，基本的な免責事由の1つとなっている。例えば，通常の輸送過程で生じる腐敗，変質，変色，目減り，さび，かび，自然発火，汗ぬれなどが挙げられる。

(c) 梱包の不十分，不適切

梱包が不十分，不適切であることが原因で発生する事故は，事故発生に偶発性が乏しいことにより，免責事由とされている。ただし，2009年協会貨物約款においては，梱包または準備が，被保険者もしくはその使用人によって行われる場合，または保険の危険開始前に行われる場合に限り免責の対象となるとされたため，危険開始後の第三者による梱包の不完全は免責の対象外となる。

(d) 運送の遅延

例えば，保険の目的物を積載した船が荒天のために到着が遅延したことによる商機の逸失損害，市価の下落損害，貨物自体の物理的損傷（腐敗など）も免責になる。

(e) 船主等の支払不能または金銭債務不履行

2009年協会貨物約款においては，この免責は，被保険者が，船主等の支払不能または金銭債務不履行が「航海の通常の遂行を妨げることになり得ると知っているか，または通常の業務上当然知っているべきである場合」に限り適用されるとの内容に改訂されている。また，2009年協会貨物約款においては，保険証券の裏書譲渡を受けた者はそもそも運送人を選択する立場にないため，当該保険証券の譲受人は本免責が適用されないことが明示された。

(f) 原子力兵器

戦争目的の原子力兵器の使用は戦争危険免責に該当し，それにより免責されるが，ここでは，それ以外の原因，例えば犯罪・爆発・実験目的

等による原子力兵器の使用についても免責とする趣旨である。ただし，原子力危険については特別約款の適用により，原子力兵器のみならず，その他一般（例えば原子力発電所）の事故についても免責事由となる。すなわち，原子力危険は，発生の頻度は極めて小さいものの，万一世界のどこかで大事故が発生した場合のことを想定すると私企業の手に負えない危険との判断から，すべての外航貨物海上保険契約に特別約款（「協会放射能汚染，化学兵器，生物兵器，生物化学兵器および電磁気兵器免責約款」）を適用しており，本約款によれば，直接・間接を問わず，原子力危険に多少とも関連する損害はマリンリスク，戦争危険を問わず免責となる。

(g) 不堪航および不適合免責

船舶やコンテナ等の輸送用具に，貨物を安全に輸送するために必要な堪航性や適合性がなく，被保険者がこれらの事実を関知している場合には免責事由となる。2009年協会貨物約款においては，①保険証券の譲受人に対しては船舶または艀の不堪航および不適合免責は適用しないこと，②船舶または艀の不堪航および不適合免責は被保険者が知っていた場合に限り適用され，使用人が知っている場合は免責の適用除外となる等の改訂がなされている。

(h) 戦争・ストライキ

これらの危険は通常の海上危険とは異なる危険であるため，協会貨物約款で免責とした上で，特約である協会戦争約款，協会ストライキ約款で引き受け，一定の戦争・ストライキ危険を担保危険とする構成となっている。

(ii) 協会貨物約款(B)および(C)　協会貨物約款(A)ではオールリスクという包括的な文言で担保危険を規定しているが，協会貨物約款(B)および(C)では担保危険を列挙する形としており，列挙されていない危険は担保されないこととなる。したがって，協会貨物約款(B)および(C)は協会貨物約款(A)よりも担保危険の範囲は狭く，協会貨物約款(B)条件における担保危険からその一部を除外したのが協会貨物約款(C)であり，最も担保危険の範囲が狭い保険条件となっている。

協会貨物約款(B)においては，協会貨物約款(A)でカバーされる海賊行為や，その他の一切の危険（雨等による濡れ，まがり，へこみ等）や，悪意ある行為による損害は担保危険の範囲に含まれない。この悪意ある行為による損害については，協会マリシャス・ダメッジ約款（INSTITUTE MALICIOUS DAMAGE CLAUSE）を付帯すれば，この危険が復活して担保される。

協会貨物約款(C)においては，同約款(B)と比べ，地震，噴火または雷，海水等の船舶等への浸入等が担保危険の範囲に含まれない。

(iii) 協会戦争危険約款（INSTITUTE WAR CLAUSES（CARGO）） 戦争危険は，マリンリスクを担保する協会貨物約款(A)，(B)，(C)では免責とされており，特約として付保する必要がある。本約款では，下記の危険によって生じる貨物の滅失または損傷を担保している。

- 戦争，内乱，革命，謀反，反乱もしくはこれから生じる国内闘争，または敵対勢力によりもしくは敵対勢力へのすべての敵対行為
- 上記の危険から生じる捕獲・拿捕・拘束・抑止・抑留
- 遺棄された機雷・魚雷・爆弾，その他の遺棄兵器

協会貨物約款(A)，(B)，(C)各6条にて免責されるのは，戦争等によって生じる滅失，損傷，または費用である一方，本戦争約款が担保するのは，戦争等によって生じる滅失または損傷であり，戦争等により生じた費用は担保されない点には注意を要する。

免責事由は，協会貨物約款(A)，(B)，(C)における規定とほぼ共通だが，戦争危険約款に独特のものとして「航海中絶不担保条項」（3条7項）がある。これは，戦争等による航海の中絶等があった場合において，貨物自体に損傷がなく荷主の占有下にある場合でも，推定全損とすることが古くから認められているが，この条項により航海の中絶等を推定全損とは認めないことになる。したがって，貨物自体が物理的な滅失・損傷を被った場合や，拘束等によって貨物が押収されて占有を奪われた場合のみが塡補の対象となる。

戦争危険約款における保険期間は，マリンリスクを担保する協会貨物約款(A)，(B)，(C)および下記ストライキ約款における保険期間と異なり，原則として海上輸送中のみが戦争危険の保険期間となる。具体的には，貨物が本船に積み込まれた時から開始し，最終荷卸港において本船から荷卸しされた時，または本船が最終荷卸港に到着後15日を経過した時のいずれか先に生じた時点に終了する。

ⅳ 協会ストライキ約款（INSTITUTE STRIKES CLAUSES（CARGO））

ストライキ危険は，戦争危険の場合と同様に協会貨物約款(A)，(B)，(C)では免責とされており（各7条），特約として付保する必要がある。本約款では，下記の危険によって生じる貨物の滅失または損傷を担保している。

・ ストライキ参加者，職場閉鎖を受けている労働者，労働紛争・暴動・騒乱に加わっている者
・ 一切のテロ行為
・ 政治的，思想的，または就業的動機から活動する一切の者

戦争危険の場合と同様，協会貨物約款(A)，(B)，(C)各7条にて免責されるのは，ストライキ等によって生じる滅失，損傷，または費用である一方，本ストライキ約款が担保するのは，滅失または損傷のみであり，ストライキ危険により生じた費用は担保されない点には注意を要する。

また，上記のように列挙されている人または行為による損害を塡補することとしており，ストライキが行われているというような状況における損害（例えば労働不足による損害）を塡補するものではない点に注意が必要である。この点，免責事由としても，ストライキなどから生じる労働力不足や就労拒否から生じる損害は塡補しないことが明記されている。

第二部　国際売買契約書の書き方

第1章 頭　書

SALES AGREEMENT

THIS AGREEMENT, made and entered into this first day of March, 2021 by and between:

AAA Trading Co., Ltd., a company incorporated and existing under the laws of Japan, having its principal place of business at 1-1, Ginza 1-chome, Chuo-ku, Tokyo, Japan (hereinafter referred to as the "Seller"),

and

BBB Corporation, a company incorporated and existing under the laws of the State of Delaware, U.S.A., having its principal place of business at 111, West First Street, Los Angeles, California, U.S.A. (hereinafter referred to as the "Buyer"),

WITNESSETH:

WHEREAS, the Seller is a general trading company and has been granted by CCC Machinery Co., Ltd., of Tokyo, Japan (hereinafter referred to as the "Manufacturer") the exclusive right to distribute all the lines of the printing machines manufactured by the Manufacturer (hereinafter referred to as the "Products") in the United States, and

WHEREAS, the Buyer desires to purchase several sets of the Products from the Seller, and the Seller desires to sell to the Buyer the said sets of Products on the terms and conditions herein contained.

NOW, THEREFORE, in consideration of the mutual covenants and agreements herein contained, the parties agree as follows:

本契約は，2021年3月1日に，

日本法を設立準拠法とし，日本国東京都中央区銀座1丁目1番1号に本社を有するスリー・エイ・トレーディング株式会社（以下「売主」という），および米国デラウェア州法を設立準拠法とし，米国カリフォルニア州ロサンゼルス市ウェストファーストストリート111に本社を有するスリー・ビー・コーポレーション（以下「買主」という）の間にて締結され，以下のことを証する。

売主は，総合商社であり，日本の東京所在のスリー・シー・マシナリー株式会社（以下「製造者」という）から同社製印刷機械（以下「対象商品」という）全機種の米国内における独占的販売権を付与されており，買主は，売主から数セットの対象商品を購入することを意図し，売主は買主に対し，本契約に規定する条件にてこれを売り渡すことを希望している。

よって，本契約当事者は，本契約に含まれる相互の約定および合意を約因として，次のとおり合意する。

1 本頭書のねらい

渉外契約書の頭書は，表題のほか，契約締結日，契約当事者，whereas clause，約因文言などによって構成され，具体的な契約条件（契約書の本文部分）を規定する前に記載されることが一般的である。ここでは，その契約が誰と誰の間の権利・義務関係を規定するものなのか，いつ当事者間でそのような契約が締結されたものであるのかについて明らかにする。また，whereas clauseと呼ばれる部分は，後述するように当事者の権利・義務を直接的に規定するものではないが，間接的には契約書の解釈指針ともなり得るものであり，後述のとおり，取りまとめ方に注意を要する。

2 作成の際の指針

(1) 表題・頭書

(i) **表　題**　渉外契約書の冒頭には，“AGREEMENT”や“CONTRACT”といった表題を入れることが多いが，契約書の表題のつけ方いかんによって，その法的効果が異なることはない。ただ，契約書を多数作成するときや長文にわたる契約書を作成するような場合は，“CONTRACT FOR SALE AND PURCHASE OF ONE UNIT OF PRINTING MACHINES”というように表題の一部に対象商品の名称を書き加えたり，契約番号を記載するなど，何に関する契約書であるかを表題から識別できるようにして決済時や紛争時の引用の便宜を図ることも，実務上は大切である。

(ii) **頭　書**　渉外契約書の頭書は，契約当事者と契約締結日を記載するとともに，本契約書が当事者間で合意された契約内容を証する書面として作成された旨を述べる。サンプル条項のような頭書は，“THIS AGREEMENT（主語）...WITNESSETH（述語）～”と読み，訳すとすれば，「本契約書は，以下～の事項を証するものである」となる。

(2) 契約締結日

渉外契約書では，当事者間における契約締結日を明らかにするために頭書に日付を入れる。通常は，実際の調印日を書き入れる。調印日としては，当事者全員が署名し終えた日とすべきである。もし，当事者全員が一堂に会して署名をするのではなく，例えば，契約書を作成した当事者がまず署名し，それを相手方当事者のもとに送付してカウンター・サインを求める場合など，両当事者の署名日が同一日ではないようなケースでは，カウンター・サインを求められた当事者の署名が済んだ時点で，全当事者の合意が正式に確認されたものとなる。したがって，当事者が全員署名し終えた日を調印日として書き入れることになる。

契約書において別途契約の効力が発生する日（契約発効日）を定めない場合には，契約締結日が契約発効日とみなされることになる。なお，契約を締結する以前から取引が開始されてしまっているような場合に，契約締結日として実際の調印日を記載せずに，過去に遡った日を記入してしまうことがある。このようないわゆるバックデイト（backdate）による契約書は，第三者との関連で契約締結時期を争うときなどはトラブルの元となるので，避けるべきである。むしろ，契約の効力を遡って適用させたい場合には，そのような意図を契約上で明確にすることにより，その趣旨は達成できる。例えば，実際の調印日は2021年3月1日であっても，2021年1月1日から契約を発効させる意図であるならば，頭書にある契約締結日については“THIS AGREEMENT, made and entered into this first day of March, 2021 by and between ...”と事実をそのまま記載し，契約本文中において，“This Agreement shall become effective retroactively as of January 1st, 2021 ...”と規定しておくことが考えられる。

(3) 契約当事者の表示

渉外契約書では，頭書において，その契約を調印し，契約上の権利・義務の主体となる者が誰であるかを明らかにすることが一般的である。渉外契約は，国を隔てた当事者間での契約であるから，契約の当事者を明確に特定し，さらに相互に相手方を確認できるようにしておくことが大切であるためである。将来において，万一紛争が生じ，あるいは債権保全策を必要とする事態が発生したときに，訴状を送達したり，法的手続をとったりするために，当事者が明確に表示されていることが重要な意味をもつことになる。

(i) **当事者の名称**　まず当事者の正式名称を完全に記載する。その際に契約相手方の法的性格（個人，法人，パートナーシップ等）を事前に確認し，契約書に明記しておくことを勧める。契約書を作成するときには，下記(5)で述べるとおり，その契約書の中で一旦定義された省略形は別として，用語は，省略したり，簡略化したりしないことが原則である。当事者の表記においてもこの原則は厳守したい。また，サンプル条項の whereas clause にある“Manufacturer”のように，契約当事者以外の第三者を契約書中に引用する場合も同様である。

(ii) 住　所　当事者を特定するためには，さらに住所を記載するが，法人の場合であれば，その設立準拠法も併記する。住所は，法人の登記上の本店住所を記載することが多いが，これと異なる実際上の営業拠点の住所（“principal place of business”）を記載することも少なくない。

また，支店が契約当事者となるときは，営業拠点として，“having its registered branch office at ...”と支店の住所を記載することもある。なお，法人の設立準拠法は，米国やカナダ，オーストラリア，スイス等の連邦国においては，州法となるまたはなり得る点に注意を要する。

(4) Whereas Clause

渉外契約書では，契約当事者の表示に引き続き，契約締結に至る経緯，当事者の動機あるいは契約締結の目的などを記載することが少なくない。この部分は，伝統的に“Whereas, ...”と書き出すことから“whereas clause”といわれるほか，“preamble”や“recital”（「前文」や「背景説明」の意）などとも呼ばれる。

この部分は，サンプル条項のとおり，本文の各条項とは別個に，これとは異なる形式で記載されており，また，その記載内容も前述のような内容で，契約における当事者の権利・義務を直接的に規定するものではない。よって，whereas clause は，それ自体で特段の法的拘束力をもつものではないといえる。

ただ，whereas clause は，契約本文の条項の趣旨が不明確であるときに，当事者の意思や了解内容を推定するために参照されることがあるため，事実とかけ離れた内容や不必要な事項を記載することのないように注意を要する。

したがって，whereas clause を記載するためには，まず当事者にとって，その契約締結の目的や経緯に照らして，契約書面上に記載しておくべき事項は何であるかを吟味した上で，これを要領よく取りまとめることになる。

(5) 定義の使い方

契約書においては，当事者や対象商品あるいは販売地域など，繰り返し使用される用語がいくつかある。例えば，特定の製造者の製造した一定の機種・仕様の印刷機の売買契約書では，この印刷機を正確に繰り返し表現しようとすれば表現が長くなり，煩雑となるので，簡略化した表現を用い，かつ，一般的な表現との混同を避けるため大文字で表示するなどの工夫が凝らされる。実際の契約書では，サンプル条項にあるように，契約書の中で最初にその用語が用いられるところでその用語の定義を行い，契約書の中で以後同一の用語を用いるときは，定義に従った表示方法で表現を統一する。契約書において定義を用いる理由は，単に使用頻度の高い用語の表現を簡便にし，読みやすくするという体裁上の点だけでなく，このように表現を統一された用語は，定義上与えられた意味を共通してもつことになる点にある。

契約書の一定の用語を定義する方法としては，売買契約書などの場合には，通常，サンプル条項にあるように，定義の対象とする用語についてはできるだけ具体的な説明を記述してその内容を特定した上で“(hereinafter referred to as ...)（以下……という）”というように規定する。内容が複雑な契約書となると，このように定義を要する用語は頭書や whereas clause に出てくるものに限らず，契約条項本文中で用いるものを含め多数にのぼる場合もある。このような場合には，契約上で使用される用語に関する定義条項を設け，まとめて規定することもある（定義条項の例としては，第3部6-①**Article 1**，6-④**Article 1**を参照）。

Column ⑦ here-，there-で始まる用語

渉外契約書では，“herein, hereunder, hereof, hereto, hereby, hereinafter”という用語が頻繁に用いられる。ここでいう“here”は，いずれも“this Agreement”を置き換えたものと考えればよく，例えば，“The parties hereto hereby agree as follows.”という文言があるとすれば，“The parites to this Agreement by (execution of) this Agreement agree as follows.（本契約の当事者は，本契約を締結することにより，以下のとおり合意する。）”といった意味となる。

また，here ではなく “there” を使用して “therein, thereunder, thereof, thereto, thereby, thereinafter” という用語が使われることもあるが，これは，基本的には直前に出てきた用語を指すものと考えればよく，例えば，“Buyer shall inspect the goods delivered by Seller immediately after receipt thereof.” とあれば，“Buyer shall inspect the goods delivered by Seller immediately after receipt of the goods.（買主は，売主から商品を受領した後直ちに検査を行うものとする。）” というように読む。

なお，このような here-, there- で始まる “古い英語” は，用語の重複を避ける目的のみならず，契約書に “格調” を添えるために多用されるが，現代では，わかりやすさを重視して，できるだけ平易な表現（plain English）で言い換えることが好まれる向きもある。

(6) 約因文言

渉外契約書では，サンプル条項の最終文にあるように，“in consideration of ...” と記載して頭書を閉じるのが通例で，これを訳すとすれば，「……を約因として」となる。英米法の下では伝統的に，契約は当事者間で何らかの対価関係があり，これが約因（consideration，第1部第*4*章*2*(2)参照）として交換されていることが，法的効果をもつための要件とされているため，契約書上でこの約因の存在を明らかにしておく趣旨である。ここでいう対価関係とは，ある者がある約束をしてくれたことに関し，約束を受けた者がその約束をした者に対して交換的に対価を提供することであるが，この「対価」は，何かを履行することのほか，不作為や損失の引受けなど何らかの制限・犠牲を受けることであってもよく，また，将来的な約束であっても構わない（ただし，既に存在する義務を履行することや過去に約因として使われた約束などは，新たな契約の約因としては認められない）。なお，相互の対価の等価性・妥当性は，基本的に問題とされることはなく，双方の負担の程度は釣り合っていなくてもよいし，提供する対価が名目的（nominal）な価値であってもよいとされる（ただし，米国の州によっては，それが非良心的（unconscionable）でない限りにおいてのみ認められるところもある）。

渉外契約書では，必ずしも英国法や米国法を準拠法としないものであっても，英米法の伝統的な理論に準じて約因文言を取り入れることが多いが，本来であれば，契約成立の要件としてこのような約因の存在を要求していない日本法などを準拠法とする契約では，特にこだわる必要はない。また，英米法を準拠法とする契約の場合であっても，捺印証書（deed）の形式で締結することにより約因を要しない場合もある（第1部第**4**章*2*⑵参照）。その場合には，“NOW, THEREFORE, it is agreed by the parties hereto as follows:”や“It is mutually agreed as follows:”というような簡易な文で閉じることで事足りる。

Variation Clause

Whereas Clause や約因文言を省略した頭書の例

THIS SALES AGREEMENT is dated the first day of March, 2021, and is made between ABC & Co., Ltd., a company organized and existing under the laws of Japan, having its principal office at ＿＿＿＿＿ (“Seller”), and DEF & Co., Ltd., a company organized and existing under the laws of the State of NewYork, having its principal office at ＿＿＿＿＿ (“Buyer”), by which it is agreed as follows:

第2章

契約商品，品名

Article ×× Sale and Purchase of Products

The Seller shall sell to the Buyer and the Buyer shall purchase from the Seller the following Products in accordance with the terms and conditions set out in this Agreement:

3 units of JPM brand printing machines (Model JPM-02) with the standard accessories

第××条 対象商品の売買

売主は，次の対象商品を本契約に規定する条件に従い，買主に売り渡し，買主はこれを売主より買い受ける。

3台のJPMブランド印刷機（JPM-02型）およびその標準付属品

1 本条のねらい

契約商品，品名の条項は，売買契約における対象商品を特定することを目的として，その明細を記載する。売買契約においては，売買の対象となる商品の品名や品種の定めが不明確なものは，後日，クレームや紛争の原因となるおそれがあるため，当事者間において契約上売買されるべきものは何であるか，その商品の特性や取引目的に応じて，明確に規定しなければならない。

2　本条作成の際の指針

(1)　基本的な着眼点

売主が契約上の義務を正しく履行したか否かを判断するためには，まず契約上，売主は何を給付する義務を負うのかがはっきりしていることが必要となる。対象商品を特定する方法としては，商品名のほか，上記のサンプル条項のように，それに加えて型式，品番，ブランド，メーカー名などを記載する場合も少なくない。対象商品の性格やその取引に応じて，規定方法を考えなければならない。

(2)　対象商品の特定方法

売買契約の対象商品を特定する方法としては，まず品名を指定することになろう。これに加えて，品種，品位，等級，銘柄，成分，規格，型式，仕様，ブランド，商標などを記載して特定することがふさわしい商品も多い。上記のサンプル条項では，印刷機（品名）につき，ブランド名と型式で特定している。また，例えば，農産物の売買である場合，品位によって価格が異なるのは当然として，同品位のものであっても産地で価格が異なってくるのが一般的であるので，さらに産地あるいは形状，長さ，容積，重量，色彩，包装，ラベルなどを規定して商品を特定することもある。

なお，対象商品をどこまで詳細に特定すべきかという点については，誰が見ても誤解のないようできるだけ多面的かつ具体的な構成要素により規定することが望ましいという観点から，商品の外観的，客観的な形状や性状からの特定のほかに，品質や性能等の指定にも及ぶ必要があることになろう。このような品質・性能等の条件の定め方については，次章以下で説明する品質条項を参照されたい。

(3)　簡単な書き方，別紙利用形式

契約書上の具体的な書き方としては，上記のサンプル条項のように，当事者間における売買の趣旨を述べた上で，その売買の対象商品を規定するのが基本

的な書き方となる。しかし，実際には，売買の趣旨の記述は簡単に済ませ，対象商品の説明書（description）を中心とするものも多い。また，対象商品の性格や取引目的によっては，前述のとおり品質条件や数量条件と併せて規定することも多く，記載が長くなりがちである。このような場合には，その内容を契約書本文の中で規定するのではなく，契約書の別紙という形で取りまとめて記載し，契約書に添付する形式をとることもある。

第3章

品　質

Article ××　Specifications

The specifications of the Products shall be as follows:

- 20′×8′×8′ 6″ Steel Dry Cargo Container (20 FT Container)
- Container Serial Numbers: ________ through ________
- Quantity: 1,100 units
- Details of specification shall be as provided in Appendix I attached to this Agreement.
- Details of drawing shall be as provided in Appendix II attached to this Agreement.

It is mutually understood and agreed that the contents of the above mentioned Appendices I and II shall constitute an integral part of this Agreement.

第××条　仕　　様

対象商品の仕様は，次のとおりとする。

- 20フィート×8フィート×8フィート6インチのスチール製ドライ・カーゴ用コンテナ（20フィート・コンテナ）
- コンテナ連続番号：________から________
- 数量：　1,100個
- 仕様の詳細は添付別紙Ⅰに記載のとおり
- 図面の詳細は添付別紙Ⅱに記載のとおり

前述の添付別紙ⅠおよびⅡが，本契約と一体を成すことにつき，両当事者は合意している。

1　本条のねらい

前章で述べたとおり，売買契約の対象となる商品は，単に品名や品種を表示するだけでは十分に特定したことにはならないことも多く，これを補う必要から，仕様や性能等を具体的に定めた品質条項を設けることがよくある。この品質条項は，品質保証と契約不適合責任に関する条項（第2部第**12**章）において売主が買主に対して負う保証の責任範囲の基礎にもなるので，この観点からも注意して定める必要がある（この点については，以下*3*で詳述する）。

規定方法としては，対象商品の規格や等級，性能等その商品の性質に応じた方法で品質を定めることとなるが，事後の紛争を避ける観点から，取引当事者の間で誤解のないよう明確な定めにしておく必要がある。以下*2*では，売買契約における目的物の定め方としてよく利用される①仕様書売買，②標準品売買，③規格品売買，④銘柄・商標品売買，⑤見本売買のそれぞれについて説明する。

2　本条作成の際の指針

(1)　基本的な着眼点

対象商品の性格や取引目的，取引形態等に応じてどのような要素をその品質条件のポイントとして取り上げるかをまず決める。実際には，どのような商品にも，その業界や取引関係者の間で一般化した品質の定め方があるのが普通である。例えば，鉱産物や農産物のような天然産品であれば，成分組成の分析値や生産者団体等の公表した基準値に基づく等級表示等がよく利用される。工業製品であればその機能や用途の観点から，小型トラックならば積載重量性能，速度性能，登坂力性能あるいは燃費性能などというように，また，パソコンならば，CPUの処理性能，RAM（メモリ）やHDD（ハードディスク）の容量などというように挙げることができよう。

品質条件の内容についてどの程度詳細な規定を置くべきかは，当事者がどのような意図をもってその取引を行い，買主がどのような品質を必要としているのか，あるいは，売主として売り渡すことができるのかというような諸点も考慮される。例えば，同じ大理石の輸入契約であっても，産地名・銘柄とサイズで品質条件を定める場合もあれば，使用目的によっては，さらに買主が見本により色彩を限定することを求める場合もあろう。この場合でも，売主側からすれば，価格条件との兼ね合いで買主側の希望する品質条件にどこまで応じられるかを決めることになろう。

(2) 仕様書売買の場合

機械・器具等の工業製品の取引の場合は，設計・構造，性能，材質の指定なども含め，対象商品の主要な要素につき各々詳細に取り決めて規定することがよく行われる。契約書本文の条項の中で仕様を規定しようとすると定めるべき事項が多くなり，見づらくなるような場合には，上記サンプル条項のように，仕様書や図面等の資料を契約書の別紙に定める形式とすることが体裁上からもよく利用される。このように別紙を添付する場合には，上記サンプル条項にもあるように，「添付別紙も契約書の一部を成し，契約条件の一部を構成する」といった趣旨の文言を明記するのが一般的である。また，後日の紛争を避けるため，本文の条項と添付別紙の内容との間に矛盾や齟齬があった場合には，どちらの内容が優先すべきかという点についても定めておくことが望ましい。

(3) 標準品売買の場合

鉱産物や農産物などの天然産品の品質は，その本来の性質からして，工業製品の場合とは異なり，厳密な意味で均一とはなりにくいものが多い。そのような商品の取引における品質条件の定め方としては，例えば，農産物であれば，一定の検査・測定方法を用いて一定の基準値に基づき判定された等級表示等を用い，鉱産物などの場合には，一定の検査・測定方法で得られた成分組成の分析値が一定の範囲内にあるものを標準的な品質条件として定めることがよく行われる。このように，対象商品のおよその類型を定めることにより，それを品質条件としたものを標準品売買と呼ぶ。

標準品売買の品質条件を定めるにあたっても，対象商品のどのような要素につきどの程度の幅をもたせ，あるいは最低数値または最高数値をどこに設定するかを当事者間で取り決めることになる。通常は，それぞれの商品につき，当事者間あるいは業界等において一般的に認められた標準的な品質条件を採用して規定することになろう。例えば，穀物類などの農産物では，当該商品の船積時・場所において出荷されているその季節の収穫物の中等品質を保証する「平均中等品質条件（Fair Average Quality Terms：FAQ）」，木材や水産物などにおいては，対象商品が市場での販売に適した品質のものであることを売主が保証する「適商品質条件（Good Merchantable Quality Terms：GMQ）」が利用される。

末尾の*Variation Clause*①は，アルジェリア原油の輸入契約の例である。原油の品質を左右する要素として，比重のほかに硫黄分・塩分・泥水分の許容最大数値を規定してある。ただ，通常の原油取引においては，アラビアン・ヘビー原油とかアラビアン・ライト原油のように油種銘柄を指定することにより品質条件も事実上決まることが多い。したがって，標準品売買としての品質条件を定める場合にも，例えば，“Sahara blend with normal export quality at the time of loading”というように簡単な規定しかしないことが多い。

また，*Variation Clause*①のような定め方をするときは，併せて次の例のように検査・測定方法を規定する必要がある。

The grade of Crude Oil will be determined by the means of the average of ________ samples taken from the onshore tanks used to load the tanker. One sample shall be sealed and placed aboard (the ship) for the Buyer's testing requirements.

Grading tests shall be conducted, except as otherwise agreed by the parties hereto, according to the latest methods prescribed by the ASTM International. The sulfur content and the basic sediments and water (BSW) shall be determined according to the ASTM D129 method.

このほか鉄鉱石の品質による価格調整の例としては，第3部6-④ Article 7の詳細な規定を参照されたい。

(4) 規格品売買の場合

対象商品について国際的な規格（例えば，国際標準化機構の定めたISO規格など）や特定の国における規格を満たしていることを品質条件とするときは，当該規格を指定する。

前述の仕様書売買の場合は，当事者間で取り決めた仕様条件に従うことになるが，対象商品に適用される規格が一定の機関や団体等により設けられているならば，当事者はその都度取り決める必要もなく，単に規格番号等を指定すれば足りることになる。例えば，わが国には，日本工業規格（JIS）とか，日本農林規格（JAS）があり，これを引用して品質条件を特定することができる。

(5) 銘柄・商標品売買の場合

国際的に広く知れわたったブランド・銘柄または商標（トレードマーク）を有する商品であり，それを指定さえすれば，その品質条件も併せて了解されるような性格の商品についてとられる規定方法である。当事者間において銘柄や商標を付した商品の内容が十分に了解されていることを前提とするため，銘柄・商標品売買の場合には，契約書中に品質条件を独立させて規定しないこともある。契約条件となる品質条件の内容は，必要に応じて品質保証条項で確認されることとなる。

(6) 見本売買の場合

繊維品や食料品，雑貨等の取引では，対象商品の規格，品質条件等を詳細に書面化することが必ずしも容易でないことから見本を用いることが少なくない。例えば，生地の取引の場合には，染色・織り方・糸の種類・糸の太さ（番手）・幅・長さ・柄等が品質条件の諸要素となり得るが，これらを契約書上で詳細に規定することに代えて，当事者間で提示される見本を対象商品の品質基準とする旨規定する。これにより，対象商品は，見本と同等の規格，品質を有したものであることが必要となり，売主は，その売り渡す対象商品が見本に合致するものであることを保証しなければならない。

品質条件の基礎となる見本には，売主見本すなわち売主が買主に提出する見本と，買主見本すなわち買主が売主に提出する見本とがある。売主が生産・製造する商品を販売しようとする場合は，売主見本が用いられることになろう。他方，買主なり需要家がその必要とする商品を提示するような場合には，買主見本が用いられることになろう。さらに，当事者間において契約条件として了解された見本が何であるかをめぐって紛争が生じることのないよう配慮することも大切である。例えば，見本は，売主と買主のいずれが準備し，提出するのか。売主と買主のいずれが保有するのか，あるいは両者が保有するのか。見本の保存方法に特段の取扱いを要するのか。必要に応じてこれらの規定も考慮した方がよい。

なお，*Variation Clause* ②は，(a)では，品質は見本に合致するものである旨規定しているのに対し，(b)では，品質は買主提出の見本と同等もしくはそれ以上である旨規定している。

3　品質条項の規定と品質保証責任

品質条項を規定する場合には，品質保証条項との関連性を考えなければならない。すなわち，まず売主の立場に立つ場合，特段の品質保証条項を入れるか否かにかかわらず，対象商品の品質と契約条件との相違については，原則として，責任を負わなければならないことになる。なぜならば，その品質条件どおりの対象商品を引き渡すことが売主の契約上の義務になっているからである。標準品売買の場合には，事実上，品質にある程度の幅が認められることとなるが，品位の程度に応じて価格の増減を取り決めることもある。そのため，売主としては，対象商品の実際の品質に照らして品質保証が可能な事項・要素が品質条件として選択されているか注意を要する。また，売主としては，中古機械の現状有姿条件（as is basis）取引のように，売主が品質保証責任を全く負わない旨規定したり（第2部第**12**章参照），契約書面上明記された事項・範囲のみの保証に限定することも広く行われる。一方，買主の立場からは，一般的には，品質条件をできるだけ具体的に，かつ，厳密に規定する方が，より確かな品質の商品を契約上求めることができるので，有利となる。

Variation Clause

① 標準品売買（原油輸入契約）の例

The Crude Oil delivered by the Seller and offtaken by the Buyer in accordance with the provisions of this Agreement shall have the following characteristics:

- Density at 15℃ : between 0.7946 and 0.8105
- API gravity : between 43.5°F and 46.5°F
- Sulfur content : 0.2% maximum by weight
- Salts content : 0.004% maximum by weight
- BSW : 0.50% maximum by volume
- Origin : Sahara blend

② 見本売買の例

(a) Quality of the Products shall be as per the sample.

(b) Quality of the Products shall be equal to or better than the sample submitted by the Buyer.

数　量

Article ××　Quantity

The total quantity of the Products to be purchased by and delivered to the Buyer shall be the quantities specified in the schedule below: -

Products	Total Quantities in Metric Tons (Ex Ras Tanura/Ju'aymah)				
	2021	2022	2023	2024	2025
Propane	M/T	M/T	M/T	M/T	M/T
Butane					
Total					

The annual quantities of each Product to be lifted by the Buyer shall be spread over the quarters of such year as evenly as practicable and no quantities shall be carried over from any one quarter to another succeeding quarter unless the Seller, in its sole discretion, agrees otherwise.

第××条　数　　量

買主が購入し，また買主に対し引き渡される対象商品の合計数量は，次の表に記載の数量とする。

商品名	メトリックトン合計数量（ラスタヌラ／ジュアイマ渡し）				
	2021	2022	2023	2024	2025
プロパン	M/T	M/T	M/T	M/T	M/T
ブタン					
合計					

買主が引き取るべき各商品の年間数量は，その年の各四半期ごとに実務上可能な限り均分されるものとし，売主がその判断で同意した場合を除き，ある四半期分の数量は，その次の四半期に持ち越されないものとする。

1 本条のねらい

契約の目的物を特定するためには，対象商品の個数なり重量，容積などを量的に規定することが契約条件として必須となる。対象商品には，それぞれの特性や取引慣行に従った数量を特定する方法があるのが通常であり，これに従って必要な規定をすればよい。しかし，数量に関する規定であっても，取引形態上の特性や他の契約条件との関連から，特約条件や規定方法の工夫を要する場合も少なくない。例えば，後述するように過不足許容規定のような数量の決定に係る特約，長期契約における数量規定，追加買取りのためのオプション規定，さらには，全需要量供給契約や全生産量買取契約などが挙げられる。

2 本条作成の際の指針

(1) 基本的な着眼点

前述のとおり，契約の目的物を特定するための数量条件は，対象商品の取引に固有の数量基準・単位があるのが普通であり，これを利用して実際上の必要な規定をすればよい。大別すると，個数，包装，長さ，面積，容積，重量等についての各種単位が利用される。例えば，雑貨品のように個数で規定する場合には，セットとかダースの単位を用いることになるが，セットで規定するときは，ダースの場合と異なり，何個で1セットとするかについても，併せて取り決める必要がある。また，トンには重量単位（weight ton）のほかに容積単位（measurement ton）としての用い方もある点に注意を要する。重量トンにも，①ロング・トン（long ton, English ton: L/T＝2,240 ポンド，1,016 kg），②ショート・トン（short ton, American ton: S/T＝2,000 ポンド，907 kg），③メトリック・トン（metric ton: M/T＝2,204 ポンド，1,000 kg）がある。わが国ではメトリック・トンを用いることが多いが，実際に使用する単位を取り決めた上で，例えば“400 M/T”などと明確に記載する。このように数量を確定的に規定することが契約条件の明確化の観点からは望ましい。しかし，売主や買主においてそれぞれ供給可能数量や必要数量を確定できない場合や，需給関係や価格の変動の激しい商品の取引の場合あるいは長期契約の場合など，契約締結時に具体的な数量を定めることができないケースでは，確定的な数値を決め置く代わりに，一定の幅をもたせて規定すること（例えば，予定数量や最大数量と最小数量の規定あるいは数量の増減調整の規定）がある。

(2) 数量過不足許容規定

鉱産物や穀物類のような撒荷（バラ）すなわちバルク・カーゴ（bulk cargo）の取引では，契約の数量条件どおり厳格に履行することが困難となる。このため売買目的物の数量は，一応具体的な数値で規定するが，ある一定の範囲内において実際の受渡数量の過不足を許容する旨規定することがある。さらにそのような数量の増減を，売主または買主のいずれかの選択権として規定することもある。この種の規定方法は，スポット取引の場合だけでなく，長期契約においてもしばしば利用される。これは，天然産品の長期供給契約等においては，長期の間に需給関係の変動，売主側の生産計画または買主側の使用計画に変更を余儀なくされ，数量条件を変更する必要性が生じる場合が少なくないことが背景にあるためである。

また，対象商品の海上運送のために売主または買主が船会社との間で締結する傭船契約では，運送数量の最終的な決定権が本船の安全航海の観点から，一定の許容範囲内で船長すなわち船会社側にあることが多く，実際の売買数量をこれに合わせて増減させる必要が生じる。FOB取引の場合は買主が，CFRやCIF取引などの場合は売主がそれぞれ傭船契約の当事者となることから，これらの者が売買契約の数量過不足許容につき選択権を留保する旨規定する必要が生じる。

*Variation Clause*①では，原油の輸入契約において買主がその裁量で引取数量を5%まで増減できる旨規定する。買主が裁量権をもつ旨規定するのは，原油取引は通常，FOB条件で行われることから，買主が本船配船のために船会社との間で締結するタンカーの傭船契約書（charter party：C/P）に，"Capacity for cargo __ tons（of 2,240 lbs. each）________ % more or less, Vessel's option"というように，積荷数量につき一定の増減幅を決定する権限が船会社側にある旨規定される場合が多く，船会社がこのような権限を行使した際に備えるものである。これは，買主が不都合を被らないように，実際の船積数量に応じて買主の引取数量に一定幅の増減を買主の裁量で決められるようにする必要があるためである。

*Variation Clause*②では，取引は異なるが，対象商品の実際の引渡数量に過不足が発生した場合の代金の精算について規定する。数量過不足許容規定は，契約法的にみるならば，対象商品が取り決められた数量どおりでなくとも，その過不足が一定の範囲内であるならば，契約違反とはならないことを規定したものである。このように過不足があっても契約どおりの履行であるとする以上，その過不足分について契約上の価格条件に基づいて代金の調整・精算をする旨規定することが一貫した契約条件となる。

天然産品も，特に鉱産物の長期供給契約等においては，売主・生産者側の採鉱計画の変更あるいは買主・需要者側の事業計画の都合等の理由により途中年度の供給・引取数量に柔軟性をもたせる規定を入れることが多い。例えば，その年度の引取未達成数量は，翌年度に持ち越し（carry over）する旨規定することはよくある例である。また，このような長期契約においては，代金はそもそも実際の船積数量に基づいて支払を行う旨規定することが通常である。

また，契約書に数量過不足許容規定を含むが許容範囲の具体的数値が規定されていない場合であって，信用状統一規則（UCP600）が適用される貿易取引にあっては，信用状に別段の定めのない限り，物品の数量について5%を超えない範囲で過不足が許容される。ただし，使用金額（荷為替手形の金額）が信用状の金額を超えてはならず，包装単位の数や品目の個数を定めることにより数量が信用状に明記されている場合には，これは適用されない。さらに，“about” または “approximately” その他これに類する語は，それが言及する金額，数量または単価より 10% を超えない過不足もしくは増減をあらかじめ許容しているものと解釈される（UCP600-30 条参照）。

(3) テイク・オア・ペイ規定（take or pay clause）

これまで売買契約上の対象商品の数量条件について柔軟な取扱いをすることにつき当事者が了解している場合の説明をしたが，テイク・オア・ペイ規定と呼ばれる特約は，これとは対照的に，買主に対して厳格な引取義務を課す規定である。すなわち，*Variation Clause* ③のとおり，買主は契約上の数量条件どおりの目的物の引取りがないときでも代金だけは契約どおり支払うべき旨特約する。契約上の数量条件どおりに買主が引取りを行わないときは，通常は買主の契約違反となり，売主は本来，損害賠償の請求あるいはこれに加えて契約解除をすることができる。しかし，売主・供給者側にはその買主・需要者との間での長期間の継続的供給関係を前提として供給体制を維持しているような事情（例えば，LPG 供給契約では LPG プラントの建設に莫大な費用がかかるため，供給者がこうした費用を回収できるようにテイク・オア・ペイ規定を置くことが多い）があり，また，買主が引き取らなければ対象商品を第三者に転売したりする等の処分が容易でない場合には，このような特約の利用が実際的な解決となる。

(4) 全需要量供給契約（total requirement contract）

売買契約上で目的物の数量を具体的な数値で規定せず，買主または需要家が一定の目的のために必要とする全量を一定の期間にわたり継続して供給する旨を約するものである（第 3 部 6-②がこの長期契約の例）。*Variation Clause* ④の例にあるように，工業製品の原材料等につき，その工場で必要とする全量を供給することを約し，逆に買主としては，第三者より調達しない旨規定するものがある。

⑸　全生産量買取契約（total output contract）

売買契約上で目的物の数量を具体的な数値で規定しないもう１つの場合として，一定の条件の下で生産もしくは製造された対象商品の全量の買取りを約するものである。*Variation Clause*⑤の例にあるように，契約期間中に輸出用として生産されたものの全量を取引する旨規定する。前述⑷の場合と同様に，供給者と需要家との間に特別に密接な関連性がある場合に利用されることが多い。

⑹　長期契約における数量規定

長期契約における数量条件の決め方としては，大別して次の２つがあろう。すなわち，①一定期間ごとに区切って，一定単位期間あたりの取引数量を決めるものと，②契約全体の売買数量を決めた上で受渡し・船積時期を何回かに分けて決めるものである。前者①であっても，例えば上記サンプル条項のように，契約年度ごとの契約数量をあらかじめ決めておくもの，また，２年目以降の数量は毎年事前の一定時期までの間に一定の手続に従い決定する旨規定するものもある。この場合にも，２年目以降分として全く新たな数量条件を取り決めることとするもの，一応の予定数量はあらかじめ決めておき，一定の時期までの間に最終的な確定数量を買主から売主に通告してそれを正式の数量とするものなど種々の取決め方がある。年間引取数量を決めておいて，一定の幅で数量の過不足を許容するといった特約をするのも１つの方法である。

ただ，２年目以降の数量を毎年協議の上決めると規定した場合には，協議不成立で当該年の数量が決まらないという事態も想定されることとなる。また，数量条件は，価格条件と密接に関連することから，価格改定も併せて取り決めることが多く，協議不成立の可能性はますます高くなり，契約も不安定となることに注意を要する。このようなケースを想定し，万一，一定期間内に協議が調わない場合には前年どおりの数量を適用する旨定める方法のほか，協議不成立の場合を契約の終了原因にすることもある。

⑺　長期契約における追加買取りのオプション規定

長期契約において，例えば，毎年の引取数量を定め，過不足許容規定を入れるとともに，さらにこれに加えて，買主に一定数量を追加継続して買い取るオプション（選択権）を規定することがある。*Variation Clause* ⑥では，売主が買主に対して選択権を付与し，一定期間中に買主がその権利を行使したときに限り，買主に一定幅での追加数量の買取りを認める旨規定する。買主が一定期間中に追加買取りの権利を行使しないときは，売主は第三者に対して販売するなど自由に処分することができる。なお，*Variation Clause* ⑥では，売主に余剰生産があった場合に初めて追加買取権が付与されることを前提としているため，当該追加買取分の商品の売買条件は売主・買主間で別途協議して合意することとなっているが，売主の余剰生産能力に関係なく買主の方で一定数量まで追加買取権をもつこととするものもあり，この場合には元の契約に定められている売買条件と同条件とすることも考えられる。また，買主に当然に追加買取りの権利が発生するオプションとして定めるのではなく，買主の追加買取りの要望に応じて売主側に検討する義務が生じる程度の取決め方もある。

Variation Clause

① 数量過不足許容規定；原油輸入契約の例

The quantity of Crude Oil to be lifted by the Buyer may be increased or decreased at the time of loading on the ship by up to five percent (5%) of the quantity specified in the Accepted Nomination with respect to the Crude Oil, at the option of the Buyer and in its sole discretion.

② 数量過不足発生時の過不足分の代金精算条件；ベンゼン輸入契約の例

If the actual quantity of benzene delivered to the Buyer, as determined by an independent inspector at the time of delivery, is less than 20,000 metric tons, the Seller shall promptly pay the Buyer for the difference calculated according to the Base Price; and if the actual quantity is greater than 20,000 metric tons, the Buyer shall promptly pay the Seller for the amount of such excess, determined by applying the Base Price to the additional quantity.

③ テイク・オア・ペイ規定；LPG輸入長期契約の例

If the Buyer fails to lift any quantity of LPG nominated by the Buyer and accepted by the Seller for lifting in any Month, then the Buyer shall pay to the Seller for each Metric Ton of LPG unlifted, the full price which would have been payable for such LPG if it had been lifted. The unlifted quantity shall be deducted from the total contractual quantity unless the Seller agrees or unilaterally deems otherwise.

④ 全需要量供給契約の例

The Seller shall sell to the Buyer and the Buyer shall purchase from the Seller the Buyer's entire requirements of tin cans, in the quantities, sizes and styles, and at the prices listed in Schedule A attached to this Agreement, which the Buyer shall require for the actual use in the Buyer's business from the date of this Agreement to [date].

⑤ 全生産量買取契約の例

The Seller agrees to sell and deliver, and the Buyer agrees to purchase and take delivery of all of the natural gas liquid produced by the Plant from feedstock produced from the Fateh, S.W. Fateh and Rashid fields (hereinafter referred to as "NGL") and which is available for export during the term of this Agreement.

The Seller's present estimate of the extractable volumes of NGL at the Plant for the calendar years for the term of this Agreement is attached in Exhibit A of this Agreement. It is recognized that the volumes of gas and liquids processed at the Plant may be more or less than estimated due to factors beyond the Seller's reasonable control and that the Seller in no way warrants any volumes under this Agreement.

⑥　追加買取権の例

During the calendar year 2024 the Seller shall advise the Buyer whether the Seller has available for export from Japan for the calendar year 2024 any additional quantity of styrene monomer (hereinafter referred to as the "Option Quantity"), and shall give the Buyer the right of first refusal to purchase all or a portion of such Option Quantity up to the quantity actually available, but not exceeding 15,000 M/T.

Upon receipt of notice of availability of an Option Quantity during the calendar year 2024, the Buyer shall have seven (7) days in which to notify the Seller of the Buyer's exercise of its right to purchase all or a portion of such Option Quantity.

If the Buyer does not exercise its right with respect to an Option Quantity during such seven (7) day period, the Seller shall be free to sell or dispose of all or any portion of the Option Quantity in such manner as the Seller may deem fit.

The price and terms and conditions for the sale and purchase of the Option Quantity shall be mutually agreed upon by the parties at the time the Buyer exercises its right hereunder.

第5章

検品・検量

5-1　工場出荷時実施条件の例

Article ××　Inspection

The inspection of quality, quantity and packing of the Products at the Manufacturer's factory shall be carried out in accordance with the inspection standards and procedures which have been established by the Manufacturer and shall be considered as final.

第××条　検　　査

製造者の工場における対象商品の品質，数量および梱包の検査は，製造者が設けた検査基準および手続に従い実施され，その検査をもって最終とする。

5-2　仕向港陸揚時実施条件の例

Article ××　Inspection and Claim

Upon arrival of the Products at the port of destination provided for in this Agreement, the Buyer shall immediately inspect the Products at its own cost. If the Buyer finds that the Products do not conform to the description or other terms and conditions of this Agreement, the Buyer must, within ten (10) days after the date of such arrival, give to the Seller written notice of any claim specifically setting forth the details of such non-conformity. Failure to send such notice to the Seller within ten

(10) days after the arrival of the Products shall constitute a waiver of the Buyer's right of claim in respect of such defect or non-conformity and shall be deemed to be an acceptance of the Products. Failure to specify any defect or non-conformity shall also constitute a waiver of the Buyer's right of claim for such defect or non-conformity.

If any portion of the Products delivered to the Buyer is defective or is otherwise not in conformity with the specifications, the Seller shall have the right in its discretion either to replace such defective Products or to refund the portion of the purchase price applicable to such defective Products. No Products shall be returned to the Seller without the Seller's written consent.

第××条　検査とクレーム

対象商品が本契約に規定する仕向港に到着したときは，買主は，直ちに自己の費用にて対象商品の検査を実施しなければならない。買主は，対象商品が本契約の商品説明書またはその他の条件に適合しないことを発見したときは，到着後10日以内に契約不適合の内容を詳細に記したクレーム通知を売主に対して書面をもって提出しなければならない。対象商品の到着後10日以内に売主宛にこの通知を提出しないときは，買主のクレーム権は放棄されたものとし，買主による対象商品の受領があったものとする。欠陥または契約不適合の内容を特定していない場合も同様とする。

買主に引き渡された対象商品の一部に欠陥または契約上の仕様との不適合のあるときは，売主は，その選択するところに従い，当該欠陥商品の取換えまたは売買代金のうちこれに見合う部分の返還を行うことができる。売主宛の対象商品の返還は売主の書面による同意なしには認められない。

1　本条のねらい

検品・検量条項では，契約の目的物が契約に定める品質条件を満たしているか，契約に定める数量があるかについて，いつ，どこで，誰が，どのような基準に従って検査するのかを定める。売買契約では，取引対象である目的物を明確にすることが必須であり，そのためには対象商品の品名・品種のみならず，品質・数量の点からも特定する必要があることを述べたが（第2部第**3**章・第**4**章参照），対象商品の品質・数量が，契約条件に合致しているといえるか否かを具体的に判定する必要がある。

そして，検品・検量の結果，目的物が契約条件に合致していないときは，品質保証責任や契約違反の問題が生じることになる。これらについての詳細は後の説明に譲ることとして（第2部第**12**章参照），本章では不合格の場合の対応措置の方法についても触れる。

検品・検量条項では，対象商品ないしは対象取引の特性に応じて具体的な手続や基準を定めることになる。サンプル条項としては，工場出荷時に実施される場合と仕向港陸揚時に実施される場合について典型的な条項例を挙げた。

2　本条作成の際の指針

(1)　基本的な着眼点

検品・検量条項としては，いつ，どこで，誰が，どのような基準に従って検査するのかを項目ごとに順を追って検討するとわかりやすい。そして，それぞれの項目について，商品の性格や取引の特質に照らし実務的な必要性を検討して規定すべき内容を決定していく。そもそも，あらゆる契約において検品と検量との両方の条項が常に必要になるかというと，そうではない。例えば，石炭の売買では，商品の性質上，重量と品質の両方について検査が求められるため検品・検量の両方の条項を定めることになるが，機械・器具の売買では，品質や性能の検査は必須であるとしても，数量や重量の検査は不要であることも多く，その場合は検品条項のみ定めることになる。逆に，バルク・カーゴの売買であっても品質が安定していて特段の検査を要しないもののように，検量条項のみ定めれば足りる場合もある。

(2)　時期・場所

対象商品の検品・検量をいつ実施するかについては，検査の実施場所と併せて考える必要がある。具体的には，貨物が運送される流れに即して，工場出荷時，船積時，陸揚時，需要家工場納入時のいずれかの時点で実施することになる。船積時や陸揚時で検査を実施するのは，対象商品の海上運送の開始時期や終了時期において，運送契約の目的物である対象商品の数量・重量を確定する必要性が高いことから，これと併せて対象商品の数量・重量を確定するのが便宜となるためである。また，検品の時期を検討するにあたっては，売主の立場から，対象商品の製造・生産完了時や工場等からの出荷時という早い時点で確定させることが適当となる場合と，逆に買主の立場から，買主または最終需要家のもとに納入された時に確定させることが適当となる場合が考えられる。業界において条件が一般化・画一化している場合もあれば，対象商品の特性や契約当事者の力関係・便宜等により決まることもある。

例えば，機械・器具等の工業製品のように仕様書売買の形式をとる商品は，売主側が製造者ないし供給者の工場で実施する検査をもって最終とする条件がなじみやすいといえる。なぜなら，このような商品は，製造者や売主のもとで最終的な品質や数量を確定することが容易であり，仕様との合致が確認されるならば，もはや容易には品質や数量に変更を来すことのない性格を有するからである。

これに対し，例えば，鉱産物や穀類等の天然産品のように標準売買の形式をとる商品は，元来，品質や数量が確定しにくく変わりやすい性質があることから，検品・検量を揚地で実施することを条件としている場合が多い。

ところで，取引条件としてはFOB条件やCIF条件等のようにリスクの移転については積地条件を採用している取引であっても，検品・検量条件としては，対象商品の特質等から，揚地港を最終検査地として規定することも少なくない。また，買主が転売を予定している場合には，需要家工場納入時を条件とすることもある。このような場合であっても，引き渡された対象商品が契約条件に合致しているか否かの検査を揚地港や需要家工場において行うことが約束されているものであって，対象商品の危険負担が積地で売主より買主に移転することとは別のことであり，引渡しと検品・検量の時期・場所が異なること自体は，別段矛盾を来すものではない。この点，英米法では，検品・検量は買主の義務というよりも権利として捉えられており，買主が検査を行う合理的な機会を与えられていない限り，引渡し後であっても有効に受領拒絶ができると考えられている。もっとも，買主が，約定の目的地で検査権を行使することが可能になった後，相当な期間内に検査を実施しない場合は権利放棄したものとみなされ，後になって受領拒絶を主張することは許されない。

なお，対象商品の特質から荷揚時に受渡数量を確定することが適当な目的物については，荷揚完了時まで確定数量が判明しないため，契約締結時に最終的な売買金額が確定しないことになる。また，品質についても，揚地における検査結果に基づき，一定の基準を下回るものについては，価格調整を行う旨規定することがある。このような場合には，価格を精算するための規定を設けなければならない。信用状決済のときには，代金の確定金額が信用状記載金額を超える差額分について別途精算を行う趣旨およびその方法等についての規定を設ける必要がある（価格調整条項については第2部第**6**章を，信用状決済については第2部第**7**章を参照）。

また，商品や取引によっては，検品・検量の両方を実施するものだけではなく，いずれか一方しか実施しないものもあることは前述した。しかし，両方共実施する場合には，実施時期および場所を共通にするのが一般であり，便宜に適うことが多いであろう。

(3) 検 査 人

検品・検量を実施する主体としては，売主または買主のほかに，売主側の製造者や供給者または買主側の最終需要家等の取引関係者があたる旨を定めることがある。

また，契約当事者や取引関係者による検査に代えて，またはそれに加えて，日本海事検定協会やSGS等の第三者機関を検査人とする場合がある。第三者機関を検査人とするのは，まず，商品の性格や取引の特質から専門的技術や測定器具等を有する検品・検量の専門家に委嘱せざるを得ない場合である。また，売主による検査をもって最終とする旨の売主側の提案に買主が納得しない場合や，買主による検査の適切な実施を売主が不安視するような場合に，契約当事者による検査に代えて中立的な第三者機関を起用することは，有効な解決策となる。次に，輸入の相手国によっては，輸出時に船積前検査が義務付けられている場合があり，指定の第三者機関による検査証明書の取得が必要となることがある。さらに，一定の工業品等については輸出検査が義務付けられている。

第三者機関を検査人として選定するときは，誰がどのように選任するかを決める必要がある。売主と買主が共同で起用することもあれば，売主または買主が一方的に検査人を選任する権限を留保することもある。共同起用の場合でも，実務上は，売主または買主のうち検査の実施場所の側にいる当事者が，相手方当事者の了解を得た上で，適切な検査人を選定して起用することになろう。

⑷ 方法・検査基準

売主から買主に引き渡された対象商品が契約条件に定める数量・重量または品質・性能を有しているか否かについては，契約中の数量条件や品質条件に照らして決定される。契約上のこれらの規定は，対象商品が有すべき数量・重量または品質・性能について定めているが，実際上の判定・確認の方法としては，それだけでは必ずしも十分ではない。検数・検量の具体的な手段や方法，検品の手続や基準を規定してこれを補うことになる。

検数・検量方法としては，対象商品の特質に応じて，本船吃水により重量決定をする場合（第3部6-① Article 14，6-④ Article 16 参照），秤量計算による場合，流量計計測により数量決定をする場合等がある。例えば，タンカーを利用して液体の化学品を売買する場合を考えてみよう。積地で計測するとしても，陸上タンクのゲージ，本船のタンク・ゲージ，および本船をタンクと結ぶフランジの流量計でそれぞれ計測することができる。特に揮発性の物質等では，それぞれの計測結果に差異を生ずる可能性もあり，あらかじめいずれの計測結果を採用するかを取り決めておく必要がある（第3部6-③ Article 8 は，LPG について詳細に取り決めたものであるので参照されたい）。

そして，契約に定める検品・検量条項に基づき実施された検品・検量結果をもって最終とする旨を定める。このことの意味は，目的物の数量・品質が確定する時期の明確化にある。また，検査不合格の場合の措置も併せて規定しておくことが肝要である。

⑸　検品・検量費用の負担

検品・検量の実施には，費用が発生する。契約当事者のいずれかが検品・検量を実施する場合や，本来の検査に加えて任意に追加の検品・検量を実施する場合は，検査を実施する当事者が自己の費用負担で行う趣旨であることが多いであろう。売主または買主の検品・検量に代えて第三者機関を起用する場合は，共同の利益のために起用する前提でその費用を両者が均等に負担することもあるが，いずれか一方の当事者が全額負担することもある。いずれにせよ，検査費用を負担するのは売主なのか，買主なのか，折半で負担するのかについて，明確に取り決めておくことが肝要である。

⑹　検査不合格の場合の対応措置

検品・検量の結果，対象商品が契約条件に合致しないことが判明した場合，買主にどのような救済が与えられるのか。わが国では，民法において，目的物の品質等が契約の内容に適合していないときに，買主に修補等の履行の追完請求，代金減額請求，損害賠償請求，契約の解除が認められている（第2部第**12**章参照）。この点，国際売買契約においては，買主が契約不適合品を引き取った上で損害の求償ができるのか，または買主が契約不適合品を引き取ることではそもそも契約の目的を達成できないとして，対象商品の引取りを拒絶できるのかを明らかにしなければならない。前者の場合には，不適合の程度に応じた代金減額等の価格調整条項を定めることが考えられる。例えば，原料炭の売買では，品質検査の結果，水分や硫黄の含有率が契約に定める値を超えるものについては，売主が一定の割合で違約金を支払う旨を定めることがある。また，後者の場合には，買主において対象商品の引取りを拒絶し，または返品し，これに対し売主において契約適合品を代替品として供給することや，受領済みの代金を返還するなどの方法を規定することが考えられる。特に，検査が船積前に積地で行われ，かつ，品質が契約条件に合致しない場合に，買主側で不合格品を引き取ることにつき支障を来す特別の事情がある場合には（例えば，消防法による規制や良品とのコンタミネーションの発生等），引取りひいては船積を拒否できる旨を定めることを検討する必要がある。

実際には，数量不足や一部に品質不良品が含まれているという事態が起こり得る。こうした事態に備え，全体につき引取り拒絶や代金返還請求を認めることとするのか，または該当する部分に限ることとするのか，規定の仕方に注意を要する。当事者間の力関係を反映して，一方の当事者がその選択に従い対応措置を決めることができる旨を定めることもある。

売主の立場からは，対象商品に契約不適合を発見した買主は，一定の期間内に売主に対し書面をもって契約不適合の具体的事実を明記して通知しなければならない旨を併せて規定しておくのがよい。時の経過により事実関係があいまいになることを考慮し，早期に決着を付けるべく，一定期間内に通知のないときは，買主は権利放棄したものとみなす旨を定めることが考えられる。逆に，買主の立場からは，次の文例のように，救済方法が限定されることがないように手当することが考えられる。

Failure of the Buyer to inspect any or all of the Products shall not constitute a waiver by the Buyer of any right which the Buyer would otherwise have had against the Seller for damages or to recover the purchase price of any such defective Products.

なお，わが国の法律では，商人間の売買について特則があり，買主には検査通知義務が課され，義務を履行しない場合は救済を受ける権利を失うこととされている（商 526 条）。英米法では検査は義務というよりも権利として構成されているが，検査権を行使しないと放棄したとみなすことで同じ結論に至ることは前述した。

Variation Clause

① 機械製品の輸入で，買主側に検査権を留保する例

The Buyer reserves the right, subject to reasonable notice to the Seller, to inspect the Products prior to shipment at the Seller's factory in Chicago, Illinois.

The Buyer may, if it chooses, inspect the Products delivered to it in Japan, in accordance with inspection standards and procedures which shall be established by the Buyer. Any Products found to be defective, damaged, or otherwise not conforming to the specifications set out in the Agreement shall be notified to the Seller and the Seller shall promptly replace all such Products so notified by substitute shipments, at no further cost to the Buyer. The Seller shall, at the request of the Buyer, furnish such substitute Products by air freight at no additional cost to the Buyer. Failure of the Buyer to inspect any or all of the Products shall not constitute a waiver by the Buyer of any right which the Buyer would otherwise have had against the Seller for damages or to recover the purchase price of any such defective Products.

② 第三者機関を起用する例

The quantity and quality of the Crude Oil delivered under this Agreement shall be determined at the loading port by the personnel of the Seller or the Seller's Supplier as inspector. If the Buyer or the Seller or the Seller's Supplier desires an independent inspection at the loading port, an independent inspector shall be appointed and the cost of his services shall be shared equally by the parties to this Agreement.

契約金額

6-1　輸出取引におけるインコタームズに準拠した価格条件の例

Article ××　Price

The price of the Products shall be USD 245.00 CIF Los Angeles.

第××条　価　　格

対象商品の価格は，ロサンゼルスを仕向地とするCIF条件で245米ドルとする。

6-2　経費増による価格調整の特約の例

Article ××　Price Adjustment

The price provided for in this Agreement shall be subject to adjustment to the extent of (i) any substantial increase in the cost of manufacture of the Products caused by an extraordinary increase in price of petroleum products, fuel or energy sources or other raw materials which could not have been foreseen at the date of this Agreement, and (ii) any increase in freight rate, surcharges (bunker, currency, congestion or other surcharges), transport-related security cost, taxes, export or import surcharges or other governmental charges, or insurance premiums, including those for war and S.R. & C.C. risks, which may be incurred by the Seller with respect to the Products after the conclusion of this Agreement and shall be for the account of the Buyer and be reimbursed to the Seller by the Buyer.

第××条　価格調整
　本契約に規定する価格は，次の範囲内において調整されるものとする。(i)対象商品の製造コストの大幅な増加が主として石油製品，原油またはその他のエネルギー源もしくは原材料の価格の本契約締結時には予期し得なかった異常な高騰により惹起されたものであるとき，および(ii)運賃率，割増料金（バンカー，為替，船混みその他の理由による割増を含む），運送の安全に関する費用，租税公課，輸出入割増料金またはその他の公的賦課金，保険料（戦争およびSRCCリスクを含む）で本契約締結後売主のもとで発生し，買主の負担に帰すべきものであり買主より売主に補填されるべきものであるとき。

7　本条のねらい

　契約金額条項では，対象商品の売買価格を取り決める。現実の取引では，売買価格が契約締結時に常に確定しているとは限らない。契約締結時には価格決定の方式のみを取り決め，具体的な価格は履行期に取り決めることとしたり，または履行期における時価によることと規定することもあり得る。いずれにせよ，売買契約上，契約金額が最終的に確定し決済できるように必要な規定を設けなければならない。

　貿易取引では，当事者の一方の属する国の通貨または第三国の通貨で決済する。したがって，契約金額条項の規定にあたっては，表示通貨について取り決める必要がある。

　また，貿易取引においては，海上運賃・航空運賃，保険料・関税，荷造費，検査料，本船積込費，荷揚費用，倉庫料等の諸掛・費用，運送の安全性確認に関する費用も大きな要素となることから，売主・買主がこれらの費用をどのように分担すべきかが問題となる。典型的な取引形態に着目し，それぞれの取引形態における取引価格の算定基準ないし構成内容を特定した貿易慣習が貿易条件基準として国際的な規則（例えばインコタームズ）の形で発達し，広く利用されているゆえんである。

さらに，契約金額条項に関しては，契約締結時に取り決めた価格条件が契約履行時または決済時において当事者の予想を超えて不適当となり，これを改定することが合理的となる場合も予想される。しかし，「当事者の予想を超えた場合」等の抽象的な表現では，その解釈をめぐって紛争が起きるので，できるだけ具体的な取決めをしておくことが必要である。

2 本条作成の際の指針

(1) 基本的な着眼点

契約金額条項では，まず，当事者間で既に具体的に取り決められた価格条件を契約書上に規定するのか，または，当事者間では契約締結時に価格が決まっていないか，もしくは，一応の取決めはなされているがこれを仮価格とするものであったり，後日価格改定をすることを取り決めている場合なのかを見極める必要がある。前者の場合であれば，当事者間で取り決めた内容を具体的に記載すればよい。コントラクト・フォームを利用する場合は，表面の価格欄（折込み参照）に記載する。この場合，単価のあるものについては，単価と合計金額の両方を記載するのが一般的である。

一方，契約締結時点において，具体的な価格が決まっていないときは，どの時点においてどのような手続・基準に基づき価格を確定する仕組みにするのかを明確に取り決める必要がある。また，仮価格であったり，後日，価格改定を認めるものであるときは，どのような場合に改定を認めるのかその要件について，エスカレーション条項に典型例が見られるように価格改定のための基準等につき，具体的な規定を要することになる。特に，前述のとおり（第1部第**5**章参照），実務において事情変更の原則が認められる場面は限定的であることを踏まえると，長期契約の締結にあたっては，売主としては契約に縛られることを前提に，法の解釈に依拠することなく，価格調整条項やエスカレーション条項の導入可否や具体的な文言を丁寧に検討していく姿勢が求められることになる。

以下これらの点について，具体的に説明する。

(2) 貿易条件基準と建値方法

(i) **貿易取引の建値方法** 貿易取引においては，対象商品そのものの販売価格と共に必ず諸掛・費用の負担が生じる。したがって，価格条件の決定にあたっては，採算性確保の観点からこれらの諸掛・費用をどのように織り込むかが重要な要素となる。

貿易取引においては，取引の段階毎に売主と買主の責任・負担を区分けして，その期間中に発生する諸掛・費用は，その当事者の負担とするという特約方法が広く行われてきた。そして，このような貿易取引のための建値方法として広く用いられてきた貿易慣習を国際商業会議所（ICC）が貿易条件基準（trade terms）として集大成したものが，第1部第**6**章で概説したインコタームズ（Incoterms）である。

(ii) **貿易条件基準の用い方** 価格条件は，通常，インコタームズ等の特定の貿易条件基準に準拠した特定の貿易条件として規定することになる。もっとも，貿易条件基準は任意規則であることから，これに準拠することを契約上明確に取り決める必要がある。例えば，サンプル条項6-1では価格条件としてCIF条件によることが規定されているのみであるが，どの貿易条件基準に準拠するかを明確にするために，契約上，次のような規定を併せて設ける必要がある。

> Trade Terms: The Seller and the Buyer shall be governed by the provision of INCOTERMS 2020, as amended, with regard to the trade terms, such as FOB, FAS, CFR or CIF, used herein, unless otherwise specifically provided for herein.

また，このような貿易条件基準について，その条件の一部を変更したり追加したりして使用することも，当事者の合意に基づき行うことがある。例えば，通常の海上保険と共に戦争危険保険を付保する場合，“Incoterms CIF plus war risk insurance”と特約することもある。この場合，売主としては，戦争危険保険料も加えて建値することになる。しかし，貿易条件基準の基本形からの変化を示す短い表現をめぐって紛争に発展することもあるので，特約の内容については当事者間の理解に齟齬が生じないように注意しなければならない。

(3) 決済通貨

国際売買契約の価格条件の決定にあたっては，決済通貨を特定しなければならない。例えば，サンプル条項6-1では，米ドルを建値通貨とすることとして，決済通貨を定めている。自国通貨以外の通貨を決済通貨とした場合，為替リスクが発生するため，為替予約をするなど適切にヘッジする必要がある。

(4) 価格調整条項

(i) **価格調整を必要とする背景**　国際売買契約では，船積時期との関係や対象商品の性格から，契約締結と履行期との間に相当の期間が空くことがある。この間に当事者が通常予想しない経済的変動等が発生し，売主が契約上の義務を履行するために当初の見込みをはるかに超える費用が生じることもあり得る。

(ii) **製造経費の増加**　そのような事態として，まず，対象商品の製造経費の増加が挙げられる。主要原材料の調達価格が，例えば，その原材料の輸出入規制が行われたことにより契約締結時に見込んでいた範囲を大幅に超えて高騰した場合を考えてみよう。売主としては，売買契約どおりの価格で対象商品を製造して供給するためには，大幅な赤字を覚悟しなければならなくなる。製造経費には，多種多様のコスト要因が含まれるが，原材料調達コストの高騰による影響は大きい。

(iii) **販売経費の増加**　次に，販売経費の増加が挙げられる。貿易取引では対象商品の価格のほかに，海上運賃，保険料，関税，検査料，荷役料，倉庫料等の諸掛・費用，運送の安全性確認に関する費用も価格条件決定の大きな要素となるため，これらの費用をいずれの当事者が負担するのかを取り決めることが重要である。海上運賃や保険料等については，FOB条件では売主側の増加費用の問題とはならないが，CIF条件では問題となる。

特に不定期船を傭船する場合，傭船契約上，運賃率（freight rate）の改定はもとより，本船のバンカー代の値上がり，支払通貨の為替変動，入港予定港の船混みによる本船経費増および戦争地域への就航等を理由とした割増料金（surcharges）について定めるのが通常であり，売主と買主との間におけるリスク分担を明確に取り決める。

(iv) **価格調整のための特約**　本来的には，契約は，一旦取り決められた以上，条件どおりに履行されなければならない。特約がなければ，前述のような事態が起きても，買主にコストを負担させることは通常許されない。したがって，このような事態に備えて売主の利益を保護する目的で特約をすることがある。このような特約としては，価格調整条項やエスカレーション条項が挙げられる。売主の立場からは，一定のコスト要因に関し，売主において客観的な経費増が生じたときには，その増加分を価格総額に加えると端的に規定することも考えられる。他方，買主の立場に配慮して，そのような事態が発生したときには売主は価格条件の改定を申し入れることができるとか，単に売主と買主は価格条件の改定につき協議する，というように大雑把な規定にとどめておくこともある。

この背景としては，次のような事情が考えられよう。すなわち，売主においては，仮に対象商品の価格条件のうち主なコスト要因だけであっても，それらの価格構成要素を厳密に反映した価格の改定を行うことは，買主との関係において実際上容易ではない。売主にとっては価格条件の構成要素やその割合は企業秘密であるため，開示には大きな抵抗を伴うという事情もあろう。また，通常の価格条件の設定にあたっても，諸々の要素が考慮されており各構成要素の原価にも一定の変動幅は織り込み済みで，多少の変動分は吸収できる場合もあろう。したがって，上述のように，厳密な意味での原価計算を基礎としない価格調整条項でも，売主・買主間で現実的な処理をするための契機として活用するという意味で，規定する実益はあろう。もっとも，価格改定の申入権や協議義務について規定していたとしても，通常，買主の義務としては誠実に交渉に応じる義務があるにとどまり，改定に応じる義務があるとまでは言えない点については，十分な注意が必要である。

(v) **価格調整条項の例**　サンプル条項 6-2 では，CIF 条件による物品の輸出取引を前提として，対象商品の製造経費の予想以上の増加または海上運賃等の増加のために売主に発生した追加費用については買主の負担とし，価格を改定した上で買主より売主宛に補填されるべき旨規定する。

(5) エスカレーション条項

エスカレーション条項も価格調整を目的とした特約条項である。その名前が示すように，価格条件の主な構成要素のコストに高騰があったときは，この高騰幅に応じて価格条件を改定することを特約する。そのために，対象となる変動コスト要因（例えば，原材料費，労務費，電力料，一般管理費，運賃等）を列挙し，それぞれの要因について価格改定に反映させる程度をあらかじめ具体的な数値・数式で規定する。

ところで，価格調整を必要とするような事態を考えると，スポット・ベースの契約であっても，かつての石油危機直後や新型コロナ禍下の流動的な経済情勢を引合いに出すまでもなく，時として突然に特約条項が有用性を発揮することがある。さらに，契約締結から売主側の履行完了までにかなりの年月を要することの多いプラント輸出契約や数年間にわたる継続的供給を目的とした長期契約の場合には，売主としては価格条件を取り決めるにあたり，より先の将来にわたってその価格条件の採算性を見通さなければならない。このようなケースでは，価格調整のための特約を設けるメリットはより大きなものとなる。

この点，変動コスト要因について将来の予測が困難であるにもかかわらず価格条件を確定的にコミットすることは，必ずしも得策とは言い難い。そうではなく，当面の価格条件は契約締結時点の価格構成要素の相場を前提として設定し，これらの構成要素のうちの主なものについて将来生じる変動分については，実際に変動が生じたときに限って客観的なデータに基づき，その変動幅の程度に応じて価格改定を行うとした方が，便宜であることが多いであろう。

エスカレーション条項は，価格調整の根拠が数値・数式により明確なため，売主と買主の双方にとってより合理的な価格条件を引き出せる場合が多い。すなわち，長期にわたり価格条件の確定的なコミットを求められた売主としては，採算性の判断において将来の変動コスト上昇分も織り込む必要があるため，契約締結時に提示する価格条件は保守的に見積もって高値となる傾向がある。他方で，将来の価格改定を無制約に許せば，買主としては売買代金総額が確定しない不安定な状況にいつまでも置かれることになるので，取引に入ること自体を躊躇しかねない。このような場合に，エスカレーション条項を活用すれば，将来の価格改定の内容や範囲が予測できることから，契約関係の安定化にも役立つといえよう。ただし，計算式が現実のコスト変動と乖離しないよう注意しなければならない。また，国際取引において，エスカレーション条項を買主に認めさせることが一般に難しいことも現実である。

エスカレーション条項を設けるためには前述のとおり，価格改定に反映させる主な変動コスト要因を選定し，その要素ごとに価格改定に反映させるウェイトを決めて，これらを総合した計算式を設計する。これらの事項につき，合理的な価格改定を導き得ると契約当事者が了解する条件を設けなければならない。この場合，当初の価格条件を設定するときに用いた売主の原価計算を基礎として前述の計算式の根拠を検討することが多くなるであろう。

もうひとつ考慮すべき点としては，将来，エスカレーション条項を適用して実際に価格改定を行うときに，変動コスト要因の価格変動の客観的な根拠を何に求めることとするかという点である。エスカレーション条項には，理論上は値下げのために適用できるものもあろう。しかし，値上げのための価格改定が通例であり，これが適用されることになると買主側には明らかに負担増を招く。したがって，買主側からは厳格な適用が要請されることとなるので，各変動コスト要因の価格変動については，政府や国際機関が発表する客観的かつ信頼性の高いデータを用いる旨を定める必要がある。ただし，このようなデータには発表時期と測定時期との間のタイムラグが大きいものもあるので，適時に値上げを行う指標として機能するものとなっているか，その選定には注意を要する（長期契約における価格見直しのための条項例は，第3部6-① Article 5 および6-③ Article 6を参照されたい）。

Variation Clause

エスカレーション条項の例

仮にある商品の価格（P）の主要構成要素のうち，主要原料（M）の価格が値上がりした場合に限り，約定した比率により価格（P）を値上げする。実際には，各々の構成要素に関して同様の規定を要することになる。

The price of the Products (“P”) shall be U.S.$____ per metric ton. Notwithstanding the provisions of the preceding sentence, in the event that the price of the Material (“M”) prevailing in the Japanese market at the time of the manufacture of the Products exceeds U.S.$_____ (the “Basic Price of M”) per metric ton, the price of the Products to be shipped pursuant to this Agreement shall be automatically increased by an amount to be calculated in accordance with the following formula:

$$PP = \frac{P \times [X - (\text{the Basic Price of M})] \times (\text{ratio to P of the price of M})}{\text{the Basic Price of M}}$$

Where: “PP” is an amount to be increased on the price of the Products.
“X” is the price of M per metric ton prevailing in the Japanese market at the time of the manufacture of the Products.

第7章

支払条件

Article ×× Payment

Within ____ days after the execution of this Agreement, the Buyer shall establish an irrevocable and confirmed letter of credit through a first class international bank satisfactory to the Seller, which letter of credit shall be in a form and upon terms satisfactory to the Seller and shall be in favor of the Seller in an amount equal to __ percent (__%) of the total contract price of the Products and available by negotiation against sight draft on the presentation of the following shipping documents:

(i) A full set of negotiable clean on board ocean bills of lading.

(ii) One original and ____ (__) copies of the insurance policy.

(iii) One original and ____ (__) copies of the certificate of weight furnished by the Seller.

(iv) One original and ____ (__) copies of the certificate of analysis furnished by the Seller.

(v) One original and ____ (__) copies of the commercial invoice signed by the Seller, calculated on the basis of the above mentioned certificates and the applicable price terms.

(vi) One original and ____ (__) copies of the certificate of origin.

Such letter of credit shall: -

(i) be subject to Uniform Customs and Practice for Documentary Credits, 2007 revision, ICC Publication No. 600, or any subsequent revision or amendment thereto,

(ii) refer to this Agreement by its number,

(iii) provide for partial availability against partial shipments, if partial shipments are allowed under the terms of this Agreement,

(iv) authorize reimbursement to the Seller for such sums, if any, as may be advanced by the Seller for consular invoices, inspection fees, banking charges and other expenditure made by the Seller for the account of the Buyer,

(v) be maintained for a period of twenty (20) days after the last day of the period for the relative shipment or delivery, and

(vi) be available by negotiation with any bank.

第××条　支　　払

本契約締結後 ___ 日以内に，買主は取消不能，確認信用状を売主が満足する一流の国際的銀行を通じて開設しなければならない。当該信用状は，売主の満足のゆく形式と約款より成るものであり，かつ，売主を受益者とし，対象商品の契約価格の ___% 相当額についてのものとし，次の船積書類の提示を伴う一覧払手形に対する支払を約する。

(i) 譲渡可能無故障海上運送船積船荷証券一式

(ii) 保険証券正本１部および写 __ 部

(iii) 売主作成の重量証明書正本１部および写 __ 部

(iv) 売主作成の分析証明書正本１部および写 __ 部

(v) 上述の証明書および該当価格条件に基づき算出され，売主により署名された商業送状正本１部および写 __ 部

(vi) 原産地証明書正本１部および写 __ 部

当該信用状は，さらに次の条件を満たすものとする。

(i) 信用状統一規則（UCP 600）および以後の改訂版に準拠したものであること。

(ii) 本契約をそのナンバーにより引用すること。

(iii) 本契約で部分船積が認められるときは，部分船積分につき部分的に決済できること。

(iv) 売主において，領事証明送状作成費，検査費用，銀行諸掛および買主の計算において売主により支払われたその他の費用について，立替金があるときは，売主に対する同金額の返還を認めること。

(v) 当該船積または受渡しの最終期日より起算して20日間の有効期間を有すること。

(vi) いかなる銀行による買取りをも許容するものであること。

1 本条のねらい

支払条件条項では，前述の契約金額条項に定める契約金額について，買主から売主に対する支払時期および支払方法を定める。

支払条件には，引渡しとの先後関係の観点からは，前払条件，引渡時払条件および後払条件・分割払条件がある。また，売主の立場からは，代金回収が確実に期待できるものでなければならない。この点，地理的距離のみならず，経済情勢や取引環境の異なる輸入者からの代金回収を確保するため，種々の決済方法が発達し，特に貿易代金の決済のための商業信用状の利用が，信用状統一規則の利用と併せて，国際的な銀行取引実務として広く行われてきた。他方で，企業の国際化が進んだ今日においては，信用状による決済を必要としない企業グループ間の国際取引が増加し，信用状による決済を条件とする貿易取引の比率はかなり低下しているとの指摘もある。

2 本条作成の際の指針

(1) 基本的な着眼点

買主より売主に対する売買代金の支払時期，支払方法および支払通貨を定める（*Variation Clause* ①参照）。

売主としては，代金回収の確実性の観点から適切な決済方法を検討することになる。ただ，支払条件についても，他の契約条件と同様に，商品特性や取引の環境，輸出国または輸入国の為替管理法等による影響を考慮する必要がある。したがって，主な決済方法の仕組みとそれぞれのメリット・デメリットをよく理解しておくことが大切である。

本章では，国際売買契約において用いられる基本的な支払条件について，その決済方法の仕組みと利用上のメリット・デメリットおよび注意点の概要について説明する。

(2) 支払時期

売主が対象商品を引き渡し，同時に買主が代金を支払うのが売買契約の基本形である。貿易取引では，対象商品の船積書類を引き渡すことにより対象商品の引渡しと同様の効果をもたせることが実務として広く行われている。すなわち，売主から買主に対し対象商品の船積書類の引渡しがなされる時に買主は代金を支払い，または荷為替手形を決済する。信用状による決済も基本的には同じ考え方に基づくものである。

(3) 送金による決済

最も簡便かつ安価な決済方法は，送金である。引渡しとの先後関係で次の2つの方式があるが，いずれの場合も親子会社関係や安定的な長期の取引関係があるなど，当事者間の信用が十分に厚い場合に利用すべき方法である。送金手段としては，送金小切手（demand draft：D/D）や郵便送金（mail transfer：M/T）が利用されるほか，電信送金（telegraphic transfer：T/T）もよく利用される。

(i) **前払方式**　売主からみて前受金条件で，代金の全部または一部を前もって受領する。売主としては最も安全な代金回収方法であるが，逆に，買主としては売主の契約履行リスクを負うことになる。

(ii) **後払方式**　買主が対象商品を受け取った後に代金を支払う。売主としては，契約上，船積書類受領後直ちにとか，何日以内にとか，指定された方法で買主は送金手続をとらなければならない旨を契約上定めることになるが（*Variation Clause* ①参照），現実に入金があるまでは支払について何ら保証のない状態に置かれるため，買主に対する与信リスクを負うことになる。

なお，後述する信用状を伴わない取立手形決済および信用状による決済が売主による荷為替手形の取組みを必要とするのに対し，送金による決済はいずれも荷為替手形の取組みを伴うものではない。また，同時払方式による送金は，実務上一般的ではない。

⑷ 信用状を伴わない取立手形による決済

送金以外の方法としては，売主が対象商品の船積後，必要な船積書類を整えた上で，これを添付した荷為替手形（documentary bill of exchange）を取り組んで，銀行にその買取りを依頼することにより決済を受ける方法がある。

この荷為替手形取組みによる方法は，信用状（letter of credit：L/C）を伴う取立為替手形と信用状を伴わない代金取立手形に区分できる。

(i) 代金取立手形　信用状を伴わない荷為替手形は，銀行の支払・引受けの保証がないために，銀行買取りの条件は，売主すなわち手形振出人から買取銀行に対する取立委任とする代金取立手形（bill for collection：B/C）となるのが通例である。代金取立手形は，輸入国の取立銀行から回金されてくるまでは，銀行による買取り・割引について銀行の償還請求権を留保したままで行われる。したがって，買主側の支払がなければ，売主は手形の買取金・割引金を買取銀行に返還しなければならない。後述する信用状取引とはこの点で大きく異なり，代金回収の確実性において劣後することになる。このような不都合を補い，B/C 決済の円滑化を目的として貿易保険法に基づく輸出手形保険制度の活用が検討されることになる。逆に，買主の立場からは，信用状の開設手数料，開設のための担保等の負担を考えると，売主の了解を得て B/C 決済とすることが得策である。

(ii) D/P 決済，D/A 決済　信用状を伴わない代金取立手形の条件には 2 種類がある。すなわち，輸入者による為替手形の支払と引換えに船積書類を引き渡す支払渡し（documents against payment：D/P）と輸入者による為替手形の引受けと引換えに船積書類を引き渡す引受渡し（documents against acceptance：D/A）である。中南米諸国で多く見られるように，慣習上，D/P 決済，D/A 決済が用いられる国もある。D/A 決済条件とするときは，買主の信用力に注意を払うとともに，手形の満期日を明確に取り決めなければならない。さらに，ユーザンス付の決済であるから，満期日までの金利についても規定の検討を要する（*Variation Clause* ②参照）。

(5) 信用状決済の場合

貿易取引において，荷為替手形取組みによる決済方法のうち，信用状を伴うものが売主が代金を回収する上で最も確実な方法として広く利用されている。

(i) **信用状取引**　信用状は，国際間の荷為替手形取引を円滑に行うための有効な媒介手段で，買主が決済時期に先立ち，発行銀行に手数料を支払った上で開設してもらうことにより利用できる。通常，発行依頼人である買主より依頼を受けた発行銀行が，売主を受益者として，貿易代金の支払を確約する。売主は，あらかじめ買主が開設依頼した信用状を接受の上，信用状条件に合致した荷為替手形を発行し，これを銀行に買い取ってもらうことにより売買代金を回収する。

(ii) **信用状決済条項**　支払条件として信用状決済を規定するにあたっては，信用状の開設時期，種類，金額，信用状統一規則への準拠，有効期間，必要な提示書類等について取り決める。サンプル条項では，買主に開設してもらう信用状につき，その要件をできるだけ厳格に規定しようとした。以下では主な注意点について，順を追って検討する。

(iii) **開設時期**　買主による信用状の開設時期を取引の実情に合わせて具体的に規定する。契約締結後直ちにと規定する場合や，買主側での事務日数を考慮して5〜7日以内の開設を求める場合も多い。船積時期までに余裕がある場合でも，売主が契約後直ちに製造に着手する場合には，信用状不開設のリスクを考慮して早目に開設させる必要があるが，逆に，契約締結後直ちに信用状を開設してもらっても，船積後の銀行買取りまでに信用状の有効期限が切れてしまうこともあり得る。したがって，売主の立場からは船積時期までに必ず信用状を入手するとともに，船積時期に照らして余裕のある有効期間を確保しなければならない。

(iv) **信用状の種類**　従前は，一旦発行されれば条件変更や取消しが認められない取消不能信用状（irrevocable L/C）と発行後も条件変更や取消しが認められる取消可能信用状（revocable L/C）の区別が存在したが，信用状統一規則においては，信用状はすべて取消不能とされた（UCP 600-2 条）。

また，信用度を補完するために一流銀行の確認を加えさせた確認信用状（confirmed L/C）とするか，無確認信用状（unconfirmed L/C）としてこれを要求しないかの区別がある。確認信用状とするためには，買主は発行銀行以外の銀行（確認銀行）に対し確認費用を別途負担して支払を確約してもらわなければならないので，契約の規模や発行銀行の信用状態を考慮して必要性を判断する。

(v) **信用状金額**　信用状決済の対象とすべき金額を信用状金額として明記する。通常は，契約金額の全額を信用状金額とする。しかし，規模の大きな契約では，代金支払方式として前払方式または後払方式を併用し，契約金額の一部のみを信用状決済とする場合もある（サンプル条項参照）。また，契約金額を概算で規定している場合や海上運賃を実費で精算する場合，信用状金額に“about”を付すことにより，信用状金額の 10% を超えない過不足が許容される（UCP 600-30 条）。

(vi) **信用状統一規則の準拠**　信用状取引は，関係する銀行間では信用状統一規則に従うことになる。したがって，開設される信用状が信用状統一規則に準拠したものであることを確認しておくことが重要となる（第 1 部第 **6** 章参照）。

(vii) **有効期間**　売主は，信用状の有効期間内かつ書類の提示期間内に，指定銀行へ船積書類を呈示しなければならない。そのため，売主の立場からは，船積完了後，銀行に船積書類の買取りを依頼するための十分な事務日数を勘案して定める必要がある。

(viii) **その他の注意点**　売主の立場から買主に信用状を開設させるには，サンプル条項の条件にあるように，さらにいくつかの点に注意を要する。

① 開設銀行および確認銀行は，売主の満足する国際的にも信用度の高い一流銀行であること。

② 信用状の開設手順やフォームは，売主が同意できるものであること。

③ 信用状は一覧払手形の銀行買取りを認めたものであること。

④ 信用状と契約の関連を容易に明らかにし得るよう契約番号等を引用させること。

⑤ 売買契約上で部分船積が認められているときは，船積の都度，信用状に

基づく部分的決済が認められる条件の信用状とすること。

⑥ 売主が代金債権のほかに，検査費用，梱包費用等を買主のために立て替えたときは，これについても信用状金額に含めること。

(ix) **日付用語の用い方**　信用状決済に関する日付用語の用い方には注意を要する。信用状統一規則では，信用状に使用される“to”，“until”，“till”，“from”および“between”の単語は，信用状中の船積の期間を定める場合，記載された日を算入する。また，“before”と“after”は記載された日を除外する。他方，満期日を定める場合，“from”と“after”は記載された日を除外する（UCP 600-3条）。

(6) 信用状の訂正

買主側より決済のために信用状を接受したときは，売主は直ちに売買契約の条件と合致しているか厳密に照合しなければならない。なぜなら，信用状は売買代金の決済手段として用いられるが，一旦発行された後は，売買契約とは切り離された別個の信用状取引を構成することになり，売主として契約を適切に履行していたとしても，信用状条件に合致する書類を提示できなければ，信用状に基づく支払を受けることができないからである。すなわち，船積書類に信用状条件との食い違い（discrepancy）があると，銀行買取りは拒絶される。そのため，売主としては，信用状条件が契約条件と合致していることは必須である。そのほかにも，サンプル条項で要求しているような信用状条件が満たされているか否かを確認する必要がある。

このような点検の結果，契約条件との食い違いを発見したときは，売主は直ちに相手方に信用状の条件変更を要求しなければならない。

(7) 信用状の開設不履行

買主より契約条件どおりの信用状の開設がなされないときは，売主としては，取扱いに苦慮せざるを得ない場合が多い。信用状の開設は，買主による代金の支払そのものではなく，支払手段を確保するための手続にすぎないが，売主としては，確実性の高い決済方法である信用状が入手できないと，代金回収の確実性が大きく揺らぐことになる。また，売主は信用状を入手してからでなければ対象商品の船積を行わないのが通例であるが，契約上の船積期限に間に合わせるために，契約後直ちに対象商品の船積に着手しなければならないこともある。このような事態に対処する方法としては，契約条件どおりに信用状の開設を行わないのは買主の契約違反である旨を明記するとともに，売主としては，信用状が開設されない場合には，対象商品の全部または一部につき船積を延期したり，買主の計算において転売したり，または契約を解除したりする権利をもつ旨特約することになろう。このような規定は，通常は，契約違反とその救済の規定（第2部第**15**章参照）に含まれるが，信用状決済の規定に併せて，*Variation Clause*③のような独立の規定を設けることも多い。

(8) 代金支払遅延と延滞金利

国際売買契約では，支払条件として信用状の利用をはじめとしてより回収を確実に期待できる方法をとるが，代金支払に遅延が生じる事態も想定して，買主に延滞金利を課すことも検討する。

買主が代金支払を遅延した場合，わが国の法律によれば，買主は，金銭債務の特則として，別段の合意がない限り，法定利息の支払義務を負う（民419条1項・404条）。しかし，米国法では，UCCにおいて遅延金利について特に定めた規定はなく，売主に認められるincidental damagesの1つとして捉えられている。そのため，資金調達のために実際に負担した金額を具体的に立証して初めて買主に対する請求が認められることになる。つまり，約定がなくても遅延金利として法定利息の請求が認められるわが国とは異なり，米国では約定がないと遅延金利を請求できるか否か明らかではないということになる。このような不都合は，買主による代金支払遅延に対して，その他の救済権を留保しながら，買主に一定の延滞金利の支払を課す旨の特約を設けておくことにより避けることができる（第2部第**15**章 *Variation Clause*⑤参照）。

Variation Clause

① 直接支払またはT/T Remittanceによるとの条件の例

Payment for the Products shall be made promptly following delivery of the Products in cash, net, without discount or allowance. The said payment shall be made either by hand to the Seller at the Seller's address stated at the beginning of this Agreement, or by telegraphic transfer of funds to the bank account designated by the Seller.

Payment shall be deemed to be made (i) in the case of direct payment to the Seller, on the date of receipt of the monies at the Seller's said address, or (ii) in the case of a telegraphic transfer, on the date the payment is credited to the Seller's account at the said bank.

All payments made pursuant to this Agreement, including but not necessarily limited to payment for the Products, shall be made in United States Dollar.

② D/A決済条件の例

Payment for the Products shall be effected on a documents against acceptance basis, for which purpose the Buyer shall accept a draft drawn by the Seller in the amount of the price of the Products together with the interest at the rate of six point five percent (6.5%) per annum, payable two hundred forty (240) days from the date of the bill of lading.

③ 買主が信用状の開設を行わない場合の取扱いの例

If the Buyer fails to establish such letter of credit in accordance with the terms of this Agreement, the Seller shall have the option, by giving notice to the Buyer and without prejudice to any other remedies it may have, of deferring the shipment of the Products, reselling the Products for the Buyer's account, holding the Products for the Buyer's account and risk and/or cancelling delivery of the undelivered Products, and all amounts payable by the Buyer to the Seller for the Products, if any, delivered under this Agreement shall, upon the Seller's declaration, become immediately due and payable in full in cash.

The Buyer shall, upon the Seller's demand, pay to the Seller interest on overdue amounts at the rate of fifteen percent (15%) per annum.

All bank charges outside Japan, including collection charges and stamp duties, if any, shall be for the account of the Buyer.

④ Revolving L/C（同一買主との，同一商品の，一定期間の継続的な取引にて利用されるL/C）を用いる決済条件の例

For the payment of the price of the Products to be delivered pursuant to this Agreement, the Buyer shall, within thirty (30) days of the date of this Agreement, establish a letter of credit in the sum of approximately US$____ , with validity until ____ , revolving from time to time upon each negotiation at the negotiating bank in Tokyo of the shipping documents specified in the Attachment with respect to the respective shipments to be made pursuant to this Agreement up to the maximum amount of US$____.

The letter of credit shall instruct the bank to pay to the Seller the price of the Products actually shipped, provided, however, that the Seller shall not deliver any type of the Products in a quantity exceeding the quantity determined pursuant to Paragraph ___ of this Agreement.

第8章

船積時期・条件，船積書類

8-1　個品運送の場合の簡単な例

Article ××　Shipment

Shipment of the Products shall be made at Yokohama, Japan in October 2021 on the basis of CIF Los Angeles.

The date of the bill of lading shall be accepted as conclusive evidence of the date of shipment.

Partial shipments shall not be permitted.

第××条　船　積

対象商品の船積は，日本国横浜において，CIF ロサンゼルス条件にて2021年10月中になされるものとする。

船荷証券の日付をもって，船積日の最終証拠とする。

分割船積は許されないものとする。

8-2　バルク・カーゴの場合等，売主が傭船契約を締結する場合の例

Article ××　Shipment

(1)　Shipments of the Products shall be effected in normal ore or bulk carriers arranged by the Seller. Such vessels shall not exceed a maximum length of 600 feet overall and a maximum of 80 feet beam. In no event shall such vessels have a draft of more than 35 feet.

(2) The Buyer shall designate a safe discharging berth and shall be responsible for all arrangements and expenses, including but not limited to stevedoring expenses, for discharging such cargo.

(3) The Buyer shall discharge each such cargo at a rate of not less than 1,500 long tons per weather working day of 24 consecutive hours, excluding Sundays and holidays unless (i) the vessel is worked on such days, in which event actual time used shall be counted as laytime, or (ii) the vessel is already on demurrage, in which event all such time shall be counted as time on demurrage.

(4) Notice of readiness at the port of discharge shall be given between the business hours of 0900 hours and 1700 hours (both inclusive) on Monday to Friday inclusive and 0900 hours to 1200 hours noon (both inclusive) on Saturday, whether the vessel is in berth or not, but only after free pratique and completion of customs clearance of the vessel.

If notice of readiness is given on or before 1200 hours noon on any day other than a Sunday or public holiday, laytime shall commence at 1300 hours on that day and if such notice of readiness is given after noon on any such day other than Saturday, laytime shall commence at 0600 hours on the next working day. If the discharge is commenced before the time fixed above, laytime shall commence to count from the actual commencement of discharging.

(5) If the Products are not discharged from the vessel at the discharging rate as set out above and if this results in delay in discharging beyond the expiration of the allowed laytime, demurrage shall be payable by the Buyer to the Seller at the rate of U.S.$ 1,500 per running day of 24 hours, fractions pro rata.

The Seller shall pay the Buyer despatch money for laytime saved at the port of discharge at the rate of U.S.$ 750 per running day of 24 hours, fractions pro rata.

Any time lost in discharging by repairing vessel's equipment or by fault of the vessel, its owner, master or their agents shall not count as laytime or time on demurrage.

(6) Immediately after vessel's sailing, the Seller shall notify the Buyer by email of the name of the vessel, quantity of the Products loaded and the date of sailing.

(7) Within seven (7) days after vessel's sailing, the Seller shall deliver by airmail directly to the Buyer the following documents:

Commercial Invoice (___ originals + ___ copies)
Bill of Lading (___ originals + ___ copies)
Certificate of Origin (___ copies)
Certificate of Weight (___ copies)
Certificate of Analysis (___ copies)

第××条　船　　積

⑴　対象商品の船積は，売主が手配した通常の鉱石専用船または撒積貨物船によりなされる。使用される船舶は全長600フィート以下，幅は80フィート以下とする。使用される船舶の吃水は35フィート以下とする。

⑵　買主は，荷揚のための安全バースを指示し，対象商品を荷揚するために必要なすべての手配および乙仲費用を含むすべての費用につき責任を負う。

⑶　買主は，日曜祝祭日を除く好天荷役日1日（連続24時間）あたり1,500トン以上の割合で対象商品の荷揚を行う。ただし，(i)日曜祝祭日でも荷揚が行われた場合は，荷揚に使用された時間は停泊期間として計算され，(ii)すでに本船が滞船状態となっている場合は，荷揚に使用された時間は滞船料支払の対象となる時間として計算される。

⑷　荷揚港における荷役準備完了通知は，月曜日から金曜日までの場合は9時から17時までの営業時間内，土曜日の場合は9時から12時までの営業時間内にされなければならない。なお，荷役準備完了通知は，本船がバースに着いても着かなくてもできるが，検疫および通関はそれ以前に終了していなければならない。

日曜祝祭日以外の日で12時までに荷役準備完了通知がされた場合，停泊期間は当日の13時に起算され，12時を過ぎて荷役準備完了通知がされた場合（ただし土曜日は除く），停泊期間は翌営業日の6時に起算される。荷揚が上記時間より前に開始された場合，停泊期間は荷揚が実際に開始された時点から起算される。

(5) 対象商品が上記割合で本船から荷揚されず，その結果，荷揚が許容停泊期間内に終了しなかった場合，買主は売主に対し，連続24時間を1日として1日あたり1,500米ドルの割合で，滞船料を支払う。なお，1日に満たない部分については案分する。

荷揚港において停泊期間が短縮された場合，売主は買主に対し，連続24時間を1日として1日あたり750米ドルの割合で，早出料を支払う。なお，1日に満たない部分については案分する。

本船の設備の修理，または本船，本船所有者，船長もしくは彼らの代理人の過失に起因する荷揚の遅れは，停泊期間および滞船料の支払対象となる期間として計算されない。

(6) 本船出航後直ちに，売主は買主に対し，本船名，船積数量および出航日を電子メールで通知する。

(7) 本船出航後7日以内に，売主は買主に対し，直接，次の船積書類を航空便で送付する。

商業送り状　(本紙 __ 通＋写 __ 通)
船荷証券　(本紙 __ 通＋写 __ 通)
原産地証明書　(写 __ 通)
重量証明書　(写 __ 通)
分析証明書　(写 __ 通)

1　本条のねらい

船積時期等，契約の対象商品の船積に関する諸条件を取り決めるとともに，このような条件の違反があった場合の措置についても取り決める。

国際売買における対象商品の運送手段には，船舶に限らず航空機や鉄道もあるが，本章では，国際売買の主たる手段である船舶による運送を中心に解説する。

2　本条作成の際の指針

海上物品運送契約は，定期船（liner）を利用する個品運送契約（contract of

affreightment）と，不定期船（tramper）を利用する傭船契約（charter party）に大きく分けられる。

個品運送契約は，定期船を運航する運送人が複数の荷主から小口貨物を集めて混載して運送する際に利用される契約であり，最近ではコンテナ輸送が一般的である。実務上，個別の契約ごとにカスタマイズされた運送契約書が作成されることはなく，荷主は運送人（船会社）が用意している申込書に必要事項を記入して運送サービスを受ける。荷主に対して定期船船荷証券（liner B/L）が発行され，運送条件は船荷証券に記載されている約款に従う。なお，運送人側に一方的に有利な運送条件にならないよう，条件に一定の制約を加える国際条約（いわゆるヘーグ・ヴィスビー・ルール）が成立している（日本で国内法化されたのが国際海上物品運送法）。

傭船契約は荷主が運送人の船舶を借り切って運送を委託する契約で，穀物，鉱物等のいわゆるバルク商品を大量輸送する際に利用される。個品運送契約の場合に比べて売主・買主の間であらかじめ取り決めるべき事項は多岐にわたり，特にCIF等の場合，配船義務を負う売主は，運送人と傭船契約を締結するにあたり，売買契約書中で合意した海上輸送に関する各遵守事項に従った条件とする必要があるため，契約条件を慎重に確認する必要がある。なお，傭船契約は，一定期間を単位として傭船する定期傭船契約（time charter）と，特定の船積港と荷揚港の間の一航海を単位として傭船する航海傭船契約（voyage charter）に大きく分かれる。

(1) 個品運送契約の場合

(i) 船積港，荷揚港，船積時期，船積通知　買主が配船義務を負うFOB等の場合，貿易条件と共に船積港が明記される（例えば“FOB Yokohama”）。売主は，あらかじめ合意した船積期間中に船積港で商品を用意して待ち，買主が手配した船舶が到着次第，商品を船積すれば，義務の履行完了となる。特定の船積日ではなく期間の形で定められるのが一般的で，これは，海上輸送の場合，特定の日に間違いなく船積することは困難な場合が多いためである。利用すべき定期船（liner）が指定される場合もある。

売主が配船義務を負うCIF等の場合，貿易条件と共に荷揚港が明記され（例えば“CIF Los Angeles”），船積港の記載は求められていない。したがって，船積港の指定がない場合，売主はどの港で船積してもよいが，船積は危険負担が移転する重要なポイントでもあり，特に売主にとって船積港が重要な関心事であれば記載するのが望ましいとされる（インコタームズ Explanatory Note for Users 参照）。CIF の場合，荷揚港までの船舶を手配するのは売主だが，船積日または船積期間の合意は CIF 契約の前提とされている（インコタームズ CIF 条件 A2 参照）。

なお，契約条項を「条件（conditions）」と「保証（warranties）」に分けて，前者の違反に対しては契約の履行拒絶，後者の違反に対しては損害賠償のみを認める英国法の伝統的な二分法の考え方（第 1 部第 ***5*** 章 *2*(2)も参照）と，CIF 等のいわゆる「書類売買」と呼ばれる性質とが相俟って，合意期間に 1 日でも遅れた船積日が記載された船積書類の提供に対しては，売主の「条件（conditions）」違反として買主は代金支払を拒絶できるとする考え方があり，英国法では現在でもこれが維持されているようである。あらかじめ合意した船積港と異なる港で船積がされ，それが船積書類に記載されている場合も同様とされる。

FOB の場合，売主は船積完了後に対象商品が本船に引き渡された旨を遅滞なく買主に通知しなければならない（インコタームズ FOB 条件 A10 参照）。これは，買主が適時に海上保険を確定できるようにするためで，売主がこの通知を怠った場合，危険負担は買主に移転しないと考えられている。

(ii) **分割船積，積替の可否**　売主が配船義務を負う CIF 等の場合，売主としては分割船積（partial shipment）・積替（transshipment）の権利を留保しておくと，船舶の手配に柔軟性が出てくるので望ましい。他方，買主としては，分割船積は荷揚港での受取りを面倒にし，中継港での積替は運送遅延の原因になりやすいため，いずれも避けたい。

逆に，買主が配船義務を負う FOB 等の場合，買主としては分割船積を可能とすることで船舶手配の柔軟性を確保したいが，売主としては荷揃え等で不都合が生じるおそれがあるため，分割船積は認めないのが望ましい。

分割船積・積替は信用状との関係でも問題となるが，この点については信用状統一規則（UCP 600）が定めている。まず分割船積については，信用状に分割船積禁止と明示されていない限り，許容される（UCP 600-31 条(a)）。また，船積書類が複数発行されると直ちに分割船積となるわけではなく，運送船舶と目的地が同一であれば，船積日や船積港が異なる複数の船積書類が発行されていても，分割船積とはみなされない（UCP 600-31条(b)）。この場合，最終の船積がされた日が「船積日」となる。他方，船積日や目的地が同一でも，運送船舶が異なる複数の船積書類が発行されている場合は，分割船積とみなされる（同条）。信用状で分割船積の禁止が規定されているにもかかわらず分割船積による船積書類を呈示すると，ディスクレパンシー（discrepancy）として決済を受けることができない。次に積替については，信用状で積替禁止が規定されているにもかかわらず積替を許容する船積書類が呈示された場合でも適切な船積書類呈示として扱われる例外が定められており，具体的にはコンテナ輸送の場合等が挙げられる（詳細はUCP 600-20条(c)参照）。

分割船積が認められる場合，そのうちの一部の分割船積について生じた契約違反の効果が，契約全体に波及するのか，それとも当該分割船積のみについて契約解除と損害賠償の問題が生じるのか，という問題がある。この点，契約上，"Each lot of partial shipment shall be regarded as a separate and independent contract.（分割船積における個々の船積は，それぞれ別個独立の契約とみなす）" といった趣旨の特約を規定して，各分割船積について生じた契約違反の効果を全体に波及させないようにするのが通常である（同種の条項例として第3部6-② **Article 13**参照）。ただし，UCCは，履行が複数回に分かれる場合でも割賦契約（installment contract）という一本の契約として扱うとした上で，分割船積において契約全体に影響を与える違反が判明した場合は契約全体の不履行として買主に契約全体の解除を認めているので，注意を要する（UCC 2-612条参照）。

(iii) **配船義務違反**　FOB等，買主が配船義務を負う場合，買主があらかじめ合意した船積期間中に船舶を手配しないと，売主は買主の履行拒絶とみなすことができ，催告の上，売買契約を解除し買主に対して損害賠償を請求できるとした英国の判例がある。ただ，インコタームズにおいてこれらの扱いは明示されていないため，売主としては，買主の配船義務違反に備え，配船がされない場合あるいは遅延する場合に売主に認められる救済手段（例えば，売主の選択による船積期間の延長，契約の解除）を明確に規定しておく必要がある（*Variation Clause* ①参照）。また，買主のこのような契約違反に関連して生じる倉庫料等の追加費用は買主の負担である旨を明記しておくことも，将来における紛争の防止に役立つ（*Variation Clause*③参照）。

そのほかに，買主が配船しない場合の売主側の防衛手段として，売主が船舶を手配して船積してよいとするいわゆる強行船積の規定を設けることも考えられるが，このような状況下で船会社が運賃買主払（着払）で運送を請け負うことは考え難い。船積時点では売主が運賃を立替えで支払わざるを得ず，あとで買主から回収することになるが，配船義務を履行しない買主が運賃の支払要求に応じる可能性は低い。さらに，買主が荷揚地で商品の引取りを拒否したり，商品代金を支払わない可能性も高く，あえて船積を強行しても売主が負うリスクが大きくなるだけなので，あまり勧められない。

(2) 傭船契約の場合

個品運送契約において述べたことは基本的に傭船契約の場合にもあてはまるが，契約条件が定型化された定期船を利用する個品運送契約と異なり，傭船契約の場合は荷主・運送人の間で契約条件を交渉して個別にカスタマイズして合意するため，売主・買主間でもこれに対応してあらかじめ役割分担，リスク分担を取り決める必要がある。

〔I〕 配船およびバースの手配

(i) 手配すべき船舶の条件　船舶は，船積・荷揚作業のため船積港，荷揚港においてバース（berth）に着岸するが，港ごとに着岸可能な船舶について制限がある場合が多いため，配船義務者にはこれらの制限に合致した船舶の手配を義務付けておく必要がある。具体的には，船舶の全長，全幅，最大吃水につき規定を設けることとなる（サンプル条項8-2(1)参照）。

また，対象商品によっては専用船での運送が必要になるため，そのような場合は鉱石専用船（ore carrier），自動車専用船（pure car carrier）等の専用船手配を明確に規定する。さらに，荷役の関係からデリック・クレーンの能力，ハッチの数等，本船の装備・設備等について，他方当事者に何らかの保証をさせておく必要がある場合には，ここで規定しておくようにする（なお，これらが後述の滞船料の計算と密接に関連する場合には，滞船料関連の条文と併せて規定されることも多い)。

CIF 等の場合，配船義務を負う売主は，特約がない限り，対象商品を輸送するために通常使用される型の船舶（a vessel of the type normally used for the transport of the type of goods sold）を手配しなければならない（インコタームズ CIF 条件 A4 参照)。また，万一，対象商品の輸送中に運送人が倒産したりすると，買主もトラブルに巻き込まれかねないため，売主に対して信用ある船会社への運送委託を義務付けることもある（*Variation Clause* ②参照)。

(ii) **安全港，安全バース**　傭船契約において，傭船者は船会社に対して安全港・安全バースを指定する義務を負うため，傭船者が船積・荷揚場所として指定した港またはバースに安全性が認められない場合，傭船者の契約違反となり，船会社に対して発生した損害を賠償する責任を負うことになる。そのため，買主が配船義務を負う FOB 等の場合，買主は状況を把握し難い船積港・バースの安全性について売主側に保証させてリスクヘッジを図ることが望ましい（第 3 部 6-③ **Article 12** および 6-④ **Article 10** 参照)。逆に，売主が配船義務を負う CIF 等の場合は，売主は状況を把握し難い荷揚港・バースの安全性について買主側に保証させるのが適切といえる（サンプル条項 8-2(2) 参照)。

「安全性」としては，対象期間中に安全に「入港し，使用し，出港」できること，また，当該港において傭船された特定の船舶にとって安全であることが必要とされる。前述のとおり，売買契約書には傭船する船舶の全長，全幅，最大吃水が規定されるため，この規格の船舶を前提に港・バースの「安全性」をあらかじめ確認することになる。「入港」・「出港」が対象事項に含まれているとおり，当該港に安全に停泊できるだけでなく安全に移動できることも要求されるため，港自体は安全でも，港に向かう航路上で戦争等による拿捕や攻撃の危険がある場合は「安全性」が認められない（安全性については第 1 部第 ***7*** 章 *3*(**3**)における説明も参照)。

(iii) **到着予定日の通知**　船積時期は，前述のとおり期間で取り決めるのが通常であるが，傭船契約が締結されるような大量貨物の場合には次の点が問題となる。すなわち，特に FOB 等の場合，突然，明日船が到着するので船積を開始してほしいと買主が言い出しても，売主としては荷揃えが即座にできるわけではない。また，逆にいつこのような買主からの通知があっても対応できるように荷揃えをしておくのでは倉庫料等が余計にかかってしまい，採算上好ましくない。そこで，本船の船積港への到着予定日（estimated time of arrival：ETA）を何段階かに分けて売主に通知することを買主に義務付けて，段々と到着予定日を確定していく方法がよくとられる（*Variation Clause* ①および第3部6-① **Article 12**(2)など参照）。

なお，多量の契約商品を数回に分割して船積する場合には，売主側としては荷揃えの都合から，買主側としては受入れ態勢（保管スペースの確保，適正在庫の維持）の都合から，各船積ごとの数量が大きく変動し得るのは好ましくないため，例えば“Shipments of the Products shall be made in twelve (12) equal monthly installments of 30,000 long tons each.”というような規定をするのが通常である（*Variation Clause* ①参照）。

〔Ⅱ〕 荷役条件

(i) **積込費用**　商品の積込作業にかかる費用について，傭船契約では売主と運送人のどちらが負担すると規定されているか，売買契約では売主と買主のどちらが負担すると規定されているかに注意する必要がある。CIF 等の場合は商品の積込費用が売主負担であることは明らかであり，売主としては積込費用を含めた運送料相当額を上乗せして CIF 等の契約金額を設定し，買主に請求する。FOB 等の場合も，特約で合意していない限り，積込みまでは売主の費用と責任負担とされているため，売主は積込費用まで負担し（FOB including loading charges），積込み以降の費用は買主が負担する。したがって，積込費用は積込時に売主が運送人に支払うため，FOB 等で配船義務を負う買主と運送人の間の傭船契約では積込費用は運送人負担となり，積込費用を含まない運賃設定で合意する（free in〔FI〕）。他方で，FOB 等の場合でも積込費用を売主が負担しない特約を合意する場合がある（FOB not including loading charges）。この場合，売主は積込時に運送人に積込費用を支払わないため，買主と運送人の間の傭船契約もそれに対応する形で，積込費用は傭船者たる買主の負担となり，積込費用を含んだ運賃設定の契約条件（berth terms/liner terms）で合意する必要がある。傭船契約で使用される荷役負担者に関する契約条件は以下のとおり。

(a) Berth terms / Liner terms

積込み・荷揚費用のいずれも運送人たる船主が負担するという条件。定期船の運賃はごく特殊な例外を除き，この条件で定められている。

(b) Free out (FO)

積込費用は運送人たる船主が，荷揚費用は傭船者が負担するという条件。船主から見て荷揚（out）は負担しない（free）という意味。

(c) Free in (FI)

積込費用は傭船者が，荷揚費用は運送人たる船主が負担するという条件。船主から見て積込み（in）は負担しない（free）という意味。

(d) Free in out (FIO)

積込み・荷揚費用のいずれも傭船者が負担するという条件。船主から見て積込み（in）・荷揚（out）ともに負担しない（free）という意味。

なお，上記(c)，(d)の場合でも，石炭，穀物，鉱石等のいわゆるバルク商品で必要となる船積後の積付（商品の配置や固定）・均し（商品を船倉内で水平に均す）作業に係る費用は，通常，船主は負担しないことになっているため，売主と買主のいずれが費用負担するかを売買契約上で明確にしておく必要がある。船積後の費用にあたるためFOB等の場合は買主負担となるが，実務上はFOB等の場合でも売主負担を特約合意することが多く，一般に“FOB ST (stowed and trimmed)”と表記される。

(ii) **停泊期間**　停泊期間（laytime）とは，傭船者に認められる荷役作業（貨物全部の船積・荷揚）のための日数であり，船主との間で合意の上傭船契約に規定される（停泊期間の開始・終了については第1部第**7**章*3*(**3**)参照）。停泊期間中，船舶は稼働しないため，船主は当該期間中の機会損失を考慮の上で運送費を傭船者と合意することになる。したがって，傭船者としては停泊期間をできるだけ短く合意するのが運送賃の低下につながるが，逆に停泊期間を短く合意しても荷役作業が当該期間中に終了しないと，超過分について後述の滞船料が発生する。

傭船契約における停泊期間の定め方は大きく2つに分かれる。

(a) 荷役期間を特定の日数で確定しない契約条件

慣習的早荷役（customary quick despatch）と呼ばれる契約条件で，一般にC.Q.D.と記載される。当該港の慣習に従った方法で可及的速やかに荷役するという意味である。荷役のための具体的日数を規定せず，当該港の標準的な荷役能力に比較して荷役が遅れた場合は船主に対する滞船料が発生する。ただし，傭船者にとって不可抗力による荷役遅延は免責される。通常，夜間荷役はC.Q.D.荷役に含まれないが，港によっては夜間荷役設備が完備され，または船混みのためほとんどの船が夜間荷役を行うような場合，船会社からC.Q.D.として夜間荷役を強要されることもある。そのため，売買契約上でも，夜間荷役を行った場合の費用の負担をあらかじめ取り決めておいた方がよい。

(b)　荷役期間を確定した契約条件

荷役期間が確定される場合，本船自体の荷役設備能力が確定期間を合意した前提となっているため，万一，本船に能力低下等が生じて余分な荷役期間を要した場合の紛争を避けるため，"...provided that the vessel can load (discharge) at this rate" といった趣旨の規定を入れておいた方がよい（*Variation Clause* ①参照）。

①　Running days（連続停泊期間）

停泊開始後の連続日数で荷役期間を確定する契約条件である。最初から期間を定める方法（例えば "10 running days"）と，1日の荷役責任量を定めた上で（例えば "1,000 L/T per running day"），実際の船積数量をこれで除して期間を算出する方法がある。雨天，休日も算入されるため不確定要素がなく，船主にとり最も有利な契約条件といえる。

②　Weather working days (W.W.D.)（好天荷役日）

作業日（working days）のうち荷役に支障のない天候の日のみを算入して荷役期間を確定する契約条件である。Running daysと異なり，休日や悪天候の日は算入されない。日曜日を作業日と考えるかについては港ごとに習慣が異なるため，"W.W.D. SHEX (Sundays & holidays excepted)" として日曜・祝日は算入しないことを明確にすることもある。Running daysの場合と同様，最初から作業日数を特定して定める方法と，1日の荷役責任量を定めた上で船積数量から日数を算出する2つの方法がある。

さらにW.W.D.条件には以下のようなバリエーションもある。

(イ) Weather working days Sundays & holidays excepted unless used（W.W.D. SHEX UU） 休日は原則として算入対象外だが，もし荷役をすれば停泊期間に算入するもの。この場合，休日のごくわずかな時間だけ荷役をしても1日分として算入されて後日の紛争となるのを避けるため，荷役した時間だけを算入する意味の“if used, only actual time worked shall count as laytime”という規定を入れておいた方がよい。

(ロ) Weather working days Sundays & holidays included（W.W.D. SHINC） 休日も停泊期間に算入するもの（*Variation Clause* ①参照）。荷役に支障のない天候か否かだけが算入の基準となる。

Working daysにおける1日の荷役時間は契約上に規定がなければ，その港の習慣によって定まる。したがって，連続24時間を1日とする場合には“working days of 24 consecutive hours”と記載する。この場合，単に“working days of 24 hours”としか書かないと，荷役が数日にわたってもその港の慣習である荷役時間を合計して24時間分ごとに1日とみなすという英国の判例もあり，とかく不明確で紛争を生じやすい。

(iii) **滞船料，早出料** 滞船料（demurrage）とは，荷役が前述の停泊期間内に完了しないときに，その超過日数に対して傭船者が船主に対し支払うもので，その単価は本船のdeadweight 1トンあたり1日何ドルまたは本船1日何ドルと定められる。

早出料（despatch money）とは，荷役が停泊期間満了前に完了した場合，その節約された日数に対して船主より傭船者に支払われる報償金である。早出料は通常滞船料の半額ないしそれ以下で設定される。

傭船者は傭船契約に基づき船主に対して滞船料の支払義務を負う。FOB等の場合は買主が，CIF等の場合は売主が配船義務を負うため，それに伴って船主に対する滞船料の支払義務者も変わる。他方で，積込作業は売主が，荷揚作業は買主が行うため，FOB等の場合の船積港における滞船料，CIF等の場合の荷揚港における滞船料は，作業負担者と滞船料支払義務者がずれることになる。そこで，FOB 等の場合は，船積港において滞船料が発生した場合の売主負担についての規定の追加を買主が要求し，逆に CIF 等の場合は，荷揚港において滞船料が発生した場合の買主負担についての規定を売主が要求する。

〔Ⅲ〕 船積書類

インコタームズの定めによれば，FOB 等の場合売主は本船受取証（mate's receipt）等の受渡しの証拠を，CIF 等の場合売主は運送書類（transport document），保険証券（insurance policy）を船積書類（shipping documents）として買主に引き渡さなければならない。

(i) **本船受取証**　本船の航海士が貨物の受取りを認め，荷送人（売主）に交付する書類である。

(ii) **運送書類**　海上運送の場合，船荷証券，海上運送状が運送書類となる。伝統的には船荷証券が利用されてきたが，海上輸送の高速化に伴い商品が荷揚港に到着した時点で船荷証券が荷受人（買主）に届いておらず（信用状決済で銀行間のやり取りに時間がかかる），買主が荷揚港で商品を受け取れない（後述のとおり船荷証券は権利証券の性質をもつため）という事態が発生するようになった（いわゆる「船荷証券の危機」）。そこで代替手段として多く利用されるようになった運送書類が海上運送状であり，現在では半数以上の海上輸送で海上運送状が使用されているともいわれる（船荷証券については第1部第 ***7*** 章 *4* 参照）。

(a) 船荷証券（bill of lading）

船荷証券とは，商品を船積した際に運送人が荷送人（売主）に対して発行する書類であり，運送品の受取りまたは船積の事実を証する受領証として，また，その所持人または被裏書人に商品の引渡請求権を与える権利証券として機能する有価証券である。船荷証券には様々なタイプがあり，以下に代表的な分類を挙げる。

① 船積船荷証券（shipped B/L）と受取船荷証券（received B/L）

船積船荷証券とは，文字どおり実際に商品が船積されたことを確認する船荷証券である。他方，受取船荷証券は，コンテナ輸送の場合に発行されるタイプの船荷証券で，単に船会社が商品を受け取ったことを確認するのみで，実際に船積されたことは示されない。これは，コンテナ輸送の場合，船会社はコンテナヤードで商品を受け取り，実際の船積前に船荷証券を発行するためである。英国判例上，売主は船会社から受領した受取船荷証券を買主に交付するだけではCIF等における売主の義務を履行したことにならない。そこで，実務上は，船積完了後に改めて受取船荷証券を船会社に提出し，船積証明追記（on board notation or endorsement）をしてもらう。船積証明追記がされた受取船荷証券は船積船荷証券と同等の効力をもつとされ，ヘーグ・ヴィスビー・ルールおよび信用状統一規則20条(a)もこれを認めている。なお，インコタームズ2020では，船積以前に引渡しが完了するFCAの場合，当事者間の合意により，買主が運送人に対し船積完了後に積込済みの付記がある船荷証券（on-bord bill of loading）を発行するよう指示し，売主がその船荷証券を買主に提供する義務を負うとすることができるとされた（FCA条件A6/B6）。

② 無故障船荷証券（clean B/L）と故障船荷証券（foul or claused B/L）

運送人が受け取った商品またはその包装に欠陥がある旨の記載（remarks）がない船荷証券を無故障船荷証券，欠陥がある旨記載された船荷証券を故障船荷証券という。欠陥の有無は外見上で判断されるため，無故障船荷証券が発行されたことをもって運送人が商品に一切欠陥がないことを保証したことにはならない。なお，インコタームズにおいて，CIF等の場合に売主は無故障船荷証券を交付しなければならないとはされていないため，故障船荷証券の交付でも義務の履行として認められると考えられるが，信用状決済の場合，銀行は無故障船荷証券のみ受理するため（UCP600-27条），故障船荷証券では信用状決済による支払を受けることができない。

(b) 海上運送状（sea waybill）

海上運送状とは，運送人（船会社）が発行する貨物受取証だが，船荷証券と異なり裏書による流通性が認められず，したがって有価証券ではない。荷受人は商品を引き取るために海上運送状を運送人に提示する必要がなく，荷受人本人であることを示せば足りるため，上述の「船荷証券の危機」を回避する方法として広く利用されるようになった。信用状統一規則は信用状取引の場合でも海上運送状の利用が可能と明示しているが（UCP600-21条），実際には，信用状発行銀行は提出書類として権利証券性のある船荷証券を要求し，海上運送状による決済は認めないことが多いと思われるため，海上運送状の利用は，代金回収に不安のない取引，例えば買主の信用力が極めて高い取引やグループ会社間取引の場合に事実上限定される。

(iii)　**保険証券**　CIF等の場合，海上保険の手配は売主の義務であるため，売主は保険を手配した上で保険証券を買主に交付しなければ履行完了とならない。

(iv)　**その他**　上述の書類のほかに，通関等の関連から原産地証明書（certificate of origin），梱包明細書（packing list），検査証明書（certificate of inspection）等，買主から売主に対して様々な補足書類の交付が要求されることがあるため，売主としては用意できる書類をあらかじめ確認した上で売買契約書を締結する必要がある。

インコタームズにおける条件は以上のとおりであるが，信用状決済で代金支払がされる場合は，支払を受けるために信用状で合意した書類を銀行に提出する必要があるため，貿易条件にかかわらず，売主としては船積によって信用状における要件に合致した書類をすべて入手できるよう，あらかじめ確認しておくことが肝要である（第2部第**7**章参照）。

Variation Clause

①　FOB条件の例

(1) The Buyer assumes the obligation for providing vessels for the transportation of the Products to be delivered to the Buyer pursuant to this Agreement, and the Buyer shall arrange for and provide such vessels in accordance with clause (2) below.

Vessels shall be bulk carrier type suitable to enter, berth at and leave the port of loading.

If the vessel is not provided or nominated by the Buyer in time for the shipment of the Products or within any extension of time for such shipment granted by the Seller, the Seller may, at its option, extend the time of shipment of the Products, or cancel this Agreement or any part thereof, without prejudice to any other rights and remedies the Seller may have.

(2) (a) Deliveries of the Products hereunder shall be made in monthly shipments evenly spread during each Contractual Year.

(b)(i) The Buyer shall notify the Seller at least thirty (30) days before the estimated date of arrival of a vessel at the port of loading specifying:

a. name of vessel

b. estimated date of arrival

c. type of vessel and hatch division

(ii) The Buyer shall further notify the Seller of the expected date of arrival of each vessel at the port of loading and of the declared tonnage of the Products at least ten (10) days in advance of each such arrival. The Buyer shall promptly advise the Seller of any change in the expected date of arrival specified in such notice.

(3) (a) Laytime for loading shall commence twelve (12) hours after notice of readiness is given, whether vessel is in berth or not, or when loading commences, whichever is the sooner. Notice of readiness to load shall be tendered in free pratique with clean holds, hatches opened and in all respects ready to load, at any time in or out of office hours after the vessel has arrived at the port of loading, whether in berth or not.

(b) The Seller shall cause all the Products to be delivered pursuant to this Agreement, to be loaded aboard the vessel at the following average rates per weather working day of twenty four (24) consecutive hours, including Saturdays, Sundays and holidays.

Size of Vessel	Tons per Day
Over 30,000 DWT and up to 40,000 DWT	25,000
Over 40,000 DWT and up to 50,000 DWT	30,000
Over 50,000 DWT and up to 60,000 DWT	40,000

(c) If the Seller shall fail to meet the loading requirements specified in this clause, demurrage shall be paid by the Seller to the Buyer for all time lost after expiration of allowable laytime at the rates set out below. Despatch money shall be paid by the Buyer to the Seller for laytime saved at the rates set out below when the vessel is loaded sooner than required under this Agreement.

Size of Vessel

Over 30,000 DWT and up to 40,000 DWT

Over 40,000 DWT and up to 50,000 DWT

Over 50,000 DWT and up to 60,000 DWT

Demurrage per 24 hour day (pro rata for part)

US$ 3,000

US$ 4,000

US$ 4,500

Despatch Money per 24 hour day (pro rata for part)

US$ 1,500

US$ 2,000

US$ 2,250

(d) The Buyer shall ensure without cost to the Seller that

(i) each vessel shall provide all necessary lights for night loading and

(ii) hatches shall be opened and closed as necessary for or in connection with loading.

② 信用ある船会社と傭船契約を締結することを定めた例

The Seller shall ship the Products on a first class motor vessel owned and/or operated by a carrier of good reputation and standing.

③ 配船義務違反の場合の追加費用の負担につき定めた例

Any and all extra costs and expenses incurred by the Seller, including but not limited to warehouse charges, as a result of the vessel provided or nominated by the Buyer not being on time for loading shall be borne by the Buyer.

第9章 所有権と危険負担

Article ×× Title and Risk

The title to and risk of the Products shall pass from the Seller to the Buyer at the time when the Products have been placed on board the vessel at the port of Yokohama in Japan.

第××条　所有権と危険負担

対象商品の所有権および危険負担は，商品が日本国横浜港において本船上に置かれた時点で，売主から買主に移転する。

1　本条のねらい

商品の所有権および危険負担の移転の時点は，売主と買主が交渉の上で自由に取り決めることができるため，本条では商品が船積港において本船上に置かれた時点で移転すると規定している。ただ，危険負担の移転の時点については，実際にはインコタームズの貿易条件（FOB，CIF，CFR など）を規定することが多く，これら貿易条件と異なる時点を設定しない限り，別途条項を定める必要性は低い。

2 本条作成の際の指針

国際売買は，船舶による海上運送あるいは航空機による航空運送を伴い，国内売買に比べて長距離輸送となるのが通例である。技術の進歩やコンテナの利用により，輸送中の事故で商品が滅失・毀損する可能性は低くなっているが，海難，潮濡れといった海上輸送固有の危険，戦争，盗難といった長距離輸送特有の危険は依然として無視できない。そこで重要な役割を果たすのが危険負担の移転時点の取決めであり，危険負担の移転前に滅失・毀損した場合は売主の物品引渡義務は存続し（売主に代替品の調達義務が発生），移転後の場合は滅失・毀損にかかわらず買主は代金支払義務を負う。

所有権の移転は危険負担の移転と併せて議論されることが多いため，本条も同じ時点での移転を規定しているが，後述のとおり所有権の移転時期が実際に問題となることは少ない。

以下では，インコタームズにおける代表的な貿易条件であるFOB，CIFを中心に，危険負担の移転と所有権の移転の具体的取扱いについて説明する。

3 危険負担の移転

(1) インコタームズ

以前は，FOB，CIFいずれの場合も危険負担の移転時点は商品が船積港において本船の舷側手摺（ship's rail）を通過した時点とされてきたが，インコタームズ2010における改訂で，船積港において商品が本船上に置かれた時点に変更され，インコタームズ2020でも維持された。舷側手摺を危険負担の分岐点とする考え方に対しては，例えば商品が船積作業中に不可抗力で落下して滅失・毀損した場合，落下地点が舷側手摺の手前か先かで危険負担の主体が異なることになるが，甲板上に安全に置くまでは売主の責任とする方が実務感覚には合っているとの意見が従来よりあった。

FOBの場合，売主は船積期間内に指定された船積港において買主が手配した船舶に商品を船積する義務を負う。船積時点で危険負担は買主に移転するため，海上輸送中の事故で商品が滅失・毀損した場合でも，買主は代金を支払わなければならない。滅失・毀損に備えるためには，買主は自ら海上保険を付保する必要がある。

CIFの場合，売主は荷揚港までの海上運送を手配した上で船積港で商品を船積し，FOBと同様に船積の時点で危険負担は買主に移転する。したがって，海上輸送中の事故で商品が滅失・毀損した場合でも買主は代金を支払わなければならないが，海上保険の手配は売主の義務となっている。売主は，代金の支払を受けるためには船積書類と共に貨物海上保険証券を買主に交付しなければならないため，商品の滅失・毀損時には，買主は売主から交付された貨物海上保険証券に基づき保険金を得ることができる。

(2) コンテナ利用時の危険負担の移転

定期船輸送ではコンテナ利用による合理化が進んでおり，広まり始めた当時は「コンテナ革命」とも呼ばれた。コンテナを利用する場合，収納後は貨物自体の状態を外部からは確認できないため，コンテナが本船上に置かれた時点を危険負担の移転時点とするのは実態にそぐわない。そこで，インコタームズ1990は，船積港において売主が運送人に商品を引き渡した時点で危険負担が移転する貿易条件として新たにFCA，CPT，CIPを導入した。基本的にFOB，CFR，CIFの内容を踏襲し，危険負担の移転時点を前倒ししたものである（*Variation Clause* ①参照）。

インコタームズ1990による導入にもかかわらず，コンテナ輸送においても依然としてFOB，CIFが多く使用されているといわれるが，売主側としてはより早い段階で危険負担が移転するFCA，CPT，CIPが有利であり，契約交渉時に留意する必要がある。

(3) 貿易条件のバリエーション

貿易条件としてFOBやCIFを合意する場合でも，商品の性質や実務上の利便性を踏まえて条件の一部を変更あるいは追加する場合がある。インコタームズは当事者間の合意で条件を一部変更，追加することを禁止していないため，かかる合意は基本的に有効だが，選択した貿易条件の本質的性質まで失わせる一部変更，追加をすると，危険負担の移転時点を含め選択した貿易条件全体が無効とされる可能性がある点に留意する必要がある。

特に裏面約款を使用する場合は，契約書表面で明示した貿易条件と矛盾する内容が裏面約款中に含まれていないか確認し，該当部分は削除して使用するよう注意が必要である。

以下では，インコタームズが規定する貿易条件の内容と異なる特約を合意した場合の扱いについて例を挙げて説明する。

(i) **液体／バルク・カーゴ取引における危険負担の移転時点**　原油などの液体や，穀物，化学品のようないわゆるバルク商品の輸出入では，船舶側のパイプと陸上側の石油タンク等のパイプを直接つないで商品の船積が行われる。このような方法による船積の場合，本船の舷側手摺を通過した時点や本船上に商品が置かれた時点を危険負担の分岐点とするのは実態にそぐわないため，商品がパイプの結合点（フランジ）を通過した時点を危険負担の移転時点とする特約条項が加えられるのが一般的である（*Variation Clause* ②参照）。

(ii) **売主が積付・均し作業を行うFOB**　FOBの場合，商品の船積時点以降に発生する作業の手配とその費用負担は買主の義務であるが，船積後の積付（商品の配置や固定）・均し（商品を船倉内で水平に均す）まで売主の責任とする特約を合意することがあり，一般にFOB ST（stowed and trimmed）と表示される。

積付や均し作業を売主の責任として合意する場合，危険負担の移転も積付・均し作業の完了時まで遅らせることまで合意したかが不明確となるため，危険負担の移転時点を別途規定するのが望ましい（*Variation Clause* ③参照）。

(iii) **売主が船舶・保険を手配するFOB**　FOBの場合，船舶と保険の手配および費用負担は買主の義務であるが，船積地にいる売主が手配した方が便利なこともあり，船舶と保険は売主が手配し，買主があとで費用償還する旨の特約を合意することがある（extended FOBあるいはFOB with additional serviceなどと表示される）。売主としては，買主が船舶手配を怠ったために船積ができず，船積書類を取得できないので信用状決済で代金も回収できないといった事態を防ぐことができる。

売主による船舶・保険の手配はFOBの本質的性質を失わせているようにも見えるが，あくまでも手配義務の主体は買主であり，売主は費用償還を条件に買主の代理人として手配しているに過ぎないと解釈されることで，FOBの本質的性質は維持されていると考えられている。したがって，FOBの選択は依然として有効であり，危険負担は船積時点で移転する。

なお，売主が船舶・保険を手配するのであれば，はじめからCIFを選択すればよいとも考えられるが，このような特約付きFOBとCIFでは，契約締結後の船舶運賃・保険料変動リスクの負担者が異なる。すなわち，特約付きFOBの場合は買主が売主に実費で費用償還するが，CIFの場合はあらかじめ運賃・保険料込みで売買代金額が合意されるため，契約締結後に運賃・保険料額に変動が生じても売買代金額の事後調整はされない。

(iv) 荷揚港における商品引渡し時を危険負担の移転時点とするCIF　CIFの場合，本来は船積時に危険負担が移転する。これに対して，荷揚港において実際に買主に商品が引き渡される時点まで危険負担の移転時点を遅らせる特約を合意すると，CIFの本質的性質を失わせたとして，CIFの選択が無効となる可能性が高い。危険負担を荷揚港で移転させる場合は，はじめからDグループの貿易条件（DPU，DAP，DDP）を選択するのが適切である。

(v) 商品の到着を支払条件とするCIF　上記(iv)と類似する特約として，荷揚港において実際に商品が買主に引き渡されることを代金の支払条件とするものがあり，例えば，“payment on arrival of goods”や“payment X days after arrival of goods”と記載される。CIFは，「書類売買」と呼ばれることもあるとおり，商品自体ではなく船積書類の引渡しをもって売主の履行完了と扱うため，商品自体の引渡しを代金の「支払条件」にするのはCIFの本質的性質を失わせるものであり，CIFの選択が無効となる可能性が高い。

ただし，上記文言の記載のみをもって直ちに「支払条件」の合意とされるわけではなく，関連事実も総合考慮の上，当事者間の合理的意思から，商品自体の到着を「支払期日」の基準時点とする合意にすぎないと解釈されることもあり，そのような場合は，CIFの本質的性質は維持されていると考えられる。したがって，売主が船積書類を引き渡せば，もし商品自体が届かなくても売主は履行完了しているため，買主は代金の支払義務を免れない。「支払期日」は，通常であれば商品が荷揚港に到着したであろう日を基準として決定されることになる。

(4) 米国FOB

インコタームズが定める貿易条件としてのFOB，CIFを前提に説明してきたが，まぎらわしいことに米国ではFOBが異なる意味で用いられることがある。すなわち，米国は1941年改正米国貿易定義（Revised American Foreign Trade Definitions, 1941）で独自の貿易条件を定義し，6種類のFOBを規定している。詳細の説明は割愛するが，インコタームズにおけるFOBと同様に船積時点で危険負担を移転させるためには，FOBと船積地の表記の間に運送方法を記載する必要がある（例えばFOB vessel New York）。インコタームズと同じように単にFOBと船積港または荷揚港のみを記載した場合（例えばFOB Yokohama），1941年改正米国貿易定義では，運送人に引き渡した時点や荷揚時点等で危険負担が移転する別のFOBと解釈される可能性が生じる。したがって，特に米国企業との取引や米国法を準拠法とする場合は，誤解が生じないよう契約書中でインコタームズと1941年改正米国貿易定義のいずれに従って用語を使用しているかを明確に規定する必要がある。

4 所有権の移転

日本法・英国法・米国法いずれも，所有権の移転時点は当事者間で自由に合意することができる。問題が発生するのは当事者間で明確な合意がされていない場合であるが，インコタームズ，ウィーン売買条約（CISG 4条参照）は所有権の移転時点について定めていないため，単に貿易条件をFOB，CIF等と合意するだけでは移転時点が確定しない。このような場合は国際私法に基づいて定まる準拠法に従った解釈によって移転時点が確定されることになる。

ただ，商品運送中に滅失・毀損が発生した場合は危険負担の問題として扱われ，買主倒産時や信用不安発生時の商品の取戻しの問題も信用状決済で代金が支払われる場合は顕在化し難いため，実際に所有権の移転時点が問題となる場面は非常に限定的である。

(1) 各国法における所有権移転の考え方

所有権の移転時点を特に規定しない場合，危険負担と同時に移転するものと考えられがちだが，少なくとも日本法，英国法では必ずしもそのように解釈されていない。

(i) **日本法**　民法上，所有権移転は当事者の意思表示のみで生じるとされている（民176条）。判例によれば，当事者間で明確な所有権移転時期の合意がない場合には，特定物については契約締結時，不特定物については特定時に所有権が移転するとされるが，不特定物の「特定」は「債務者が物の給付をするのに必要な行為を完了」したときに認められる（民401条2項）ことから，同判例理論に従うと，FOBで不特定物を売買する場合，買主が手配した船舶に船積港で売主が商品を船積した時点で「特定」が認められ，所有権が移転すると考えられる。他方，CIFの場合，売主の義務は買主に対する船積書類等の交付であるため，船積や商品自体の引渡しでは「債務者が物の給付をするのに必要な行為を完了」したことにならない。この点，船積書類の交付をもって船積時点に遡及して所有権が移転するとした判例がある。

(ii) **英国法**　英国動産売買法は，特定物（不特定物については特定後）のみ所有権の有効な移転が可能とする（同法16条）。移転時点について当事者間の明確な合意がない場合は契約内容その他関連事実の総合判断によるが（同法17条），一般に，売主の船荷証券交付義務の有無によって大きく分かれるとされ，売主が買主に対する船荷証券の交付義務を負うCIFの場合は船荷証券の交付時に所有権も移転し，交付義務を負わないEXW（Ex Works。工場渡し）やFOBの場合は買主または運送人に対して実際に商品を引き渡した時点（FOBの場合は船積時点）で所有権が移転すると解されている。なお，上述のとおりFOBといっても実務的には売主が船舶・保険の手配義務を負う特約を合意することが少なくない。このような場合，売主は買主に対して船荷証券の交付義務を負うため，船荷証券の交付時に所有権も移転すると考えられる。

(2) 所有権留保

売主が，売買代金債権の担保として代金全額の回収まで商品の所有権を留保する場合がある（具体的な文言例として *Variation Clause* ④）。

ただ，買主の代金不払時や倒産時に所有権留保にどのような法的効果を認めるかは国によって異なり，そもそも，輸出入取引では一般に船荷証券が発行され，船荷証券を引き渡せば，商品の支配権も事実上買主に移転するため，所有権留保の担保権としての実効性には限界がある。

以上のとおり，所有権留保による担保的効力は限定的であるが，ここでは日本法，英国法，米国法における扱いに簡単に触れておく。

(i) **日本法**　民商法は特に所有権留保について規定していないが，判例上，担保権として扱われることがほぼ確立されている。ただ，動産売買先取特権と異なり，所有権留保には転売された場合の代金債権に対する物上代位は認められないとするのが多数説であり，転売された場合の担保的効力は期待できない。また，商品の転売がはじめから予定されていた場合や，売主が転売の予定を認識していた場合は，そもそも担保権としての成立が認められない可能性が高い。

(ii) **英国法**　英国動産売買法は所有権留保を明文で認めているが（同法19条1項），担保権としての具体的な効果については解釈，判例に委ねられている。ここでも日本法と同様に転売された場合の扱いが注目されるが，単に所有権を留保する旨を規定しただけでは，転売時に何らの担保的効力も認められない。これに対し，例えば，所有権留保の規定と併せて，買主は売主の代理人（agent）として商品を第三者に売却してよい（売却代金も代理人として受け取る）とする規定があれば，売主には売却代金に対する優先回収権が認められるとされる。なお，売主の所有権留保を知らずに商品を購入した第三者には善意取得が認められている（同法25条1項）。

(iii) **米国法**　UCC 第9編が動産の担保取引（secured transactions）について定めており，担保契約（security agreement）を締結のうえ貸付証書（financing statement）の登録（filing）がされない限り，ごく一部の例外を除き，担保的効力は認められない（UCC 1-201条35項 “Security interest” も参照）。したがって，契約書のなかで代金の支払完了まで売主が所有権を保持するとだけ規定する所有権留保には，担保的効力は認められない。なお，日本法における所有権留保や動産売買先取特権に類似する動産担保権として，UCC には購入代金担保権（purchase money security interest）があるが（UCC 9-103条），単に当事者間で同担保権の発生を合意するだけでは優先担保権として認められないため，貿易取引での利用は難しい。

Variation Clause

① コンテナ・フレイト・ステーションで危険負担が移転する規定例

The risk of loss of the Products shall pass from the Seller to the Buyer when the Products have been delivered into the charge of the carrier designated by the Buyer at the Container Freight Station at Yokohama, Japan.

② ホースによる原油積込みの規定例

The title to and risk of loss of the Crude Oil shall pass from the Seller to the Buyer at the Loading Port as the Crude Oil passes the flange connecting the Seller's delivery hose and the carrying vessel's cargo intake.

③ 商品積付，均し費用の負担と危険負担の移転との関係を明記する例

Stowing and trimming of the Products on board at the port of shipment shall be effected by the Seller at the Seller's expense. Provided, however, that the risk of loss of the Products shall pass from the Seller to the Buyer, at the time when the Products have been placed on board the vessel at the port of shipment.

④ 所有権留保の規定例

The risk of loss of the Products shall pass from the Seller to the Buyer at the time when the Products have been placed on board the vessel at the port of shipment. Provided, however, that the title to the Products shall be retained by the Seller until the Seller has received the full amount of the price of the Products pursuant to the provisions of this Agreement.

このほか第3部6-④ Article 19参照。

梱包・荷印

Article ×× Package, Marking

The Seller shall securely pack the Products so as to avoid any damage in transit under normal conditions. Each package of the Products shall be clearly marked as follows:

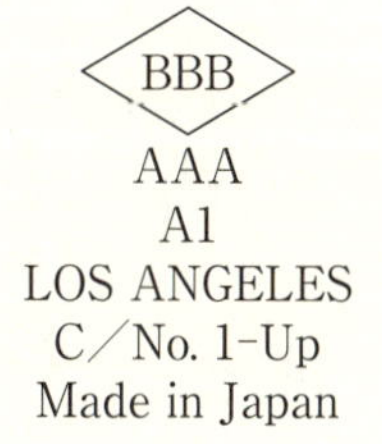

第××条　梱包・荷印

売主は，通常の状況での対象商品の運送中の損傷を防ぐため，十分な包装を施すものとする。包装された各対象商品には，次の荷印が明瞭に付されなければならない。

BBB　①
AAA　②
A1　③
LOS ANGELES　④
C/No. 1-Up　⑤
Made in Japan　⑥

1　本条のねらい

対象商品の運送途上の安全を確保するための梱包条件および対象商品と他の商品との混同を避けるための荷印に関する条件について取り決める。

2　本条作成の際の指針

(1)　梱包（package）

国際売買においては，対象商品は気候，温度，湿度の違う遠隔地間をかなりの時間をかけて運送され，またその間に積卸・積換等もしばしば行われる。したがって，運送途上の商品は，船積・荷卸時の落下・衝突による損傷，輸送中の動揺・振動による損傷などの様々な危険にさらされている。例えば，箱いたみ（case broken），梱包の摩擦いたみ（chafing），束造り貨物の乱束（bundle off），帯がね切れ（hoop off），荷役中の濡れ損（damage by wet），手鈎損傷（hook damage），油しみ（stained by oil），商品の性質から生じる変色（discolored），湿損（moisture），融解（melting），輸送中または保管中の虫害，鼠害，抜荷などである。

このような損傷から運送途上の対象商品の安全を確保し，かつ，仕向地および運送途上における対象商品の取扱いを容易に行えるようにするために，適切な梱包条件をあらかじめ売買契約中で具体的に取り決めておく必要がある。梱包には，①最終消費者に呈示されるために対象商品の１つ１つについて行われる個装，②個々の商品を一定量の箱に収めたり，外部の衝撃から商品を保護するための内仕切りや充塡をしたりする内装（packaging），③遠隔地間を輸送する際に対象商品の安全を保護するための外側の大きな梱包である外装（packing）がある。外装には，箱詰，袋詰，樽詰などがある。梱包条件は，包装材料，容器，１個の総重量，中身の重量，全体の個数，内部充塡物等の組合せで取り決められる。輸出者は，売買契約で合意した梱包条件に従って商品を梱包し，重量・容積・梱包方法について記載した梱包明細書（packing list）を作成する（実務的には，梱包業者が梱包の上明細書を作成し，輸出者が署名する）。梱包明細書は通関時，船積時に利用される。また，信用状決済の場合，通常，発行銀行への提出書類に梱包明細書が含まれるため，契約条件に沿った内容でなければ支払を受けられなくなる。

運送中の損傷の危険に対処するためには，梱包は対象商品の種類，性質に適した相当に頑丈なものでなければならない。一方，仕向地および運送途上における取扱いが容易なものでなければならない。さらに，重量や容積がかさばると運送賃が高くなったり，場合によっては輸入国の関税が割増になるなど，採算に影響を与えかねない。輸入国によっては，ガラス容器等の包装材料について，別個に関税を課す場合もあり，この点も注意が必要である。このほかに，輸入国によっては，法令により梱包について一定の条件を課し，これを満たさない梱包の商品の輸入を認めない国もある。

梱包条件を取り決める際には，対象商品の種類，性質，梱包費のみでなく，上に述べたような，取扱いの容易さ，輸送費，輸入国の規制等の事情を考慮したうえで，最小限の費用で，安全かつ確実な梱包条件を取り決められるよう，調査を行って相手方と交渉して決定していく必要がある。梱包が必要ないバラ積の場合には，その旨を明記しておくべきである。なお，コンテナ輸送の場合，無梱包すなわち外装なしで輸送されることが多い。

当事者が契約上で梱包条件につき特段の取決めをしなかった場合，インコタームズは，商品を無梱包で船積することが慣習となっている場合を除き，売主は，自己の費用でその商品の運送に必要とされる梱包を施さなければならないとしている（インコタームズ FOB 条件 A8，CIF 条件 A8 参照）。この場合の梱包とは，対象商品の種類，性質，輸送経路，船積，積卸方法，輸送中および仕向地の気候，温度，積換の回数，輸入国の梱包に関する法令・規則を考慮して，商品の輸送中の安全および商品が仕向地に無事に到着することを確保し，かつ，輸送中および仕向地における対象商品の取扱いが容易に行えるような梱包を意味する。また，商品の安全性を害しない限り，なるべく輸送費の節約が図れるものを意味すると解される。なお，大部分の商品については，商慣習上，その商品ごとにどのような梱包がなされるべきか決まっている。例えば，豆，砂糖などは袋（bag），綿花は俵（bale），雑貨品はボール箱（carton box），機械類は木箱（wooden box）などが用いられる。したがって，契約上で梱包条件につき細かな取決めをしておかなくとも済む場合もかなり多く，サンプル条項は，このような場合の売主の一般的な義務を注意的に規定したものである。梱包条件および後述の荷印について細かく規定した条文の例としては，*Variation Clause*③を参照されたい。

梱包条件を売主のオプションとしておく方法も考えられる（*Variation Clause*①参照）。この場合でも，売主は任意に梱包方法を決定できるわけではなく，前述した梱包条件について何も規定がない場合の解釈基準に従って決定される梱包の仕方に複数の方法がある場合に，その中から売主の裁量で選択できる趣旨と解される。

(2) 荷印（shipping marks）

荷印は貨物の仕向地，荷口の個数などを他の貨物と混同しないように区別し，運送人および荷受人による貨物の識別が容易になるようにすることを主たる目的とするものである。荷印が正しく刷り込まれていないと，延着，不着等のトラブルのもととなりやすい。荷印については，通常，買主から指示があるが，その指示されたところまたは売主と買主との間で取り決めたところを，サンプル条項で示したように，実際に刷り込まれるものに近い形で示して規定しておく必要がある。荷印は通常，次のもののすべて，またはそのいくつかの組合せで成り立っている。サンプル条項では次のようになっている（和訳中の番号に対応）。

① Main mark（主マーク）　荷受人を示す。通常菱形や楕円で囲う。
② Counter mark（副マーク）　荷送人を示す。
③ Quality mark（品質マーク）　内容物の品質を示す。
④ Port mark（仕向地マーク）　仕向地または仕向港を示す。
⑤ Case number（荷番号）　契約商品の連続番号を示す。
⑥ Country of origin mark（原産地表示マーク）　契約商品の原産地を示す。

対象商品の取扱い上特に注意すべき点があり，荷揚地の荷扱人の注意を喚起する必要がある場合には，荷印のほかに，HANDLE WITH CARE（取扱注意），KEEP COOL（冷所積），PERISHABLE（腐敗品），NO HOOK（手鈎無用）等の注意マークが使われる。その必要のあるときは，売買契約上に，注意マークを外装に刷り込む旨も規定しておいた方がよい。

(3) 梱包条件，荷印条件違反の効果

売主は，定められた梱包条件および荷印条件を厳格に遵守しなければならない。包装条件および荷印条件は，対象商品を特定する要素と考えられるので，これに違反した場合には，売主は，対象商品の引渡しを行わなかったことになり，損害賠償の請求，契約の解除等その責任を追及されることになる。例えば，英国動産売買法は，特定の梱包が契約上指示された場合，この特定の梱包は商品の“description”の一部を構成すると規定している（同法13条）。さらに，同法は，“description”を構成する梱包の指定は，契約上の「黙示の条件（implied condition）」にあたるとする（同条1項）。契約上の事項を「条件（condition）」と「保証（warranty）」に分類する英国法特有の二分法で，条件違反は契約解除，保証違反は損害賠償請求が救済手段となる（第1部第**5**章も参照）。ただ，現在では中間的な位置付けも認められており，梱包違反も「条件」と「保証」の中間に位置するとされる。その結果，梱包違反の程度が対象商品の「実体的な同一性（substantial identity）」に影響を与える場合は買主に契約解除が認められ，それに至らない程度の場合は，損害賠償請求が認められるにとどまるとされる。実際上の区別は難しいが，梱包が指定と異なっただけでは「実体的な同一性」が損なわれたとはいえず，買主としては，その違いによって商品の経済的価値が下がることなどを示す必要がある。

また，梱包または荷印が不完全であったり，契約条件と一致しなかった場合，運送人から無故障船荷証券の発行を拒否されたり，条件とは異なる記載のある船荷証券が発行され，このような船荷証券の受領を買主から拒絶される可能性もある。仕向地での法令違反の梱包条件の場合，前述のように，輸入が認められないこともある。さらに，荷印が正確に刷り込まれていないと罰金を科せられることもある。

Variation Clause

① 包装条件，荷印条件を売主のオプションとする例

Unless otherwise requested by the Buyer, packing and marking shall be at the Seller's option.

② 売主の標準包装基準に従って包装を行う規定の例

The Products shall be packed at the sole cost and expense of the Seller in accordance with the Seller's Shipping Packages Standards for the method of shipment specified by the Buyer, which shall be either ocean transport or air shipment. Shipping packages shall also be suitable for shipment of the Products by the Buyer within the U.S.A. via motor freight.

③ 包装条件，荷印条件について細かく規定する例

a) The Metal shall be packed in one bundle of fifty (50) pieces of 50 lbs. ingot, using three strong steel straps with stain proof treatment.

b) A packing mark for each bundle of the Metal shall be clearly marked by the Seller with black color paint or ink on the side of the bundle with two straps. Such packing mark shall indicate casting lot number, bundle number and net weight. On the reverse side of the bundle, a grade-mark of one vertical line with the following colors shall be marked by the Seller:

Grade of the Metal	Color
A1 99.85% up	Green
A1 99.70% up	Black
A1 99.50% up	White
Off-grade metal	Orange

第11章

海上保険

Article ×× Marine Insurance

The Seller shall effect all risks (Institute Cargo Clauses (A)) marine insurance with underwriters or insurance companies of good repute in the amount of one hundred and ten percent (110%) of CIF value of the Products. Any additional premium for insurance coverage in excess of the value mentioned above, if so required by the Buyer, shall be borne by the Buyer. The Seller shall, if requested by the Buyer and at the expense of the Buyer, provide insurance covering war (Institute War Clauses) and strikes (Institute Strikes Clauses) risks or any other risks as requested by the Buyer.

第××条　海上保険

売主は，評判が良く信用のある保険業者または保険会社との間で，対象商品のCIF価額の110％につき，全危険担保条件（協会貨物約款(A)）の海上保険契約を締結するものとする。上記価額を超える付保が買主により要求された場合の追加保険料は買主の負担とする。買主より要請があった場合，売主は，買主の費用で，戦争危険（協会戦争危険約款），ストライキ危険（協会ストライキ危険約款），その他買主により要求された危険につき付保するものとする。

1 本条のねらい

保険付保義務者，保険条件，保険金額，保険料の負担について取り決める。

2 本条作成の際の指針

⑴ 保険付保義務者

国際売買取引においては，対象商品は海上運送中の様々な危険にさらされており，この危険を負担する者は，これに対処するために，対象商品に保険を付けておく必要がある。しかし，これらの危険を負担する者（例えばFOB条件における買主）が，自己の費用において自ら必要な保険の手配をする場合には，売主と買主の間の契約条件として保険条件を規定しておく必要はない。国際売買取引において，その契約書中で保険条件が規定されるのは，対象商品の危険を負担する者と，海上保険の付保義務を負う者とが異なる場合である。例えば，売主が買主の費用で買主のために付保するCIP条件やCIF条件の場合およびFOB条件やCFR条件で売主が特約として買主の代理人として付保する義務を負った場合である。

非常に特殊な場合として，信用に不安のある買主を相手とし，かつ，L/C条件によらないで売買を行うような場合に，万一，対象商品が滅失した際にも売買代金の回収を担保することを目的として，買主が対象商品に付保することを契約上の義務とし，船積書類の引渡しと交換に買主から売主に保険証券を交付させ，買主が売買代金を支払うまで，売主がその保険証券を預っておくという場合がある。

このようにCIF条件のときにはインコタームズに定められた付保条件の確認となり，また，インコタームズの定めと異なった取決めをするときにはその旨の特約を規定することになる。また，その他の場合も，海上保険の付保義務者の義務の範囲を明確にし，後の紛争を防止するために，保険金額および，その他の保険条件，保険料の負担等について取り決めておく必要がある。保険条件については，第1部第**8**章の説明に譲り，以下では保険金額，保険料の負担につき説明する。

(2) 保険価額と保険金額

保険価額（insured value）とは，被保険利益の見積額をいう。実務上一般的には，保険契約締結の際に保険会社と契約者との間で協定される。一方，保険金額（insured amount）とは，保険会社が1回の事故につき塡補責任を負う最高限度額をいう。保険金額は保険価額と同額であるのが普通である。保険金額が保険価額を超える場合，保険契約者および被保険者がそのことに善意無重過失で契約の取消し・保険料の一部返還ができない限り（保険9条）超過部分は無効になってしまう。逆に保険金額が保険価額に満たない場合，保険金は損害の一部についてしか支払われないので，注意を要する。保険金額を決定する際は，実務的には希望利益を含めて，CIF価額の10% upに決めるのが普通であるが，陸揚費用等諸費用の高騰，市場価格の上昇等，CIF価額の10% upでは損害を補塡しきれない場合もあり得るので，対象商品ごとによく検討の上，パーセントを上げたり，市場価格で付保するなど十分な保険金額を設定することが必要となる。なお，インコタームズにおけるCIF条件の場合，特約がない限り，保険金額には買主のために希望利益を10%織り込むべきことが定められている。

(3) 保険料の負担

対象商品の危険を負担する者と保険の付保義務者が異なっている場合，保険料を売主と買主のいずれが負担するのかを，売買契約書上，明確に規定しておかないと後日のトラブルのもととなる。特に，戦争危険については，仕向地に戦乱等が発生すると，その保険料率が急激に引き上げられ，明確な規定がないと，その負担についてよくトラブルが生じる。したがって，輸出契約においては，契約締結時に，戦争保険料率の増加は買主負担とする旨を取り決めておくのが賢明な方法といえる（*Variation Clause* ①参照）。保険料は付保する保険条件により異なっており，この面からも保険条件を明確にしておく必要がある。また，使用される船舶によっては，追加保険料を要求されることがあり（第1部第**7**章*3*(3)参照），使用船舶に関する取決めおよびこのような追加保険料の負担に関する取決めをしておいた方がよい場合もある（とくにCFR条件での輸入の場合）（*Variation Clause* ②および第3部6-② Article 5(b)末尾参照）。

(4) 外貨事情の悪い国からのCIF条件での輸入契約

外貨事情が悪い国からの輸入契約の場合，その国の保険会社と保険契約がなされると，万一，事故が起こった場合に，保険金の受領に様々な不都合が生じる。したがって，このような国の売主との取引の場合には，FOB条件やCFR条件で契約することが望ましいが，様々な理由でCIF条件で契約せざるを得ない場合も生じる。その場合は，例えば，外国の保険会社と保険契約を締結させることを交渉したり，あるいは，売主がかける保険の保険条件を最小限のものとしてコストの低下を図り，その上で買主の方で追加の保険をかける等の方策を講じておく必要がある。

Variation Clause

① 契約締結後の保険料の増加は買主の負担とする規定の例

Any increase in the insurance premiums, including those for war and strikes risks, which may be payable by the Seller with respect to the Products after the conclusion of this Agreement, shall be for the account of the Buyer and shall be reimbursed to the Seller by the Buyer.

② 使用船舶およびこれに関する追加保険料の負担につき取り決めた例

If the Seller secures the vessel or vessel's space, the Seller shall, unless otherwise agreed in this agreement, ship the Products on a first class steamer or motor vessel classed Lloyd's ✠100A1 or equivalent, owned and/or operated by a carrier of good reputation and standing and of the type normally used in the transport of such products. The Seller shall, unless otherwise agreed in this agreement, compensate and reimburse the Buyer for any additional insurance premiums incurred by the Buyer as a result of charges made by the insurance company for insurance of the Products by reason of such vessel being an unclassed vessel, over-age vessel, broken-up vessel or for any other characteristic of the vessel or vessel's space secured for the transport of the Products.

第12章 品質保証

12-1　売主側の場合

Article ××　Warranty

The Seller warrants that the Products are as described in this Agreement. Except as expressly set forth in the preceding sentence, the Seller makes no warranties of merchantability or fitness for any particular purpose or special circumstance, nor are any other warranties made express or implied. If any of the Products fails to meet the above warranty, the Seller shall, at its option, repair or replace such Products.

The above remedies are the exclusive remedies of the Buyer for any claim that the Products fail to meet the warranty specified above.

第××条　品質保証

売主は，対象商品が本契約において記述されたとおりのものであることを保証する。前の文において明記したものを除き，売主は，商品性および特定目的または特別な事情に対する適合性について，保証を行わず，また，その他の保証も，明示であろうと黙示であろうと行わない。もし対象商品が，上に規定されている品質保証に違反している場合，売主は，その選択により，修理または交換を行うものとする。

上記の措置は，品質保証違反に基づくクレームに対する買主の唯一の救済である。

12-2 買主側の場合

Article ×× Warranty

The Seller shall convey to the Buyer good title to the Products free of any encumbrance, lien or security interest. The Seller warrants that the Products shall fully conform to any and all specifications, descriptions, designs, drawings, data, samples, models or other requirements of this Agreement, and shall be of merchantable quality, free from all defects in design, material and workmanship, and shall be fit and suitable for the purpose(s) intended by the Buyer and/or the Buyer's customer(s).

第××条 品質保証

売主は，買主に対し，いかなる負担，先取特権または担保権も付いていない状態で，対象商品の完全な所有権を移転するものとする。

売主は，対象商品が仕様書，商品説明書，デザイン，設計図，資料，サンプル，モデルまたは本契約に定めるその他の要件のいずれにも完全に合致し，商品性があり，デザイン，素材および製作技術に欠陥がなく，買主または買主の顧客の意図する目的に適合していることを保証するものとする。

1 本条のねらい

売買契約に基づき売主から買主に売り渡される商品について，売主は買主に対してどのような内容の品質保証をするかを明確にすると同時に，引き渡された商品に，斯かる品質保証への違反があったりした場合，これを理由に買主は売主に対してどのような請求ができるか，また売主は買主の請求に対してどのような義務を有するか等，商品の品質保証およびその違反に係る責任に関し，売主の義務および買主の権利の内容を取り決めるものである。

2 本条作成の際の指針

(1) 品質保証に関する規定の重要性

商品を購入する場合，買主はその使用目的に合致した商品を購入することを希望し，万一そのような使用目的に合致していない場合，あるいは，商品の品質に関して契約した内容と何らかの不適合がある場合には，修理または交換等を求めるとともにそれにより被った直接・間接損害の賠償を求めるであろう。さらに，修理または交換等ができない場合，商品価格の減額または契約を解除して代金の返還を求めるであろうし，品質保証違反およびそれに伴う契約解除により買主が直接・間接損害を被った場合，その賠償を求めるであろう。

一方，売主は，買主との契約に適合する品質の商品を引き渡す意図をもって契約の履行をするであろうから，商品に欠陥等の，契約において定められた品質との不適合があった場合，修理もしくは交換または代金の減額等一定の責任を負担することは覚悟するであろう。しかし，商品に契約上明示的に定められた品質との不適合はないものの，売主が知り得ない買主の使用目的に合致しないとか，商品を引き渡して数年も経てから契約において定められた品質との不適合が発見されたとかの理由で，商品の修理，交換，契約解除，損害賠償等を要求されることや，買主が被った間接損害まで広範に責任を負担することは受け入れられないのが通常であろう。

(2) 品質保証条項の定め方

現実に売主・買主間の紛争の多くが商品の品質に係るものであることを考えると，万一，商品の品質に問題があった場合，無用の紛争を避け，円滑な事後処理がなされるよう，できるだけ詳細に，引き渡されるべき商品の品質の保証および斯かる品質保証への違反があった場合の買主の権利，売主の義務を契約書に定めておくことが肝要となる。これらに関して契約書中に取り決めておく必要がある一般的な事項は，

① 保証する品質の内容・条件

② 品質保証違反の場合のクレーム時期およびその方法

③ 品質保証違反の場合の救済措置

が考えられる。以下それぞれにつき，一般的に契約書中に記載される内容を簡単に説明する。

(i) **保証する品質の内容・条件（warranty）** 品質表示の方法としては，いろいろあるが，第2部第***3***章の品質の項で詳述したので参照されたい。

品質の表示に加え，保証する上での条件があれば，それも明確にしておく必要がある。例えば，売主の立場からすれば，消耗品については，買主の使用に伴う自然消耗（natural wear and tear）は保証の対象外であろうし，他の商品に組み込まれて使用され，他の商品の問題によって本来の機能を果たさない場合でも，品質保証違反があるとは認められないであろう。また，売主の指示する使用方法（operation manual）を無視した買主の使用が原因で，あるいは保守が不十分なために本来の機能を果たさない場合も，品質保証違反があるとは認められないであろう。ここで注意を要するのは，通常は，合意した仕様書（specifications），商品説明書（description），見本（sample）等の内容に品質が合致していれば売主の義務は果たしたことになるが，売買時に買主の意図する特定の使用目的（particular purpose）が明示されており，その目的が売買契約の前提とされた場合，対象商品が仕様書等に合致しているだけでは足りず，その目的に適合しない場合には，商品は保証された品質に合致していないとされることがある（詳細は後述*3*を参照）点である。例えば，テキサス州の工事業者がカタログを見て，日本からブルドーザーを購入し，アラスカで使用しようとしたところ，寒冷地仕様とはなっていなかったので，冬期の寒さのため全く使用できなかったとしよう。工事業者が売主に対し，アラスカで冬期に使用することを伝え，売主も全く問題ないと伝えていれば，売主はブルドーザーがアラスカで冬期に使用するという，買主の特殊な目的に適合していること（fitness for particular purpose）を保証したことになろうが，工事業者が売主に対し，アラスカで冬期に使用することを一切伝えていなかった場合，または曖昧に伝えていた場合，果たしてブルドーザーには品質保証違反があることになるであろうか。もちろんブルドーザーは，カタログ記載の仕様には完全に合致しており，その意味での品質保証違反はない。ここで紛争となるのは，果たして売主はブルドーザーがアラスカで冬期に使用することができると保証したか否かである。

このように商品そのものに品質保証違反はなくても，買主の意図する特定の目的に適合していないために，品質保証上の問題が生じることがあるので，売主としては，そのような特定の目的に使用することまで保証しないということを明確にしておく必要があろう。

(ii) **品質保証違反の場合のクレーム時期およびその方法**　買主が品質保証違反を理由として，売主に何らかの請求をする場合，最も大切なことはその請求ができる期間の限定の問題である。対象商品の引渡し後，無期限に請求できるとなると，売主・買主間の関係が長期間不安定となるので，時間的な歯止めが必要となってくる。この問題は第2部第***14***章のクレームで取り扱っているので，参照されたい。また，買主が品質保証違反に基づくクレームをする場合においては，品質保証違反の単なる通知だけでなく，その証拠（第3部6-① Article 15 (2)参照）や第三者検査機関の証明書を添付することを義務付けたり，品質保証違反があるか否かについて売主が検査できる権利を規定する場合もよく見られる。第3部6-④ Article 17 (2)では，目的地での買主による検査・分析につき詳細に規定しているので参照されたい。

(iii) **品質保証違反の場合の救済措置**

(a) 修理と交換

商品に品質保証違反がある場合，買主を救済する方法はいろいろ考えられるが，まず考えられるのが品質保証違反のある商品の修理または交換であろう。この場合，修理または交換のみに限定されるのか，それとも修理・交換に加えて，品質保証違反のある商品を引き渡された結果として，買主の被った損害の賠償を請求できるのか否かも明確にする必要がある。修理・交換する場合，買主が，自己の費用と責任で，売主の工場まで持ってくれば，売主が修理・交換をするという考え方もあるし，商品の現在地で，売主が出向いて修理・交換を行うという考え方もある。こうした修理・交換に係る費用等（前者では商品の売主の工場までの輸送や保険等の費用およびリスク等，後者では売主が商品の現在地に赴くために要する交通費等が考えられる）をどちらが負担するかという点については，契約書上であらかじめ決めておくべきであり，場合によっては，交換した古い商品の処分も契約に明記する必要がある。また，状況により，修理・交換が適当でなければ，商品代金の減額で対応することもある。

(b) 損害賠償および契約解除

売主としては，売主の品質保証違反による買主の救済措置として，修理・交換に限定したいと考えるケースが多いが，買主としては，その他の救済措置として，品質保証違反の結果，買主が被った損害の賠償と契約の解除を望む場合も多いであろう。

品質保証違反の結果，買主が被る損害には，違反による商品そのものの損害と，付随的に発生する損害とがある。例えば，工場で使用する機械を購入したがその機械に品質保証違反があり，修理のため工場を休止し，工場での生産が停止したとしよう。この場合，買主の損害として，機械の修理等に要する費用等の直接損害のほかに，工場休止による逸失利益等の間接損害が考えられる。なお，英米法上は事案によって逸失利益（loss of profit）が直接損害に含まれることがある。売主としては，たとえ買主の救済措置として損害賠償を認める場合であっても，間接損害については範囲と金額が無限に広がる危険があり，売主はそのような間接損害についての責任は負わないと規定すべきであるし，また，直接損害に係る責任についても，商品代金を責任上限金額として設けることが望ましい。例としては，以下のような記載が考えられる。

The Seller shall not be responsible for any consequential or indirect damages whether in contract, tort or otherwise, and in no event shall the Seller's liability for any claim of any kind exceed the purchase price of the Products.

（訳：売主は，契約，不法行為その他の理由に基づくかどうかを問わず結果的損害または間接損害について一切の責任を有しないものとし，また，いかなる場合においても，買主のクレームに対する売主の賠償責任は，商品の価格を超えないものとする。）

逆に，買主の立場からすれば，上記のような売主の損害賠償責任の制限を受け入れることには慎重になるべきであるし，また，契約条件に不適合な商品を引き取ることではそもそも当初の契約の目的を達成できないケースもあり，そのような場合を想定して，上記の損害賠償請求権と共に，契約を解除して対象商品の引取りを拒絶（rejection）することができる旨規定しておいた方がよいだろう。

(3) 品質保証条項が契約で規定されていない場合

もし，売主・買主間で商品の品質保証の条件や，商品に品質保証違反があった場合の買主の救済措置につき合意されていなければ，品質保証の内容およびそれに違反した場合の救済については，契約の準拠法の規定に従うことになり，法律の明文の規定がなければ判例・慣習等によって判断されることになる。

契約の準拠法が日本法であれば，売主が引き渡すべき商品に品質保証違反等の契約不適合があるときの買主の救済措置について，あらかじめ容易に知ることができるが（後述 *3* 参照），契約の準拠法が外国法の場合，不明な点が多いであろう。本来であれば，外国法の内容について事前に調査してその内容を知った上で契約を締結しなければ，売主の義務および買主の権利の範囲がどの程度かわからず，負担するリスクについての評価ができないため非常に危険である（この点については，第2部第 ***18*** 章の準拠法の項を参照されたい）。したがって，品質保証の内容や商品に品質保証違反がある場合の買主の救済措置について，明確にしないまま契約を締結し，外国法に基づいて解釈または解決されるような事態は極力避けたいところである。そのため，日本法を契約準拠法としない国際売買契約を締結する場合，売主・買主間で契約条件をできるだけ詳細に取り決めておき，外国法に基づいて解釈または解決される余地をできるだけ少なくしておくことが肝要であろう。なお，契約条件を詳細に規定する場合であっても，準拠法上，そのような契約の規定が有効か否かという点につき注意を要する。ただ，商取引法の分野では，ほとんどが任意規定であることが多く，その場合，当事者間の約束が当該法律の規定に優先するのが原則である（第1部第 ***6*** 章 *1* 参照）。もっとも品質保証およびその違反に係る責任に関する事項については，例外的なものもあるので留意されたい（例えば，日本の民法572条によれば，品質保証違反等の契約不適合責任を免除する特約は，売主が知っていて買主に告げなかった事項については適用されない）。

品質保証違反に関するクレーム・レターの例については，第3部10-⑤，10-⑥を参照されたい。

3 品質保証に関する法制

売買契約の中で品質保証およびその違反に係る責任についての特約をしない場合，まず契約準拠法の規定により解決され，法律上の規定がない場合には，判例，慣習により解釈されるであろうことは上述のとおりである。ここでは主要国およびCISGの法制について簡単に考え方を述べる。

(1) 日 本

日本法上は，種類物に関して中等の品質とする旨規定する民法401条および特定物に関して引渡しをすべき時の品質を契約等において定めることができない場合において現状有姿での引渡しを求める同法483条以外，品質保証について特に規定はない。したがって，売主と買主間で明示または黙示による約定がない場合，品質についてどのような保証が与えられたかが問題となるが，判例・学説では，商品が通常有すべき品質および性能を備えていることとされている。

引き渡された目的物が当事者間で合意した（または法律により解釈された）品質や，種類または数量に関して契約の内容に適合しないものであるときは，買主は売主に対し，目的物の修補，代替物の引渡しまたは不足分の引渡しによる履行の追完を請求でき（民562条），追完がなされない場合には，不適合の程度に応じて代金の減額請求ができる（民563条）。また，この目的物が契約の内容に適合していなかった場合の売主の責任は，債務不履行責任であるため，損害賠償請求権や契約解除権の行使も原則として妨げられない（民564条）。

損害賠償の範囲については，第1部第**6**章*1*(1)を参照されたい。

(2) 米 国

米国法は日本法と異なり，売主および買主間で品質に関する特約がない場合に，売主が買主に対して約束したとみなされる品質保証に関するかなり明確な規定がある。UCCによれば，売主より買主に対してなされた事実の確認や約束，対象商品についての商品説明書（description）またはサンプルやモデルの提示等は，それらが取引の前提として使われるなら，それらに合致しているという明示の保証になる（UCC 2-313条）。そして，商人である売主が販売する商品については，商品性（merchantability）を有していること，また，買主が特定の使用目的のために商品を必要としており，これにふさわしい商品を提供・選別してくれるであろう売主の技能や判断を信頼して購入しようとしていることを売主が契約の締結時において知るべき理由があるときは，商品がその買主の特定の使用目的に適合していることにつき，売主が買主に対して黙示的に保証したことになる（UCC 2-314条1項・2-315条）。さらに，契約の交渉過程（course of dealing）や取引慣習（usage of trade）によっては，その他の黙示的な保証が生じることもある（UCC 2-314条3項）。

これらの明示または黙示の品質保証の内容を修正・排除するなど，当事者間で異なる約束をすることも可能だが，米国法の場合，その修正または排除のやり方まで詳細に規定している（UCC 2-316条）。例えば，商品性および特定目的への適合性の修正または排除については明確（conspicuous）な方法で行うこととなっており，国際売買契約においてよく品質保証に関する条項をそこだけ大文字で書いたりしているのはこのことに起因している。

売主より買主に引き渡された商品が契約内容に適合していない場合，買主の救済措置としては，商品の受取りの拒絶（UCC 2-601条），代替品の調達および当該調達により買主に生じた損害の売主への賠償請求（UCC 2-712条），直接損害の賠償請求（UCC 2-714条），間接損害の賠償請求（UCC 2-715条），特定履行（UCC 2-716条），代金からの減額（UCC 2-717条）が認められており，さらに，それらの権利の修正または制限についても明確な規定（UCC 2-719条）がある。

UCCにおいて，直接損害は，日本法と同じく不履行により通常生じるべき損害と表現されているが，さらに一歩踏み込んで，品質保証違反の損害の算定については，特別の事情がない限り，実際に買主が受け取った品質保証違反のある商品の価値と品質保証どおりの商品を受領していたらあったであろう商品価値との差であると定める（UCC 2-714条2項）（英国においても，同様の規定が英国動産売買法53条3項にある）。また，間接損害については，不履行によって検査，保管，輸送，手数料その他合理的な範囲で買主が支出した諸掛を incidental damages といい，また，契約の締結当時に売主が知るべきであった特別の事情による損失と，人または財産に対する損害を consequential damages として区分している（UCC 2-715 条）。

以上のとおり，米国法にはかなり詳細な規定があるが，法律そのものが売主・買主間に特約があることを予定しており，実際の取引においても契約上で明文の規定を置くのが一般的となっている。

(3) 英　国

英国動産売買法によれば，買主が現物を見ることなく商品説明書（description）を信頼して売買契約を締結した場合，その商品はその商品説明書に合致しているという黙示の保証があることとなる（同法 13 条 1 項）。業として当該商品を販売する者は，販売した商品が“satisfactory quality”であること（商品説明，価格，その他の関係する事情を考慮して，合理的な人であればその品質について満足がいくであろう基準を満たしていること）について黙示の保証をしたものとされ（同法 14 条 2 項），また，業として商品を販売する売主に対し，買主がその使用目的を知らしめた場合には，買主が売主の有する技能や判断を信頼して購入に至ったわけではない（あるいは，そう信頼することが不合理である）というような事情がない限り，その目的に合理的に適合するという黙示の保証があることになる（同法 14 条 3 項）。さらに，売買契約において明示的または黙示的に見本売買（sale by sample）であることが前提とされている場合，商品はその見本に合致しているという黙示の保証があることとされる（同法 15 条 2 項）。

売主より買主に対して引き渡された商品がその品質保証に違反している場合，買主は商品代金の減額をするか，または損害賠償の請求をすることができる（同法 53 条 1 項）。

品質保証違反に伴う買主の権利行使は合理的な期間内に行わなければならないが，何をもって「合理的な期間」とするかについては，買主が引き渡された商品の受入検査をするために合理的な機会が与えられたかどうかなどの事情を考慮して，個別に判断される（同法 35 条 2 項 4 項 5 項・59 条）。

(4) 中 国

売主は約定の品質基準に合致した目的物を買主に引き渡さなければならない。売主が品質について説明した場合は，目的物の品質はその説明した品質基準に合致しなければならない（中国民法615条）。契約書上，商品の品質基準について約定がない場合，または，約定が不明確な場合で，当事者の協議によってもなお確定できないときは，国家または業界の標準が適用され，これらが存在しないときは，取引慣行または通常の標準もしくは契約の目的に合致する特定の標準が適用される（同法616条・510条・511条1号）。売主が引き渡した目的物が品質基準に合致しない場合は，売主は約定に従い契約不履行責任を負う。契約不履行責任について特に約定がない場合，または，約定が不明確であり，当事者の協議によってもなお確定できない場合は，目的物の性質および損失の程度に応じ，修理，交換，やり直し，返品，価格の減額など，買主が合理的に選択した救済措置を売主に対して請求することができる（同法617条・582条）。また，売主が当該救済措置を講じた後になお買主に損失があるときは，売主はその損失を賠償することとされている（同法583条）。

(5) CISG

CISGは，35条において物品の契約適合性に関する売主の責任を定めている。具体的には，同条1項において，売主は，契約で定めた数量，品質および種類に適合し，かつ契約で定める方法に従って包装された物品を引き渡さなければならないことを定めている。また，同条2項において，当事者間で別途定めのない限り，①同種の物品が通常使用されるであろう目的に適合していること，②契約締結時において売主に対し明示的または黙示的に知らされていた特定の目的に適していること，③売主が買主に見本またはひな形として示した物品と同じ品質を有すること，および④その種類の物品にとって通常の，または適切な方法により，収納または包装されていること，の条件を満たさない物品は契約不適合となると定めている。ここでいう「契約不適合（lack of conformity）」とは，質的な相違のみならず，数量の相違，異種物の給付および不適切な包装なども含むとされている。なお，売主は，契約締結時点で買主が知っていた（あるいは，知ることができたであろう）商品の契約不適合については，責任を負わない（同条3項）。CISGにおいては，斯かる不適合品の引渡しは，一元的に契約違反として処理される。

Variation Clause

① 品質保証の期間とクレーム通知の方法を定める例

The aforesaid warranty shall be extended for two (2) years from the date of the shipment of the Products and if, during such two (2) year period, any Products fail to meet the said warranty, the Buyer shall notify the Seller of the failure within fifteen (15) days after the Buyer has or should have noticed such failure. If the Buyer fails to issue such notice within fifteen (15) days, the Buyer shall not be entitled to any remedy in respect of such failure.

② 品質保証ではないが商品が法律や規則に合致する旨を保証する例

The Seller warrants that the Products shall be in compliance with all existing governmental laws, regulations and rules applicable to the Products in the country into which the Products shall be imported.

③ 商品が買主により加工または他の商品と組み合わせて使用される場合の売主の免責を定める例

The Buyer shall assume all risks and liabilities resulting from the use of the Products in its manufacturing or processing or by use of the Products in combination with other goods.

④ 商品が一定の性能をもつ旨保証する例

The Seller warrants that the Products shall meet all performance guarantees specified in this Agreement or published by the Seller as applicable to the Products.

⑤ 一定割合の商品に品質保証違反がある場合，残りの商品についても修理等を行う旨定める例

Where a failure of warranty occurs as to ____% or more of the Products within the warranty period, all Products shall be inspected and if necessary repaired or replaced under the warranty.

⑥ 契約不適合のある商品の検査，修理等のための返却費用を売主負担とする例

All expenses incurred as a result of returning any part or all of the non-conforming Products for examination, modification or repair shall be for the account of the Seller.

⑦ 修理または交換後の商品は，買主が売主の工場で引き取る旨定める例

The Seller shall, at its option, repair or replace the Products or part thereof, and in either case, the Buyer shall take delivery of such Products at the Seller's factory.

⑧ 品質保証違反や欠陥のある商品の修理がうまくいかない場合，価格調整をする例

If the failure of warranty or defect cannot be corrected by the Seller's reasonable efforts, the parties shall negotiate an equitable price adjustment.

⑨ 自然の磨耗や買主による不適切な使用方法等を品質保証の対象から除外する例

The warranty shall not apply to any part of the Products which (i) are normally consumed in operation, (ii) are not properly stored, installed, used, maintained, repaired or modified, (iii) have been subjected to any other kind of misuse or detrimental exposure, or (iv) have been damaged in an accident.

⑩ 売主の保証期間中における一定量のパーツ保管義務を定める例

The Seller shall maintain a stock of parts in quantities sufficient to meet the warranty obligations during the warranty period.

⑪ 商品が売主またはそのメーカーが販売している同種商品に通常備わっている程度の品質を有する旨定める例

The Products shall have the usual production qualities attached to like goods being sold by the Seller or the Seller's supplier at the time and place of delivery.

⑫ 新品でない物の売買で何ら品質保証しない旨定める例

The Products sold hereunder are purchased by the Buyer on an "AS IS, WHERE IS" and "with all faults" basis and the Seller does not warrant that the Products are of merchantable quality or that they can be used for any particular purpose.

⑬ メーカー，売主（商社）および買主（顧客）の三者間で売買契約を締結するケースにおいて，売主が，中間業者としてメーカーと買主間の取引関係に入る場合で，商品については中間業者である売主は明らかに売主に原因がある場合を除いて一切責任を負わない旨定める例

The warranty given by the Supplier with respect to the Products and all conditions relating thereto are as set forth in the Exhibit A attached to this Agreement. The warranty specified above shall pass directly from the Supplier to the Buyer, and the Buyer shall directly claim against the Supplier in accordance with the Exhibit A. The Seller shall be free from and expressly disclaims any obligation or liability (including liability for any consequential or indirect damages) with regard to or as a consequence of any warranty claim, defect in the Products or any intellectual property right in the Products, unless it is incurred by reasons clearly attributable to the Seller.

第13章

知的財産権

Article ×× Patents, Trademarks, etc.

The Seller shall not be responsible to the Buyer for any infringement, alleged or otherwise, of any patent, utility model, design, trademark, copyright or other intellectual property right in connection with the Products, except for the infringement of any Japanese patent, utility model, design, trademark or copyright. The Buyer shall, however, hold the Seller harmless from any such infringement of the said Japanese rights arising from or in connection with any design, pattern or specification given by the Buyer to the Seller.

第××条　特許，商標等

売主は，日本の特許，実用新案，意匠，商標または著作権の侵害の場合を除き，対象商品に関する特許，実用新案，意匠，商標，著作権またはその他の知的財産権の侵害について，買主に対し一切責任を負わない。ただし，上記の日本法上の諸権利の侵害が，買主から提供されたデザイン，図案または仕様に起因・関連する場合については，買主は売主に対して一切迷惑をかけない。

1 本条のねらい

売買した商品が第三者の特許，商標等の知的財産権（特に仕向国における）を侵害する事態が発生した場合の売主・買主間の責任関係を明確にする。

Column ⑧ 知的財産権と工業所有権の違い？

知的財産権に類似する用語として，「工業所有権」がある。この用語は，1883年にパリで締結された工業所有権の保護のための条約（パリ条約）に採用されて国際的に通用するようになった。同条約1条2項は「工業所有権の保護は，特許，実用新案，意匠，商標，サービス・マーク，商号，原産地表示又は原産地名称及び不正競争の防止に関するものとする」といい，さらに1条3項は「工業所有権の語は，最も広義に解釈するものとし，本来の工業及び商業のみならず，農業及び採取産業の分野並びに製造した又は天然のすべての産品（……）についても用いられる」といっており，非常に広い意味に解されている。しかし，わが国では，工業所有権の語は特許権，実用新案権，意匠権，商標権（サービス・マークを含む）だけを呼称する狭い意味に慣用されており，これに著作権および営業秘密等を含めて総称する場合には，知的財産権という語が使われている。なお，平成14年に策定されたわが国の「知的財産戦略大綱」においては，工業所有権の語は「産業財産権」という語に改められたが，現在でも工業所有権の語は使用されている。

2 本条作成の際の指針

特許，商標等の知的財産権は，有体物の所有権と同じように排他的独占権としての性格を有する。すなわち，知的財産権者は，その対象である発明，考案，商標などを他人の競合的利用を排して独占的に実施または使用できるとともに，他人がそれらを不法に実施または使用した場合には，いわゆる権利侵害として知的財産権者に妨害排除のための差止請求権や損害賠償請求権が与えられている。具体的にどのような行為が知的財産権の実施または使用に該当するかはそれぞれの法律に規定されているが，簡単にいうと，当該権利にかかわる物の生産，使用，貸与，譲渡，輸入等を業として行うことである。したがって，売買した商品が仕向国において第三者の特許権，商標権等の知的財産権に抵触する場合は，まさに買主の輸入，販売，または使用行為が権利侵害となり，買主は権利者から使用差止請求や損害賠償請求を受けるおそれがある（売主も買主とともに事件の当事者とされるケースもあるが，まずは仕向国に所在する買主を相手として請求してくるのが通例である）。

それでは，買主が権利者からこのようなクレームを受けて損害を被った場合，その損害は売主・買主のいずれが負担すべきであろうか。

国内取引であれば，一般的には売主は，商品に物理的な欠陥のないことを保証しているだけでなく法律的にも欠陥のないことを保証しているのであり，第三者の知的財産権を侵害していないことの保証もしているものと考えられている。したがって，当事者間で取決めがなされていないときは，買主が権利者から知的財産権侵害を理由にクレームを申し立てられ，その結果，損害を被ったときは，買主は売主に求償できることになる。しかし，国内取引と違い国際売買取引において，売主が仕向国の知的財産権法制や権利関係の調査を十分に行うことは困難であり，むしろ買主こそ自己の購入する商品が自国の知的財産権に抵触するか否か調査できる立場にあるともいえるのであり，すべてのケースについて売主に責任を負わせることが衡平の観点からみて妥当であるか疑問である。また，権利侵害というと仕向国における権利の侵害が通常であろうが，輸出国における知的財産権の侵害という事態も考えられる。特に，買主が仕様等を指定してきた場合に問題が生じやすいといえよう。

売主・買主のどちらがこのリスクを負担することになるかは，多くの場合，両者の力関係により決まるであろうが，契約締結に至る経緯，契約当事者の地位，商品内容（規格品か買主の特注品か）等を考慮して決定すべきであろう。

サンプル条項は日本から輸出する場合の規定であるが，売主は日本法上の知的財産権を除きいかなる国の知的財産権の侵害についても買主に対して一切責任を負わないという売主に有利な規定となっている。

3 知的財産権侵害と売主の保証に関する法制

商品が第三者の知的財産権を侵害しないという売主の保証に関する主要国の法制は，次のとおりである。

(1) 日 本

日本においては，この点について，法文上，直接の規定はなく，またこの問題を取り扱った判例も未だ見あたらないようである。しかし，買主が当該商品に対する所有権者としての権利行使を妨げられるということであれば，売主は，売主が買主に移転した権利が契約の内容に適合しないものであるとして，債務不履行の責任を問われることになる（民565条）。

(2) 英 国

英国動産売買法12条によると，売買契約において，特に異なった当事者の意図が示されている等の事情がない限り，売主は買主に対し，

① 売主が商品を売却する権限を有するものであること

② 商品について担保権が一切存在しないこと

③ 買主が商品の占有を平穏に行うことができること

の黙示の保証をしたものとされる。

この黙示の保証に関し，商品に付された商標が他人の登録商標を侵害するときは，売主は，法的手続によりその商品の販売を差し止められてしまうので，売却権限がなく保証違反になるとの判例がある（Niblett, Limited v. Confectioners' Materials Company, Limited［1921］）。このように，商品が他人の特許権や商標権などの知的財産権を侵害する場合であって，本来，売主として買主に売り渡すことが違法である場合には，この黙示の保証に対する違反となろう。

(3) 米 国

UCC 2-312条3項によると，売主が同種の商品を通常取引している商人である場合には，当事者間で別段の定めがない限り，売主は商品に関し，第三者

からの権利侵害または類似の理由による適法な権利の主張が存在しないことの保証をしたものとされる。そして，この第三者の権利には，特許権や商標権などの知的財産権が含まれる。ただし，商品が買主から売主に対しあらかじめ与えられた仕様書（specifications）に従ったものであるときは，その仕様書に従ったことによって生じた第三者からの知的財産権侵害の主張に対しては，買主は売主に対して損害を被らせないようにしなければならない。

なお，買主がかかる知的財産権侵害の理由により，第三者から訴訟を提起されたときは，訴状受領後，合理的な期間内に売主にその旨を通知しないと，買主は売主に対して求償できない（UCC 2-607 条 3 項 6 項）。

(4) 中　国

中国民法 612 条において，売主は商品につき第三者が買主に対しいかなる権利の主張もしない旨保証する義務を負うと規定している。また，同法 614 条において，買主が確かな証拠をもって，第三者が目的物に対し権利を主張する可能性があると証明した場合は，買主は代金の支払を拒絶することができるとされている。したがって，買主が当該商品に対する所有権者としての権利行使を妨げられる，またはその可能性がある場合には，売主は当該規定に基づく責任を問われるおそれがある。

(5) CISG

売主が，物品が再販売もしくは使用される国または買主の営業所の存する国の工業所有権またはその他の知的財産権（industrial property or other intellectual property）に基づく第三者の権利，請求の存在を契約締結時に知り，または知らないことがあり得なかった場合には，売主にはそのような第三者の権利，請求の付着しない物品を引き渡す義務がある旨を定めている（CISG 42 条 1 項）。ただし，買主が契約締結時にそのような権利，請求の存在を知り，もしくは知らないことがあり得なかった場合または売主が買主の仕様書などに従ったことにより第三者の権利，請求が生じる場合には，売主の上記の義務はない（同条 2 項）。また買主が第三者の権利，請求の存在を知り，または知り得べきであった時から合理的期間内に，売主に対してその権利・請求の内容を特定して通知しないときは，売主に対しての権利を失う（CISG 43条1項）。

4 継続的販売契約の留意点

販売店契約（distributorship agreement）などの継続的販売契約においては，知的財産権に関してスポット契約とは違った観点からの検討も必要である。

(1) 知的財産権の侵害

販売店契約などにおいて知的財産権侵害という場合，2つの点からの検討が必要である。

第1点は，売主が仕向国において特許権，商標権などの知的財産権を有する場合に，第三者の商品がこの売主の知的財産権を侵害するときであり，第2点は，売主の商品が第三者の知的財産権を侵害する場合である。

第1の問題については，第三者の侵害行為に対して早急に適切な措置をとることが必要である。特に商標を不正使用されると，売上が減るばかりでなく，第三者の商品が粗悪品だと，売主の商標の信用力が低下し，売主，販売店とも損害を被ることになる。販売店はこのような第三者による権利侵害の事実を発見したときは，販売店自身の損害にもなるのであるから売主に対してすばやく報告し，何らかの対抗措置を求めるのが通常であろう。売主としても，販売店が侵害を発見したときの通知義務および売主が対抗措置をとるに際しての販売店による協力義務を契約で課すことがある（*Variation Clause* ④参照）。権利保全の重要性を考えると，防衛措置を販売店任せにせず，権利者たる売主が自己の費用で積極的に行うべきであろう。

第2の問題点については，本章*2*で述べたとおりであるが，売主が仕向国における知的財産権などの侵害に対して責任を負わない契約条件だったとしても，売主として販売店に対しできるだけの便宜供与を行うなどの協力をすることもある（*Variation Clause* ⑤参照）。場合によっては，訴訟費用の負担を折半とする定め方もある。ただ，もし第三者の訴えにより商品の販売が差し止められると，以後その国へは輸出ができなくなるのであり，自ら積極的に防御することも考えられる。

特許等の侵害については，通常，裁判や仲裁において争われると考えられるが，米国においては，米国国際貿易委員会（International Trade Commission：ITC）において，特許等の侵害についての争いが持ち込まれるケースがある。ITC は，米国の国内産業に対して損害を与えるダンピングや輸入品の知的財産権の侵害などを調査分析し，不公正な貿易を是正することを目的に設立された，連邦政府の準司法的な独立した機関であり，知的財産権侵害製品の通関を禁止する排除命令や輸入を中止する停止命令を出すことができ，ITC から出された命令は税関により執行され，差止めと同等の効果をもつ。一般に，ITC の審理等にかかる手続のペースは連邦裁判所におけるそれよりも速く，したがって，質問状や証拠開示の請求に対してはより短期間での対応を求められる。また，侵害に係る損害賠償請求は審理等の対象とはされないため，知的所有権侵害等の被害を受けた企業等は，通常，同時並行的に各米国連邦地方裁判所に提訴を行う。

⑵　知的財産権の不正登録

ある商品を継続的に輸出する場合，販売店が売主に無断で自らの名義で特許または商標等の知的財産権を自国において登録してしまう可能性も考えられる。この場合，売主が自らまたは他の販売店を起用してその国で当該商品を販売しようとしても，輸入を差し止められたり，別の商標を付けなければならないという事態になりかねない。かかる販売店による知的財産権の無断登録の危険性を防止するためには，売主が仕向国において事前に特許，商標等の知的財産権の出願をし，権利を確立すべきであるが，販売店契約上においても，販売店による知的財産権の登録を禁止する規定や知的財産権は販売店に与えるものでなく売主に帰属する旨の規定を設けることが必要であろう。

日本の特許法は，特許を受けることができるのは発明者およびその承継人に限られると定め，いわゆる発明者主義をとることを明確にしている。発明者主義は今日では世界の趨勢である。また，特許出願の優先については，発明者およびその承継人のうち最初に特許出願をした者に特許権が付与される先願主義と，最初に発明した者のみが特許出願できるとする先発明主義の2つの制度があったが，先発明主義を採用していた米国が2011年に特許改革法を成立させて先願主義を採用（2013年3月から施行）したことにより，先願主義が世界の趨勢となっている。国によっては，発明者またはその承継人が特許出願をしているのか否かの審査能力に乏しいため，このような立場にない者により特許出願がなされる場合にも，特許を認めてしまうこともあり，後で真正な発明者またはその承継人が取消しを行うのに多大の労力を要することとなる。

商標についていえば，商標権は登録により発生するという登録主義と使用の事実に基づいて認める使用主義とがある。登録主義の下では，商標の使用の事実の有無を問わず登録が認められ，また，最も先に出願した者を権利者として登録する先願主義と結び付く（販売店が無断で出願してしまった場合には，そのまま権利者として認められかねない）。一方，使用主義の下では，先に使用している者に商標の権利が認められる（万一，販売店が先使用を主張して無断登録をしてしまうと，これを取り消すには相当の時間がかかり，容易なことではない）。

工業所有権の保護に関するパリ条約の1958年リスボン改正による6条の7で商標権者の代理人などの地位にある者が正当な理由なく自己名義で商標登録の出願をしたときは，商標権者は異議，無効を申し立てたり，登録を自分に移転するよう請求できるほか，その商標の使用差止めができるとしている。日本でもこの改正批准に伴い商標法および不正競争防止法の必要な改正を行った。しかし，輸出先国が条約に加盟しているとは限らず，また，販売店がダミー名義で登録したような場合には，商標権者がこの条約の規定に基づいて権利行使するのはなかなか困難であろう。また，販売店からは，この商標は長年の自分の販売活動と努力により輸出先国において著名となったものであり，売主の商標というよりもむしろ自分の商標として知られているというような主張をしてくることもあるかもしれない。

Variation Clause

① 買主免責の例

The Seller shall hold the Buyer harmless from any claim or dispute which may arise from or in connection with infringement of any third party's patent, utility model, design, trademark, copyright or any other intellectual property rights in relation to the Products. The Seller shall indemnify, reimburse and compensate the Buyer for all losses and damages including costs, expenses and charges for legal actions taken by the Buyer, which the Buyer may incur as a result of any such claim or dispute.

② 知的財産権に関し紛争が生じたときに，売主（買主）が契約解除権を有する例

In the event that any dispute or claim arises in connection with infringement of any third party's patent, utility model, design, trademark, copyright or any other intellectual property rights in relation to the Products, the Seller (the Buyer) may in its sole discretion cancel this Agreement or any part thereof and in such case shall be free from such liability arising therefrom.

③ 商品に付随する知的財産権は買主に譲渡したものではなく，売主が留保していることを明確にする例

Nothing herein contained shall be construed to be a transfer of any patent, utility model, trademark, design, copyright or any other intellectual property rights in the Products, and all such rights are expressly reserved by the Seller as the true and lawful owner thereof.

④　第三者による知的財産権の侵害に関し，買主の売主に対する通知義務および協力義務を課す例

If the Buyer becomes aware that the Seller's patent, utility model, design, trademark, copyright or any other intellectual property rights are disputed or infringed by a third party, the Buyer shall promptly inform the Seller and assist the Seller to take steps necessary to protect its rights.

⑤　売主は，販売した商品が第三者の知的財産権を侵害しているとして，当該第三者から買主に対しクレームがなされた場合であってもその責めを負わないが，金銭的負担を除き，売主が必要と考える範囲内で買主による当該クレームへの防御に協力するという例

The Seller shall not be liable to the Buyer for any claim of infringement, alleged or otherwise, of any patent, utility model, design, trademark, copyright or any other intellectual property right by a third party in relation to the Products. However, the Seller shall render such assistance as the Seller deems necessary at its sole discretion other than financial assistance to the Buyer in defending such claim.

第14章 クレーム

Article ×× Claims

The Buyer shall give the Seller written notice of any claim within thirty (30) days after the arrival of the Products at the port of destination, or within six (6) months after the arrival of the Products at the port of destination in the event of a latent lack of conformity. Unless such notice, containing full particulars of the claim and accompanied by proof certified by an authorized surveyor, is sent by the Buyer within such thirty (30) day or six (6) month period, as the case may be, the Buyer shall be deemed to have waived all claims.

第××条　クレーム

買主は，いかなるクレームについても対象商品の仕向港到着後30日以内，または隠れた契約不適合の場合は同6か月以内に，書面による通知を売主にしなければならない。この30日または6か月以内にクレームの詳細を記し，かつ，権限ある検査人によって証明された証拠を付したクレームの通知の送付がないときは，買主はすべてのクレームを放棄したものとみなされる。

1　本条のねらい

売買の目的物として引き渡された対象商品の品質や性能に契約の内容との不適合があったり，数量が不足していたりした場合に，買主の売主に対するクレームの時期，方法等について明確にする。

2　本条作成の際の指針

(1)　検査通知義務の意義

売主は，契約条件に適合した商品を供給する義務があり，商品の種類や品質・性能に契約の内容との不適合があったり，数量が不足していたりした場合には，買主は売主に対し，斯かる契約不適合に関し，債務不履行責任（契約不適合責任）を追及することができる。しかし，対象商品が買主に引き渡されてから長期間経過してからでもそのような主張ができるものとすれば，商品引渡し時に契約不適合があったか否かの調査は困難となるばかりでなく，売主としては商品の仕入先に対して同じ主張をすることができない可能性があり，適切な善後策をとれないことにもなる。このように長期間にわたって取引関係を不安定な状態におくことは，迅速性を必要とする商取引にとって妥当ではないので，主要国の法制においては，後述するように，買主に一定期間内の検査通知義務を課して売主の利益の保護を図っている。

したがって，買主としては，対象商品を受け取った後適当な検査をしたか否か，適当な時期に売主に対して通知をしたか否かが，買主が対象商品の契約不適合を理由に救済を受けられるかの鍵となる。しかし，検査方法・時期・程度の妥当性，通知時期・通知内容の妥当性は，商品の種類，数量，買主の地位等に応じて具体的に判断されねばならず，また各国法の規定の仕方も異なっているため，その判定は必ずしも容易でない。各国法上の検査通知義務に関する規定は，その多くが任意規定であると考えられるが，その場合，両当事者間の合意によりこれと異なる内容の取決めも有効であることから，後日の紛争を避けるためにも通知時期，方法等について明確に取り決めておく必要がある。なお，

第2部第**5**章の検品・検量においては，検査のみならず検査の結果，不合格となった場合の手続を記載したサンプル条項を掲げてあるので，これによる場合には，別段，クレームの条項を設ける必要はなくなる。

⑵　通知期間の定め方

通知期間については，売主としてはできるだけ短く，買主としてはできるだけ長く取り決めるのが有利であるが，通知期間が余りにも短すぎて実質的に買主に検査する機会を与えないようなときは，そのような取決めの有効性について争われることがあり得るので注意を要する。なお，FOBやCIFの引渡条件で売買される場合，本船への積込みをもって売主の引渡義務が完成したとみられるが，買主の検査通知義務の発生のためには，買主が現実に検査できる状況におかれることが必要で，本船積込日または船荷証券交付日を通知期間の起算点とすることは妥当でない。一般に通知期間の取決めにあたっては，買主が商品を検査するのに要する時間および通知が遅れたことによって売主が損害を被る危険性を考慮して，その期間が売主・買主いずれにも極めて不合理とならないよう配慮すべき必要があろう。また，商社のような買主が転売を目的とする場合，自らは検査せず最終需要家の検査に任せるのが通例であり，この点も通知期間を取り決める際に考慮しておく必要がある。

⑶　検査方法の定め方

サンプル条項では対象商品の仕向港到着後，検査により発見できる契約不適合については30日以内，検査で直ちに発見できない隠れた契約不適合については6か月以内にクレームしなければならない旨規定している。検査で直ちに発見できない契約不適合とは，一般的に，その業種の商人が取引上，通常の注意と方法で検査したにもかかわらず発見できない契約不適合をいうものと考えられるが，当事者間で検査方法，検査機関を定めることにより疑義が生じないようにすることが望ましい（第2部第**5**章*2*⑶参照）。このような取決めのないときに，何が通常の検査方法であるかを決定するためには，一般取引慣行，当事者間における過去の取引状況等からみて，いかなる検査方法が通常とられているかが重要となる。したがって，多量の商品を売買する場合において，抜取検査が通常の検査方法であるとみなされる場合においては，抜取検査をすれば十分であり，そのすべてまたは大部分を検査しなければ発見し得ない契約不適合は，サンプル条項の例でいうと6か月以内に発見して通知すればよいのであって，30日以内に通知しなくとも買主の権利が失われることにはならない。また逆に，現実には検査で発見されなかった契約不適合であっても，通常の検査で発見し得た契約不適合であれば，サンプル条項の例では30日以内に通知しないと買主として救済を受けられなくなるので注意を要する。

(4) 通知の内容

次に，通知の内容であるが，国際売買取引においては，国内取引と違って売主が通知を受け取っても直ちにその商品に欠陥があったか否かの調査をすることは容易でなく，また十分な根拠もなく安易にクレームをしてくる買主もいることから，クレームをする際にはサンプル条項のように契約不適合の詳細な報告をさせたり，権威ある検査機関の検査報告書を付けた書面を要求することも，売主側からみた場合には検討するに値する（第3部6-① Article 15(2)，6-④ Article 17など参照）。

なお，対象商品が契約不適合品であった場合に，買主から多額の損害賠償を請求されることがあり，これを防ぐため，あらかじめ売主の負担する損害額を制限する規定をクレーム条項に併せ挿入することがあるが，詳しくは第2部第***12***章の品質保証の項を参照願いたい。

3 クレームの時期・方法等に関する法制

主要国等の法制は，次のとおりであるが，売買の目的物の契約不適合に係る検査・通知義務に関しては，概ね，日本法，中国法およびCISGは売主有利であり，英米法は買主有利であるといわれている。

(1) 日 本

商法526条は，商人間の売買において，買主は目的物を受け取った後遅滞なくこれを検査し，もし，これに契約不適合があることを発見したなら，直ちに売主にその旨の通知をしなければ，その不適合によって契約の解除または損害の賠償を請求することはできないと規定している。また，種類または品質に関する契約不適合が直ちに発見し得ないものであるときでも，受領後6か月以内にその不適合を発見して直ちにその旨の通知を発しなければ，買主は売主に対して当該契約不適合を理由とする権利行使は認められない（同条2項後段）。商人間の売買においては，売主に速やかに善後策を講ずる機会を与えるとともに，他方において買主が売主の危険において投機を行うことを防止する必要があり，専門的知識をもつ買主に目的物の検査および契約不適合の通知義務を負わせても酷ではないというのがその趣旨である。

この検査の程度・方法は，目的物に契約不適合がないかを発見するためのものであるから，それが判断できる程度のものでよく，したがって，粗雑な検査では足りないが，契約不適合などの発見のために，通常，取引で必要とされる方法・程度であればよいと解される（東京地判昭和30・11・15下民集6巻11号2386頁）。

また，契約不適合が見つかった場合の買主が売主に出す通知の内容については，単に不適合がある旨の通知だけでは足りないが，売主がそれによって適当な善後策をとるための判断ができる程度に，契約不適合の種類，範囲，程度を明らかにする内容のものであれば十分で，詳細かつ正確な内容の通知であることを要しないと解される（大判大正11・4・1民集1巻155頁）。

(2) 英　国

英国動産売買法においては，別途合意がない限り，「売主は，買主に対して，引き渡された商品が契約条件に合致しているか否かについて検査するための合理的な機会（a reasonable opportunity）を与えなければならない」とされている（同法34条1項）。他方，買主は，合理的な期間が経過後に（after the lapse of a reasonable time）商品の受領を拒絶する意思を示さない場合には，当該商品を受領したものとみなされる（同法35条4項）。

(3) 米国

UCCにおいては，買主による商品の物理的な受取りを意味する受理（receipt）と受領（acceptance）とは区別されている。買主は契約不適合品については受領を拒絶（reject）できるが（UCC 2-601条），その拒絶は商品の引渡し時（delivery）から合理的な期間内（within a reasonable time）になされなければならず，かつ，適切な時期に（seasonably）売主に通知しなければならないとしている（UCC 2-602条）。検査可能な十分な期間を経過しても，売主に対して拒絶の意思を通知することなく商品を保持している場合には，受領があったものとみなされ（UCC 2-606条），代金支払義務が生じるとともに，以後拒絶はできなくなる（UCC 2-607条1項2項）。さらに，契約不適合品の提供が受領されたときは，買主は契約違反を発見または発見すべきであった時から合理的な期間内（within a reasonable time）に，売主に対してその違反につき通知しなければならず，この通知を怠るといかなる救済も受けられない（UCC 2-607条3項）。

(4) 中国

買主は，目的物を受領した後，約定された期間内に検査をしなければならず，検査期間を約定していない場合は，遅滞なく検査しなければならない（中国民法620条）。また，買主は検査によって目的物の数量または品質に関し契約の定めとの不適合を発見した場合は，約定の検査期間内にこの旨を売主に通知しなければならず，検査期間を約定していない場合は，契約不適合の発見に必要な合理的期間内に売主に通知しなければならない。期間内（約定の検査期間内もしくは合理的期間内）に通知しなかった場合または目的物を受領してから2年以内，または品質保証期間がある場合にはその期間内に売主に通知しないときは，目的物の数量と品質は約定に合致したものとみなされる（同法621条）。

(5) CISG

買主は，その状況に応じ実行可能な限り短い期間内（within as short a period as is practicable）に物品を検査することを要求され（CISG 38条1項），物品の不適合を発見した場合には，買主がその不適合を発見しまたは発見すべきであった時から合理的な期間内（within a reasonable time）に売主に通知しないと物品の不適合を援用する権利を失う（CISG 39条1項）。さらに，いかなる場合であろうと，物品が現実に買主に引き渡されてから2年以内に売主に不適合を通知しないと買主は物品の不適合を援用する権利を失う（上記2年の制限と契約上の保証期間が一致しない場合を除く）とされている（CISG 39条2項）。

Variation Clause

① 隠れた契約不適合については，通知期間を定めず，買主は契約不適合発見後，遅滞なく通知を出せばよいとする，買主にとって極めて有利な例

Any claim by the Buyer, except for latent lack of conformity with the contract, shall be made in writing as soon as reasonably practicable after arrival of the Products at their final destination and unpacking and inspection thereof, whether by the Buyer or any customer of the Buyer. The Seller shall be responsible for latent lack of conformity of the Products with the contract at any time after delivery, notwithstanding inspection and acceptance of the Products whether by the Buyer or any customer of the Buyer, provided that notice of claim shall be made as soon as reasonably practicable after discovery of such lack of conformity.

② 通知期間を経過しても，買主が顧客等から商品の契約不適合を理由にクレームを受けたときは売主は買主に補償するという，買主にとって極めて有利な例

Even after the expiration of the above mentioned periods, the Seller shall indemnify and hold the Buyer harmless from any losses and damages suffered by the Buyer's customer and/or any other third party due to any lack of conformity of the Products sold in accordance with this Agreement.

③ 商品代金の支払を確保するため，商品代金の総額が支払われる前のクレームを認めない例

No claim shall be made by the Buyer before the payment for the Products is made in full or the draft is duly honored.

クレームの通知例については，第3部 10-⑤，10-⑥を参照されたい。

第15章 契約違反とその救済

Article ×× Events of Default

If any one of the following events occurs:

(a) failure by the Buyer to perform any provision of this Agreement (including but not limited to failure to pay any amount when due under this Agreement or to establish a letter of credit by the date herein stated) or of any other agreement with the Seller, if any, and such failure not being cured within thirty (30) days after the date of notice thereof being dispatched by the Seller to the Buyer requiring the Buyer to remedy such failure;

(b) insolvency, bankruptcy, liquidation or dissolution of the Buyer;

(c) commencement of any proceeding against the Buyer under the provisions of any insolvency or bankruptcy law or any law for the relief of debtors;

(d) appointment of a trustee, receiver, administrator, custodian or liquidator over any of the Buyer's assets or property;

(e) issuance of an order for the attachment of the Buyer's assets or property; and

(f) general assignment by the Buyer for the benefit of its creditors,

the Seller may, without prejudice to the other rights and remedies which it may have ,

(i) immediately terminate this Agreement in whole or in part by notice in writing to the Buyer,
(ii) delay or suspend shipment or delivery of the Products,
(iii) stop the Products in transit, and/or
(iv) demand immediate payment of all sums payable by the Buyer under this Agreement or any other agreement with the Buyer, whereupon the same shall become immediately due and payable.

第××条　債務不履行

次の各号に掲げるいずれかの事由が生じた場合，すなわち，

(a) 買主が本契約（本契約上支払期限の到来した金銭の支払をしなかったり，あるいは，本契約書に定める期限内にL/Cを開設しなかった場合を含むが，これらの場合に限るものではない）または売主とのその他の契約の規定を履行せず，この不履行が売主より買主に不履行を正すよう要求する通知が発せられた後30日以内に是正されない場合；
(b) 買主の支払不能，破産，清算または解散の場合；
(c) 破産法または債務者の救済に関する法律の規定に基づき，買主に対して何らかの手続が開始された場合；
(d) 買主の資産について破産管財人，財産保全管財人，更生管財人，財産管理人または清算人が任命された場合；
(e) 買主の資産に対して差押命令が出された場合；および
(f) 債権者のために買主の資産が一般的譲渡をされた場合，

売主は，売主に与えられた他の権利および救済を損なうことなく，次の一またはすべてを行うことができる。

(i) 書面の通知により，本契約の全部または一部を直ちに終了せしめること。
(ii) 対象商品の船積または引渡しを遅延または停止すること。
(iii) 輸送中の対象商品を取り戻すこと。
(iv) 本契約，買主とのその他の契約に基づき，買主が支払うべき金員の即時支払を直ちに請求すること。その場合，同金員の支払期は直ちに到来するものとする。

1　本条のねらい

契約の相手方が契約を履行しなかったり，契約の一部の条項に違反したりした場合，それにより損害を被った当事者は，法定の救済手段により，損害の回復を図ることになる（法定の救済手段については第1部第**5**章参照）。しかし，法定の救済手段だけでは，実務上，臨機に十分な回復を図ることができない場合が多い。そこで，債務不履行ないしは契約違反（以下，「契約違反」という）があった場合に備え，あらかじめ必要な救済手段を取り決めておくものである。また，現実に契約違反は発生していないものの，その発生が十分に予測できるような事態が発生した場合についても，臨機に損害を防止することができるよう取り決めておくものである。

2　本条作成の際の指針

(1)　債務不履行事由

サンプル条項は売主側に立った条項である。サンプル条項では，まず，いくつかの事由（events）を規定し，これらの事由が生じた場合に売主にどのような救済手段が与えられるかを規定する（第3部6-① **Article 19** も同趣旨である）。このような事由として，(a)では買主に契約違反が生じ一定の期間内に治癒されないことを，(b)から(f)では破産等買主に一定の信用不安事由が生じていることを列挙する。

(i)　**契約違反**　　サンプル条項では，買主の契約違反の中でも最重要事項である代金の不払や信用状不開設を特記するとともに，他の契約の不履行にも言及している。

相手方当事者がある契約に違反した場合，近い将来，相手方が当事者として自己または第三者と締結した他の契約にも違反する可能性がある。例えば，買主の財務状態が悪化してある契約で支払遅延が生じた場合，他の契約でも支払遅延を起こす蓋然性が高まる。また，売主の生産能力が低下したり商品の調達が困難になるなどしてある契約で引渡遅延が生じると，他の契約でも引渡しを遅延することが予測できる。このような事態に備えるため，他の契約についての相手方の違反が当事者間の契約違反を構成することを約定することがある（cross default 条項）。典型的には金銭債務の不履行を念頭に置いて融資契約等の金融関連契約によく見られる条項であり，通常，「借主を当事者とする他の融資契約における支払遅延は，本融資契約の違反と看做す」などの形で規定される。売買契約書中，単独の条項として規定する例としては *Variation Clause* ⑥を参照されたい。

さらに，サンプル条項では特に規定していないが，売主の立場より，買主の受領遅滞が契約違反を構成することを明確にする趣旨で，買主の受領義務を定めることがある。なお，英国および米国の場合は，買主が受領義務を負うことが法律上明確である（英国動産売買法 27 条，UCC 2-301 条）。

(ii) **買主の破産等**　サンプル条項では，信用不安事由として，支払不能（insolvency），破産（bankruptcy），債権者のための一般的譲渡（general assignment for the benefit of creditors），破産管財人（trustee），財産保全管財人（receiver），更生管財人（administrator），財産管理人（custodian），または清算人（liquidator）の選任，差押え（attachment），解散（dissolution），清算（liquidation）を挙げる。このように多くの事由を列挙する理由としては，買主の所在国によっては日本とは異なる倒産法制がとられており，日本法の考え方では通用しないことがあるので，買主の所在国の法律により影響を受けることがないよう幅広く信用不安事由を網羅する必要があるためである。

(2) 救　済

(i) **契約解除**　一方当事者に契約違反があった場合，他方当事者（以下，「被害当事者」という）には，通常，損害賠償請求権が認められ，一定の場合には契約解除権が認められる（法定解除権）。また，場合によっては，被害当事者に特定履行の請求権も認められる。相手方が契約に違反した場合，別段の合意がない限り，被害当事者としては，これらの法定の救済手段により損害の回復を図ることになる。しかし，法定の救済手段だけでは損害を十分に回復することが期待できない場合も多い。特に，法定解除権については，どのような場合に発生するのか必ずしも明確であるとはいえない（解除の一般論については，第

1部第 ***5*** 章 *2*(2)を参照）。

わが国においても，契約の一部について履行遅滞があったときや，契約の一部の条項に違反があったときに契約全体を解除できるか否かについては，契約の目的や契約の要素の違反であるか，それとも派生的，付随的義務の違反であるかなどの諸点を勘案して決定すべきとされている。しかし，これでは解除の可否が一義的に確定しないので，被害当事者としては，契約を解除して第三者から商品を仕入れたり第三者に商品を転売するなどの措置を臨機にとることができず，不安定な立場に置かれることになる。したがって，法定解除権のほかにも，契約を解除できる場合について明確に約定する必要がある。こうした合意による解除権は約定解除権と呼ばれ，約定解除権は一般的に法律上有効とされている。なお，履行遅滞の場合，解除についての催告を不要とする取決めも有効とされている（契約解除の通知については第3部 10-⑨を，合意による契約解除の例については第3部 9-①を参照）。

また，未だ契約違反に至っていない段階でも，近い将来契約違反が生じる可能性が十分に高いと予測できる場合がある。こうした場合に，契約の履行を見合わせたり，端的に契約を解除できるかどうかが問題となる。いわゆる不安の抗弁の問題である（詳細は，後述(iii)参照）。

なお，国によっては，契約相手方の破産，倒産を理由とする解除条項の発動を制限し，破産管財人等に契約の履行または解除の裁量権を与えている立法があるので注意を要する。例えば，米国連邦倒産法上は，原則として，倒産手続開始後の倒産解除条項（ipso facto clause）に基づく解除は認められない。ただし，先渡契約（forward contract）またはコモディティ契約（commodity contract）等一定の契約については，倒産解除条項が契約上明記されている場合に限り，例外的に有効性が認められている。

(ii)　**分割給付と契約解除**　　契約上，目的物の給付が分割してなされる場合（特に，目的物の引渡しを売主が数回に分けて行う場合が問題となる）で，何回目かの給付がなされなかったとき，または給付があってもその内容に重大な瑕疵があるとき，被害当事者が契約全体を解除できるか否かが問題となる。このような場合，給付がなされなかった部分が契約全体からみて重要なときは，契約全体の解除が認められる可能性があるが，現実の紛争では当該部分の給付が重要か否かの判断は容易ではない。

英国では，このような場合に，契約全体の解除が許されるかまたは契約全体の解除は許されず損害賠償請求ができるに過ぎないかは，契約文言および事案の状況によると規定されている（英国動産売買法31条）。米国では，不履行の部分が契約全体の価値を著しく損なう場合，債務の全体について違反となる旨の規定がある。ただし，相手方当事者が適時に解約通知を出すこともなく契約に適合しない部分給付を受領したなどの場合には，契約は存続する（UCC 2-612条）。

分割給付の場合，買主としては，契約上，売主が部分給付のうち1回でも引渡義務を怠った場合には契約全体を解除する権利を確保することが望ましい。条項例については，*Variation Clause* ⑦を参照されたい。

(iii) 不安の抗弁　契約締結後，相手方の契約履行能力に疑問が生じる場合がある。例えば，相手方の財産状況が悪化したが，破産の申立てには至らない場合である。そのような場合，相手方の履行期が先に到来するかまたは同時であれば，相手方が現実に履行しなかったときは，同時履行の抗弁ができる。しかし，相手方の履行期の到来が後となる場合にも同様に先履行の義務を免れるかどうか，または相手方に履行保証のための担保の提供を求めることができるかどうかについては問題となる（いわゆる不安の抗弁権）。

英国においては特に不安の抗弁を認めた判例・法律は見あたらないようであるが，米国ではUCC 2-609条により一定の権利が認められている。即ち，相手方の履行能力に不安を抱かせる合理的な根拠がある場合，相手方に対し履行についての適切な保証（adequate assurance）を要求することが認められている。また，そのような保証が提供されるまでの間，履行を拒絶することも認められており，さらに，一定期間内（保証要求後30日以内の合理的期間内）に保証の提供がない場合には契約を解除することも許されている。

サンプル条項に加えて，相手方の履行能力に疑問が生じたときに保証を要求することができる旨を規定する例として，*Variation Clause* ⑧を参照されたい。

(iv) 船積停止および商品の取戻し　運送途上にある商品の取戻し（stoppage of the goods in transit）は英米法に特徴的な救済である。英国法上，買主が支払不能（insolvent）に陥った場合，売主は，商品が未だ運送途上にある限り，商品を取り戻し，代金支払まで手許に保管することができる（英国動産売買法44条以下）。米国法上も船積停止および商品の取戻しに関する同様の規定がある（UCC 2-705条）。

(v) **即時支払の請求（期限の利益喪失）**　売買契約において，買主は支払期限が到来するまでは代金を支払わなくてよいといういわゆる期限の利益を有している。ところで，売主が対象商品を買主に引き渡す前に買主の財務状態が悪化した場合には，売主としても対応措置をとりやすく損害も軽減できる可能性があるが，対象商品を買主に引き渡してしまい，代金の支払が未だ完了していない間に買主の財務状態が悪化した場合に，約定の支払期限を待っていたのでは代金全額の支払を受けられない危険性が高まる。わが国の民法上は，①債務者が破産手続開始の決定を受けたとき，②債務者が担保を毀損または減少させたとき，③債務者が担保提供の義務を負う場合にこれを提供しないとき，債務者は期限の利益を喪失する（民137条）。しかし，単なる買主の信用力の低下はこれらの事由に含まれず，売主は債権回収上支障をきたすことになる。したがって，債権回収の実効性を高めるため，買主の代金支払の履行が不安視されるような一定の事由が生じた場合には，買主は期限の利益を喪失する旨の約定が意義をもつ。

このような期限の利益喪失条項は，原則として有効とされている。特に，弁済期到来のみなし規定がない会社更生手続や民事再生手続との関係では，規定する実益がある。しかし，「債務者の資力が悪化したと債権者が認めたとき」というように，条件としての客観性に欠ける規定は，債務者に著しい不利益を与え，また法律関係を混乱させるので，日本法上，効力を否定される。米国法においても，多くの州で採用されている2001年改訂版UCC 1-309条では，「『任意に（at will)』，『不履行のおそれありと認めた場合に（when the party “deems itself insecure”)』その他同趣旨の言葉を用いて一方の当事者が支払期日や履行期の繰上げ，担保の提供や増担保の提供を要求できるという条項は，履行の見込みが減少した（the prospect of payment or performance is impaired）とその当事者が誠実に（in good faith）信じた場合に限りそれを行使することができると解釈しなければならない」と規定し，債権者の一方的な権利行使を制限している。具体的な期限の利益喪失事由として，契約書例に現れる態様はさまざまでであるが，サンプル条項のように，主として，買主の債務不履行，破産，解散といったような買主の財産状態の悪化を示すような徴候が生じた場合を挙げることが多い。

買主が期限の利益を喪失した場合，売主は次の請求が可能となる。

① 代金の支払

② 担保権の実行

③ 保証人に対する保証義務の履行

④ 相殺（相殺については，各国により考え方に相違があるが，日本では期限の利益喪失条項は主として買主の債務の弁済期を到来させ，相殺適状を生ぜしめるために使われることが多い）（第2部第**20**章参照）

(vi) **法律上認められた救済手段との関係**　相手方の契約違反の場合に認められる救済手段が，約定のものに限定されず，法律上認められた救済手段の利用が妨げられないことを確認するため，サンプル条項では“without prejudice to the other rights and remedies the Seller may have”と規定している（第2部第**22**章参照）。

(vii) **買主の救済**　サンプル条項では売主の側に立った条項を紹介したが，売主による契約違反の際に買主としてはいかなる救済手段を約定すべきか。

まず，商品が約定の条件に適合していない場合，代替品の引渡しを請求することが考えられる。また，売主に対し修補を請求するか，または自らもしくは第三者をして売主の費用負担で修補を行うことが考えられる。さらに，不適合品について代金減額を請求できることや，既に受領した商品を換価処分して損害に充当できるとすることも考えられる。加えて，これらの救済が与えられるまでの間，代金支払を正当に拒絶できることや，売主の救済と同様，一定の場合には契約を解除できることを定めておくことも有用である。

Variation Clause

① サンプル条項の規定した事由以外の例

(a) any merger or consolidation, the result of which would be to materially and adversely affect the ability of the Buyer to fulfill its obligations under this Agreement.

(b) a change in the control or management of the Buyer which is unacceptable to the Seller.

② 当事者双方について中立的な規定の例

If one or more of the following events occur with regard to any party, the other party may terminate this Agreement, withhold shipment of the Products or accelerate any payment outstanding for shipment already made, thereby causing it to become immediately due and payable:

(a) ・・・・・・・・・・

(b) ・・・・・・・・・・

③ 期限どおりに契約を履行することが重要であって，期限を徒過した場合には契約の目的が達せられない旨を簡単に規定する例

Time is of the essence of this Agreement.

この例では，救済手段について何も触れていないが，相手方が期限どおりに契約を履行しなかった場合，被害当事者には契約の解除権が認められるとされている。もう少し詳しく規定した例としては，次のようなものがある。

Time is of the essence for the shipment of the Products by the Seller within the period of __________, failing which the Buyer may, upon written notice to the Seller, terminate this Agreement with immediate effect.

④ 賠償額の予定（liquidated damages）に関する規定（納期遅延の場合）の例

If the shipment of the Products is not completed by the date of shipment as provided for in Article ____, the Seller shall pay to the Buyer liquidated damages at the rate of US$ ______ per week for every week or part of a week during which the shipment of the Products remains uncompleted.

⑤ 延滞金利に関する規定の例

In the event of late payment by the Buyer, the Seller shall be entitled to damages at the rate of fifteen percent (15%) a year (360 days) or the maximum rate allowed by the law of the country of the Buyer, whichever is lower, for the period from the due date to the actual date of payment.

この例では，延滞金利率として15％または買主の所在国の法律で認められた最高限度の延滞金利率のうち，いずれか低い方の利率を適用する旨規定されている。これは，買主の所在国の法律によっては，当該国の法定最高限度の利率を超えた延滞金利率を定めた場合，延滞金利に関する条項が全体として無効とされる場合があるためである。

⑥ Cross Default 条項の例

If the Buyer fails to perform any other agreement with the Seller or any provisions thereof, the Seller may terminate this Agreement with immediate effect.

⑦ 分割船積はそれぞれ別個独立するものではなく，1回の船積不履行でも，契約全体に影響を与え，不履行による救済を契約全体に及ぼそうとする趣旨を規定する例

No provisions for shipment of the Products by installments shall be construed as making the obligations of the Seller severable.

この種の規定は，通常船積に関する条項に挿入される。これと反対の趣旨の規定およびその効力については，第2部第**8**章*2*(1)(ii)参照。

⑧ 買主の契約履行能力について疑問が生じたときに保証を要求できる旨規定する例

If the Buyer's failure to make payment or otherwise to perform its obligations under this Agreement is reasonably anticipated, the Seller may in writing demand adequate assurance of the due performance of this Agreement by the Buyer.

⑨ 売主の不履行責任を契約金額に限定する例

In no event shall the Seller's liability under this Agreement exceed the contract price.

支払が遅延した場合の支払督促通知の例については，第3部10-⑫を参照されたい。

第16章 不可抗力

Article ×× Force Majeure

Neither party shall be liable to the other party for failure to perform its obligations under this agreement due to the occurrence of any event beyond the reasonable control of such party that affects its performance under this agreement, including, without limitation, governmental regulations or orders, outbreak of a state of emergency, acts of God, war, warlike conditions, hostilities, civil commotion, riots, epidemics, fire, strikes, lockouts or any other similar cause or causes ("Force Majeure").

Notwithstanding the foregoing, no occurrence of an event of Force Majeure shall relieve the Buyer of its obligation to make payment for Products already delivered pursuant to this agreement.

第××条　不可抗力

本契約の当事者の一方は，政府の規制または命令，緊急事態の勃発，天災，戦争，戦争類似の状況，敵対行為，市民騒擾，暴動，伝染病，火災，ストライキ，ロックアウト，その他の同様の原因等，その当事者の合理的な支配を超え，かつ，その履行に影響を与える事由（以下，「不可抗力」という）の発生により本契約に基づく義務の履行ができないことにつき，他方の当事者に対して責任を負わないものとする。上記の規定にもかかわらず，いかなる不可抗力事由の発生も，引渡済みの対象商品に関する買主の売買代金支払債務を免責するものではない。

1 本条のねらい

契約締結後，台風や戦争等，当事者のいずれにも責任のない事由により，当事者の一方あるいは双方が約定どおりに契約を履行することが不可能となることがある。いわゆる不可抗力事由の発生である。

日本法の場合，過失責任の原則から，不可抗力事由が発生した場合において，それが「債務者の責めに帰することができない事由」に該当する限り，約定どおりの履行が不可能となった当事者は免責される。しかし，どのような場合が「債務者の責めに帰することができない事由」に該当するのかについては争いになり得るところである。また，英国法や米国法の場合には，契約履行が不可能もしくは困難，または契約目的が達成不能となる事態等が発生したときには，これをフラストレーションあるいはインプラクティカビリティとして捉え，債務者を免責することとなる。しかし，何がフラストレーションになるかは，最終的には裁判所の判断によることとなる（第1部第**5**章参照）。なお，CISGは，79条で不可抗力に関する規定を設け，債務者の免責の要件として，①義務の不履行が債務者の支配を超えた障害に起因すること，②当該障害が契約締結時に合理的予見可能性のないこと，かつ③障害またはその結果の回避・克服の可能性がないことを挙げているが，これらの要件であっても，解釈に争いが生じ得る。

このような状況から，個別の契約内容に応じて，それが発生したら契約履行義務から免責としてもらいたいところの不測の事態を不可抗力事由と定め，かつ，そうした事態が発生した場合の免責内容や当事者間の権利義務を当事者間で明確に取り決めておくことが重要となる。

2 不可抗力条項

(1) 不可抗力の範囲

不可抗力条項で，まず初めに明確に規定しなければならないのは，不可抗力の範囲である。台風，暴風雨，洪水等の自然災害や，戦争，暴動，内乱，市民騒擾等の非常事態は，不可抗力事由の典型例として考えられ，通常，不可抗力事由として規定される。

不可抗力の範囲の定め方としては，不可抗力事由として契約上明確に規定した事由のみ不可抗力として免責を認める方法と，上記のような典型的な自然災害や非常事態を契約上列挙するものの，列挙された事由はあくまで例示であり，列挙された事由と同様・類似の事由，あるいはその他当事者の合理的なコントロールが及ばない事由を不可抗力の範囲とする方法が考えられる。

国際売買契約においては，目的物の供給義務を負担する売主としては，契約締結後，目的物の供給義務を果たすまでに，自然災害や非常事態など，自己がコントロールし得ないリスクの影響を受ける可能性が買主に比べ大きく，また，全てのこうしたリスクを契約上規定することは困難であるため，不可抗力の範囲を例示列挙した上でキャッチオール規定も入れるなど，不可抗力の範囲を可能な限り広くすることが望ましい。一方で，不可抗力条項を双方向とする場合，買主としては，その主要な義務は金銭の支払義務であり不可抗力の影響を受けるケースは売主に比べ少なく，むしろ不可抗力の範囲が不当に広がることにより売主の免責の範囲が不当に広くなるため，不可抗力の範囲を明確に限定する方が一般的には望ましい。

なお，後述のとおり金銭の支払義務は不可抗力の発生によっても免責されないとすることが多いことから，不可抗力条項の定め方は双方向にしない，すなわち，不可抗力により影響を受ける当事者を売主のみと想定した不可抗力条項を定めることも考えられる。しかし，例えば，distributor としての買主が，単純な金銭支払義務のみならず，end buyer への調達やマーケティングに必要な設備や倉庫の維持義務等を負うケースもあるため，契約締結後の不可抗力事由の発生により，自己の契約上の義務に多大な影響を及ぼすケースも考えられる。したがって，買主といえども，自己の契約上の義務に照らして，不可抗力条項の定め方について，慎重に検討する必要がある。

不可抗力事由の典型例としては，上記の自然災害や非常事態のほかに，法令の変更や政府による規制・命令等も一般的に挙げられる。国際売買契約との関係では，物品の輸出入にあたり，必要な許認可が取得できなかった場合や，契約締結後の法令変更等により契約目的物の輸出または輸入が禁止され，これらの規制の結果，契約履行不能となるケースがあるが，この場合，これらの規制により影響を受けた当事者が不可抗力を理由として免責されるかどうかが問題となりやすい。それでは，いかなる場合に，このような政府関連の不可抗力事由を理由として，履行不能となった当事者は免責されるであろうか。

例えば，契約締結時には予期し得なかった法令の変更により，輸出または輸入が一切禁止されたようなケースでは，不可抗力の典型例の1つとして，免責が認められると解されやすい。実際にもこのようなケースを想定して，多くの契約では，不可抗力事由の1つとして，政府の規制または命令を規定しているものと考えられる。

一方，契約締結時に既に輸出入の規制が実施され，契約当事者が必要と認識していた輸出入の許認可が，契約締結後，履行段階になって取得できなかったような場合，これも「政府の規制または命令」として，影響を受けた当事者の免責が認められるか問題となるが，一般的な感覚としては，このようなケースまで免責を認めるべきではないと考えられる。このような場合の取扱いとしては，不可抗力条項では結局その免責の有無が不明確となってしまうため，輸出入の規制等，契約締結時に想定される履行に際して必要となる各種許認可等に関する責任の所在やそれが取得できなかった場合の権利関係を契約で明確に規定しておくことが望ましい。具体的には，許認可等が必要な商品の輸出入にあたっては，あらかじめ契約書中に一定の許認可の取得を契約の発効条件（前提条件）とする，一定期限内にそれらの許認可が取得できなかった場合は契約を無条件で解除することができる旨を定めておく，一定の許認可の取得・維持について，いずれかの当事者の義務と明記しておく等が考えられる。

⑵ 除外項目

不可抗力条項の背景にある考えは，当事者がコントロールし得ない事態が発生した場合に，当該事態によって影響を受ける当事者を免責することにある。このため，当該不可抗力事由の発生に契約当事者が寄与していた場合や，契約当事者のコントロールによりその発生が回避できたような場合には，不可抗力事由に該当しないとして，契約上明示的に除外することが考えられる。例えば，ストライキ等の労働争議は，全てのケースにおいて当事者のコントロール外の事由とはいえず，労働条件の悪化など，当該ストライキの原因に契約当事者が寄与したような場合，これらに起因した労働争議については不可抗力の範囲から明示的に排除することが考えられる。また，原材料の不足・供給の遅延や，目的物の運搬に必要な交通機関の停止・障害等，自己の履行の提供に必要な第三者について，履行障害事由が発生した場合，買主からすれば，こうした履行障害事由はあくまで履行の手段であり，売主側でコントロールすべき事由ともいえるため，これらの事由については，不可抗力の範囲から明示的に除外することが考えられる。

また，地震等の自然災害は，典型的な不可抗力条項として列挙されていることが多いため，例えば地震により自社工場が全壊し，買主宛に製造していた商品を供給できなくなったような場合には，不可抗力条項の適用により免責されることは明らかといえる。一方で，こうした地震等の大規模な自然災害による直接・間接的な影響により，債務の履行が不能または遅延するような場合，当該影響が不可抗力事由といえるか否かは契約上最も争いになりやすいところであるため，注意を要する。

Column ⑨　東日本大震災と不可抗力条項

2011 年 3 月 11 日に発生した東日本大震災を契機として，不可抗力条項の意義やその適用範囲が議論される場面が多く見受けられるようになった。上記のとおり，この震災により自社工場が全壊し商品の提供の履行が不可能となったような場合には，日本法における過失責任の原則の下では，免責されることに異論はないと思われる。一方，この震災に起因した，福島第一原発事故による波及的な影響，具体的には，計画停電により予定していた輸送手段を用いることができず目的物を納入できなかったような場合や震災後の原料や燃料の供給不足により，履行の提供が不可能，あるいは可能であるとしても多額の追加コストを要するような場合，不可抗力の範囲内として売主は免責されるであろうか。もちろん，契約上こうした事態について明確に免責の有無が規定されている場合，争いはないが，このような大震災から生じ得るあらゆるケースについて詳細に契約上規定することは現実的ではない。現実的には，不可抗力事由として，当事者のコントロールを超える事由を広くカバーするいわゆるキャッチオール条項が入っているような場合には，当該条項の解釈の問題として判断されるケースが多いと思われる。逆に，売主としては，このようなキャッチオール条項がない場合には，こうした間接的な影響について不可抗力による免責を契約上の規定を用いて主張する余地が狭くなってしまうことを意味する。したがって，こうした意味でも，売主としては，当事者のコントロールを超える事由としてのキャッチオール規定，または列挙事由と同等・類似の規定を不可抗力事由として定めておくことが重要といえる。

また，東日本大震災では，原材料や部品等のサプライチェーンに深刻な影響が出た。特に半導体・電子部品や自動車部品の供給を行う工場が東北地方に集中していたこともあり，これらの供給不足は深刻となり，被災したこれらの企業のみならず，世界的にこうした仕入先から部品等を調達していた自動車等の完成品を供給する企業も減産等を余儀なくされた。このような場合，完成品を第三者に販売・供給する売主は，自己の仕入先に発生した不可抗力事由を主張して免責され得るかという点が問題となる。この点について契約上明記されていない場合には，契約の準拠法に従った解釈となるが，CISG のように支配可能性の有無を要件とする場合，こうした原材料等の調達は，あくまで売主側の支配領域であるとして，免責の対象にはならないと考えるのが一般的である。一方，売主としては，このようにサプライチェーンがグローバル化していることを踏まえると，特に完成品を扱うような場合には，自己のみならず，自己の一定の仕入先に生じた不可抗力事由も不可抗力の範囲に含まれ，免責される旨の規定を明示的に設けることも十分に検討に値すると思われる。

Column ⑩　新型コロナウィルスと不可抗力条項

2019 年 11 月に中国・武漢市から感染の拡がった Covid-19（いわゆる新型コロナウィルス感染症）は 2020 年以降も世界中に拡大を続け，それに起因する運送網・人の往来の寸断，物流停止，各国政府の出入国規制・ロックダウン等の諸々の措置・要請により，世界的に製品生産・運搬に遅延が生じた。

このような場合，不可抗力を理由として売主は免責されるであろうか。出発点としてそもそも感染症（Epidemic）が不可抗力事由に該当するか，という点については契約上明示的に列挙されていればもちろん，明記されていなかった場合も，その他売主のコントロールし得ない事態，といった趣旨のキャッチオール規定が入っていれば，不可抗力事由に該当するものと解されよう。では，政府の貿易制限措置やロックダウン等により，原材料の不足・供給の遅延，目的物の運搬に必要な交通機関の停止・障害等が生じ，その結果履行不能な状況となった場合，このようなCovid-19の波及的な影響についても売主を免責すべきか。一般論として，かかる履行障害事由はあくまで履行の手段について生じたものであり，生産ラインの倒壊といった直接的事由ではない為，売主側で代替案を確保し契約履行すべきという解釈もあり得る。しかし，Covid-19感染拡大状況下のように極めて広範囲の国・地域にわたって人・物の移動が制限された特殊な事態においては，売主が代替の原料供給先や運搬手段を確保することは現実的にはハードルが高かったこともあり，免責されると解するのが合理的であろう。もっとも売主は，このような解釈上の争いを防ぐためにも，不可抗力事由から直接的に生ずる影響だけではなく間接的影響も含む旨明記をしておくことが肝要である。また，ロックダウンについては各国政府において罰則を伴う強制力のある措置を取ったか否かでも不可抗力該当性は変わり得よう。法的強制力や罰則を伴わないいわゆる要請に留まるものが法令変更に該当するのかが争点となった例もあったことから，これらの取扱いも契約に明記をしておく必要があろう。

既にCovid-19の感染拡大がある，ないし再拡大があり得る状況下で締結された契約については，仮に売主にコントロール不可能な状況でクラスターが発生するなどして履行障害が生ずることがあっても，左様な状況も想定した上で履行可能な手段を考えておくべきであったと買主から反論される可能性がある。したがって，いかなる場合においてもCovid-19の影響で履行障害が生じた場合には一律売主を免責とするのか，一定の感染状況を契約の前提として規定した上，当該状況が変わらない場合には免責とせず，同状況を超えて悪化した場合には免責とするといった建付けとするのか，詳細を規定しておくのが望ましい。

(3) 代金支払義務の取扱い

上記のとおり，不可抗力事由の発生により影響を受ける当事者の主要な義務は，目的物の供給に関連するものが多いが，買主の代金支払義務については，どのように規定すべきであろうか。この点，日本の民法上は，別段の約定がない限り，不可抗力をもってしても債務不履行責任は免れることができないとされており（民419条3項），国際売買契約においても，金銭の支払義務は不可抗力の発生により免責される義務の対象から明示的に除外するケースが多い。このため，サンプル条項では，買主の代金支払義務については，免責の対象とならない旨定めている。

このように規定された場合，例えば，自然災害の発生により予定していた第三者の送金システムの利用が不可能となった場合であっても，支払義務を負担している当事者は，他の送金手段を用いて，金銭支払債務を履行する必要がある。一方で，戦争等の発生により，代金決裁システムに重大な悪影響がある場合（決済通貨への両替が不可能となった場合や第三国への送金が禁止される場合）等，一切の送金手段が不可能となった場合にまで，免責されないとすべきかについては，議論の余地があろう。一般的には金銭支払債務を不可抗力による免責の対象外とすることが多いとしても，送金先や送金手段の多様性を踏まえて，いかなるケースも金銭支払義務を不可抗力の範囲外としてよいかについては慎重に検討する必要がある。買主としては，例えば送金すること自体が他国の経済制裁違反になる場合には不可抗力事由とする旨の合意をしておくことも考えられよう。

(4) 不可抗力発生時における免責と当事者の権利・義務

次に，不可抗力条項には，不可抗力事由が発生した場合に当事者に与えられる免責の内容や，不可抗力事由の継続中における当事者間の権利・義務を規定することになる。まず，一般的な免責内容は，不可抗力事由が解消するまでの間，契約の履行義務から免れるというものである（不可抗力事由が解消したときには，履行を再開しなければならない）。サンプル条項での免責内容もこの履行義務の中断である。ただし，かかる免責の前提として，不可抗力事由の発生の相手方の通知義務（*Variation Clause* ②(a)参照）や不可抗力による影響を最小化するための合理的な努力義務を課すケースが多い（*Variation Clause* ②(b)参照）。このような努力義務の規定は，そもそも不可抗力条項は，それにより影響を受ける当事者に例外的に免責を与える規定であり，かかる事態を放置した場合にまで，利益を受けさせるべきではないという考え方が背景にある。なお，不可抗力の範囲として，当事者のコントロールの範囲内か否かを要件としている場合，このような努力義務が，契約上明記せずとも課せられるとする英国の判例もあるため注意が必要である。不可抗力を主張するための要件として，このような通知義務や合理的な努力義務のほかに，不可抗力事由の発生に関する第三者の証明資料の提出を要求されるケースがあるが，このような証明資料の提出は困難であることが多く，これゆえに不可抗力の主張が不当に制限される可能性があるため，注意が必要である。

個々の取引によっては，上記の履行義務の免除だけでは不十分な場合がある。例えば，滅失毀損しやすい商品を販売する場合，不可抗力事由が長期化するときは，契約を解除して対象商品を転売することが契約当事者の利益に適うことがある。このような場合，免責内容としては，不可抗力事由が一定期間存続したときは契約を解除することができる旨を規定しておくのがよい（規定例としては *Variation Clause* ③参照）。また，例えば，長期の売買契約で，売主が exclusive supplier のような場合，買主としては，こうした不可抗力の発生により契約上の義務が履行されない一方，契約に拘束され，他者からの調達が不可能となる事態を避けるべく，こうした場合において買主も解除権を有する旨規定することが非常に重要となる。いずれにせよ，免責内容については，個々の取引の内容に応じて工夫することが大切である。

また，買主としては，不可抗力が発生した際，売主による目的物の供給が滞るため，かかる事態による影響を回避または最小限にするために，売主に対して一定の義務を課すまたは買主自身の一定の権利を確保することが考えられる。その内容は，代替品調達の容易性や，売主の独占供給権の有無等により様々であるが，①代替品の提供義務あるいは，供給に対する努力義務，②独占供給権を付与しているような場合において，不可抗力事由が一定期間継続するような場合に他者から代替品を調達できる権利，③他者から代替品を調達した場合において，当該調達に要した一切の費用を売主に求償できる権利，④他者からの代替品供給への協力義務，⑤同種の目的物を供給している他の買主との間で，各買主に対して案分して目的物の供給をすべき義務（いわゆる pro-rating）などが考えられる。

一方，売主としては，不可抗力条項の適用により，本来的な目的物の不履行による責任を負わない場合であっても，仮に上記のような義務を負担することとなると，実質的には，当該不可抗力のリスクを負担し得ることになるため，不可抗力の範囲を可能な限り広くすることのみではなく，免責の内容や不可抗力発生時に負担する義務の内容，買主に付与される権利等を総合的に検討して，自己がいかなる不可抗力のリスクを負担しているかを考慮することが重要といえる。

3 ハードシップ条項

不可抗力条項に似たものに，ハードシップ（hardship）条項と呼ばれるものがある。不可抗力条項は，不可抗力事由が発生した場合の当事者の免責について定めることを主眼としている。これに対してハードシップ条項は，契約締結後，原材料費の高騰等の諸環境の変化により，契約締結当時の条件を維持することが困難となった場合，価格等の契約内容を改定しようとするものである（なお，不可抗力事由の発生により，このように契約締結当時の条件を維持することが困難となった場合に，不可抗力条項の適用を理由に，目的物の供給義務の免責を主張し得るかという点が問題となるが，明示的にこのような規定を設けない限り，かかる免責は認められないとする英国の判例もあるとおり，一般的には免責は困難と解される。こうした場合の取扱いを明確にするための規定例としては *Variation Clause* ⑥参照）。こうしたハードシップ条項の位置付けについては，第1部第**5**章を参照願いたいが，ハードシップ条項の内容としては，契約履行に困難を来した当事者が他の当事者に対して価格等の契約内容の改定交渉を行うことを申し入れ，相互に交渉を開始すると規定するものが多い（*Variation Clause* ⑦参照）。しかし，この場合，相手方に改定交渉に応じさせることはできても，契約内容の改定が合意されるという保証はない。合意が成立しなければ現行の内容のままとなる（第3部6-① Article 27参照）。このように契約締結後に諸環境の変化により，契約締結当時の価格を維持することが困難となった場合の現実的な解決策としては，いわゆるエスカレーション条項を設け，対象となる変動コスト要因を列挙し，各要因について価格改定に反映させる程度をあらかじめ具体的な数値・数式で規定しておくことが考えられる（エスカレーション条項については，第2部第**6**章 *2*(5)参照）。

Variation Clause

① 不可抗力事由に関する例

(a) 自然災害に関するもの

Act of God, flood, tidal wave, washout, fire, lightning, volcanic eruption, storm, typhoon, hurricane, tornado, fog, earthquake, landslide, subsidence of land, scarcity of water, drought, plague, epidemic, quarantine or other natural disaster.

(b) 戦争・暴動に関するもの

war or armed conflict or the serious threat of the same, hostile attack, invasion, breaking off of diplomatic relations, mobilization, civil commotion, riots, insurrection, revolution, coup d'etat, blockade, embargo, pirates.

(c) 政府の命令・規制に関するもの

prohibition or restriction of importation or exportation or allocation of energy resources by order, regulation, ordinance, demand or requirement of national or local government or de facto sovereign or of a court, voluntary or mandatory compliance with any direction, request or order of any person having or appearing to have authority in that regard whether for defence or other statutory, governmental or national purpose, or any requisition of materials or services alleged or stated to be for the purpose of defence.

(d) 労働争議に関するもの

strike, de facto strike, work stoppage, slowdown, lockout, sabotage, shortage of labour or other labour disputes (regardless of the apparent reasonableness of the demands of the labour union or workers' representatives).

(e)　原材料の不足等重大な経済的混乱に関するもの

inability to supply or shortage of an adequate supply of oil, gas, electricity or materials required to maintain the affected party's normal level of operation or other severe economic dislocation.

(f)　輸送機関の不足・遅延・事故等に関するもの

inability to obtain or lack of transportation, interruption of transportation, delays in transportation, accident in transportation by sea or land, accidents of navigation, breakdown of or damage to vessel, port congestion, nationalization.

(g)　生産設備の事故に関するもの

explosion, break-down of machinery, collapse of structures, destruction of the workshops of the manufacturer or any other accident.

(h)　製造者の破産に関するもの

bankruptcy or insolvency of the Seller's manufacturer or supplier of the Products or the supplier of manufacturer's materials.

② 不可抗力の援用要件に関する例

不可抗力条項中に免責のための要件を定めることがある。次の２つのものは，よく見受けられるものである。

(a)　不可抗力事由により履行が妨げられた当事者が不可抗力事由発生の通知をすることを要件とするもの

On the occurrence of any event of Force Majeure, the party whose performance is affected thereby shall give notice and full particulars of such event to the other party as soon as practicable.

(b)　履行を妨げられた当事者が不可抗力事由を除去するよう努力することを要件とするもの

Such affected party shall use all reasonable efforts to overcome such event of Force Majeure.

Noticeの例としては，第3部10-③，10-⑦を参照されたい。

③ 不可抗力事由発生の場合の権利義務に関する例

(a) 不可抗力事由が発生したら契約を解除することができる旨を定めたもの

On the occurrence of any event of Force Majeure, the Seller shall have the option unconditionally to terminate this Agreement wholly or partially. In the event of the Seller exercising such option, the Buyer shall accept termination without any claim against the Seller.

これと同じ趣旨に立つのが第3部6-① **Article 18** および折込みのForce Majeure条項で，受渡時期の一方的延長をも定める。

(b) 不可抗力事由が一定期間存続した場合に契約解除ができる旨定めたもの

(a) Should such an event of Force Majeure continue for more than six (6) months, the party whose performance is affected by such an event may terminate this Agreement upon notice to the other party in writing.

(b) Should any delay resulting from such an event of Force Majeure exceed 60 days, the party whose performance is affected by such an event may terminate delivery of the Products affected by such delay and if the delay shall exceed 180 days, either party may terminate delivery of the Products affected by such delay, provided that the Agreement shall continue in respect of the delivery of the remaining Products.

④ Pro-rating条項の例

In the event of a shortage of the Products, the Seller shall have the right to allocate its available Products among the Buyer and other customers in such a manner as the Seller may consider to be equitable.

⑤ ICCの条項を採用するときの例

国際商業会議所（ICC）では，不可抗力，ハードシップ条項をとりまとめ，関係者の利用に供している（ICC Publication No. 650. 2003年2月）。この条項を利用する場合には，契約書に次の適用文言を挿入することとなる。

The ICC Force Majeure Clause 2003 and ICC Hardship Clause 2003, published by the International Chamber of Commerce (ICC Publication No. 650) is hereby incorporated into this Agreementt.

⑥ 原材料価格等の高騰等を理由とした免責を認めないことを明示するときの例

Seller's financial inability to perform, changes in cost or availavility of materials, components or services, market conditions or supplier actions or contract disputes will not excuse performance by the Seller under this Agreement.

⑦ ハードシップ条項の例

In the event that a material change in circumstances arises which would impose hardship upon a party in performing its obligations under this Agreement, the parties shall discuss such event in good faith with a view to revising the terms of this Agreement.

紛争の解決

17-1　仲裁条項の例

Article ××　Settlement of Disputes

All disputes, controversies or differences which may arise between the parties hereto, out of or in relation to or in connection with this Agreement shall be finally settled by arbitration in Tokyo, Japan, in accordance with the Commercial Arbitration Rules of the Japan Commercial Arbitration Association.

第××条　紛争の解決

本契約または本契約に関連して，当事者間に生ずることがあるすべての紛争，論争または意見の相違は，一般社団法人日本商事仲裁協会の商事仲裁規則に従って，日本国東京都において仲裁により最終的に解決されるものとする。

17-2　裁判条項の例

Article ××　Settlement of Disputes

The Seller and the Buyer hereby irrevocably submit to the exclusive jurisdiction of the Tokyo District Court and other higher courts having jurisdiction in Japan for the settlement of disputes arising under or in connection with this Agreement.

第××条　紛争の解決
　売主および買主は，本契約により，取消不能の形で，本契約に基づきまたは本契約に関連して生ずる紛争解決のため，東京地方裁判所および日本国において管轄権を有するその他の上級裁判所の専属的裁判管轄に服することとする。

1　本条のねらい

本条は，売買契約から生じる紛争をどのような手続により解決するのかを示すとともに，その場合の機関，場所を具体的に規定することをねらいとしている。

サンプル条項では，仲裁および裁判の例を掲げた。

2　本条作成の際の指針

売買契約について紛争が生じた場合，その解決には，時間，人手，費用がかかる。交渉の経過によっては，契約当事者間の信頼関係に亀裂が入り，取引継続の希望が消えてしまうこともある。

このような観点から，契約書中に，まず当事者間の友好的な協議により紛争解決を行う旨の規定をするのは必然ともいえる。しかし，友好的な交渉によっても解決できない場合には，解決を第三者の手に委ねることとなる。

これには，裁判，仲裁，調停がある。調停は，紛争当事者が調停案に従うことを了承しなければ拘束力を生じないため，商事紛争の最終的解決手段としてはあまり多くは利用されていない。したがって，商事紛争の最終的解決手段としては，仲裁か裁判のいずれかによることになる。なお，仲裁または裁判の手続を開始しても，紛争当事者はいつでも和解することが可能であることは念頭に置いておく必要がある。

(1) 仲裁と裁判

国際商事紛争の解決手段として，裁判と仲裁のいずれが優れているであろうか。それぞれに長所と短所があり，一概にどちらかが優れていると結論づけることは難しいが，後述のとおり，国際売買契約の場合は，仲裁が選択されることが多い。

まず，仲裁の特徴として一般的に次のものが挙げられる。

(i) **執行の確実性**　外国での仲裁判断は，後述(3)のとおり当該外国との条約により執行が確保されているケースが多い。それに対し，外国裁判の判決は執行を認める条約が存在せず，後述(4)(iii)に記すとおり，執行が承認される場合も，その承認基準は一般的に厳しい。

(ii) **専門性**　仲裁の場合，当該商品・取引の専門家や準拠法に精通した仲裁人を選任でき，専門家による実際的な判断が期待できる（ただし，申立人と被申立人の主張の中間をとった仲裁判断となることも多く，相手方に一方的に落度がある事案では，必ずしも期待どおりの仲裁判断を得られない場合もある）。

(iii) **秘密性**　仲裁は非公開であるから，当事者以外の者が手続を傍聴したり，書類の閲覧をすることがなく秘密が保たれる。

(iv) **言　語**　仲裁は当事者が合意すれば言語の選択が可能である。裁判の場合は，証拠書類も現地の言語に翻訳した上で提出が求められるケースもあることに比べメリットがある。

(v) **公正性**　国によっては，裁判では，自国民に対して有利な判決が下されることや，大企業よりも個人や弱者に有利な判決となる可能性もあるが，仲裁の場合は中立的な仲裁人を選定することで公正な判断が期待できる。

(vi) **迅速性**　裁判に比して送達が容易で，手続を比較的迅速に開始できる。また，仲裁は，裁判と異なり上訴（控訴・上告）の手段が一般的に認められておらず，仲裁判断が最終（final）となるので，迅速な解決が期待できる（ただし，案件によっては，審理に時間を要し，仲裁判断までに長期間を要する場合もある）。

(vii) **経済性**　仲裁は裁判と比較して手続が迅速であるため，費用も少なくて済む（ただし，仲裁についても弁護士を起用すれば弁護士費用がかかり，仲裁機関によっては，多額の仲裁費がかかるところもあるため，仲裁は裁判と比較して明らかに経済的であるとまではいえない）。

裁判の特徴としては一般的に次のものが挙げられる。

(i)　**公権力発動**　　重要な証人が手続に出頭しない場合や，政府機関等からの証拠収集が必要な場合は，裁判所の権力発動により，これらが可能となり得る。

(ii)　**予防的措置**　　裁判の場合は，仮差押えなど予防的措置が認められる国が多い（仲裁でも，日本の仲裁法のように裁判所による予防的措置が認められる国もある。また，代表的な仲裁機関は暫定措置制度を導入しているが，その執行可能性は問題となり得る）。

(iii)　**明確な判断**　　黒白がはっきりした判決が期待できる。

(iv)　**正確な判断**　　裁判の場合は，上訴（控訴・上告）の手段が認められるため，誤った判決を正す機会がある（ただし，そのために迅速性が失われる）。

(v)　**公正な判断**　　国家機関による裁判であるため，公正な判決が期待できる（ただし，国によっては，自国民や弱者に味方をする可能性があり，必ずしも公正な判断を得られるとは限らない）。

国際売買契約の締結に際し，紛争の解決手段として裁判と仲裁のいずれを選択するかについては，契約から発生する紛争の内容を予見し，それが裁判と仲裁のどちらにより馴染むかで決めることになるが，執行可能性や実務的な判断（前述の専門性に加え，例えば，コーヒー，砂糖，穀物等の特定の商品取引協会に設置された専門性の高い仲裁機関も存在する）を得られるという観点から，仲裁条項を定めるのが一般的である。

(2)　仲裁による紛争の解決

仲裁による紛争解決の条項を作成するにあたっては，次の点を検討しなければならない。

①　どの仲裁機関によるか。
②　仲裁人を何人とし，どのように選定するか。
③　仲裁規則は何に準拠するか。
④　仲裁地をどこにするか。
⑤　仲裁判断を最終とするか。

(i)　**仲裁機関**　　仲裁には，常設仲裁機関による機関仲裁と仲裁機関が関与しないアドホック（ad hoc）仲裁とがある。国際商事紛争では，通常は，機関仲裁による解決が売買契約に規定される。

常設仲裁機関の主なものとして，次のものを挙げることができる。

日 本	一般社団法人日本商事仲裁協会	The Japan Commercial Arbitration Association（JCAA）
シンガポール	シンガポール国際仲裁センター	Singapore International Arbitration Centre（SIAC）
米 国	米国仲裁協会国際紛争解決センター	The American Arbitration Association International Centre for Dispute Resolution（ICDR）
英 国	ロンドン国際仲裁裁判所	The London Court of International Arbitration（LCIA）
フランス	国際商業会議所	The Court of Arbitration of the International Chamber of Commerce（ICC）
スウェーデン	ストックホルム商業会議所	The Arbitration Institute of the Stockholm Chamber of Commerce（SCC）
中 国	中国国際経済貿易仲裁委員会	The China International Economic and Trade Arbitration Commission（CIETAC）
香 港	香港国際仲裁センター	The Hong Kong International Arbitration Centre（HKIAC）

このほか，特定商品についての取引協会，例えば，Grain and Feed Trade Association（GAFTA），Federation of Oils, Seeds and Fats Associations（FOSFA），Sugar Association of London などが擁する仲裁機関がある。

いずれの常設仲裁機関を選ぶかは，過去の仲裁実績，仲裁規則，仲裁費用，仲裁人の能力などを考慮した上となろう。

中国企業との契約においては，HKIAC（香港国際仲裁センター），SIAC（シンガポール国際仲裁センター）が多くみられる。相手方が応じるのであれば，もちろん，日本商事仲裁協会とするケースもあり得る。逆に，CIETAC（中国国際経済貿易仲裁委員会）を日本企業が受け入れるケースも増えている。

Column ⑪　CIETAC 内部分裂とその帰結

もともとCIETACは，北京総会，上海分会および華南分会（深圳）を有していたが，仲裁規則をめぐる方針の相違により2012年に内部分裂が発生した。上海分会および華南分会は，北京総会からの独立を宣言の上，それぞれ「Shanghai International Arbitration Center（SHIAC)」,「Shenzhen Court of International Arbitration（SCIA)」に名称を変更し，独自の仲裁規則を定めて運営を続けた。これに対し，CIETAC北京総会も，2014年12月に，もともと残っていた上海および深圳における出先機関を「CIETAC上海分所」および「CIETAC華南分所」として再編し，従来の紛争解決条項において「CIETAC上海分会」または「CIETAC華南分会」での仲裁が合意されていた事案に関しては，CIETACの授権がない限り，その他の仲裁機関は受理できないとしたため，混乱が生じていた。これに関し，中国最高人民法院は2015年7月15日に司法解釈を出し，「CIETAC上海分会」または，「CIETAC華南分会」を仲裁機関とする旨の合意につき，当該合意がSHIACまたはSCIAへの名称変更前になされたものである場合は，SHIACまたはSCIAが管轄権を有し，名称変更後になされたものである場合はCIETAC北京総会が管轄権を有する旨を明らかにして混乱を収拾した。今後の仲裁条項においては，いずれの仲裁機関を選択することもできるが，SHIACもしくはSCIAまたはCIETAC上海分所もしくは華南分所は仲裁機関としての実績が少ないため，CIETAC仲裁を選択する場合には，CIETAC北京総会を仲裁機関として選択することが最も保守的である。

(ii)　**仲裁人の数および選定方法**　　仲裁人の数は1名または3名が一般的である。常設仲裁機関による機関仲裁の場合は，規定がなければ，仲裁人の選定は準拠する常設仲裁機関の仲裁規則によることとなる。日本の一般社団法人日本商事仲裁協会（JCAA）の規則では，取決めがなければ1人の仲裁人による仲裁となる。アドホック仲裁の場合は，仲裁人の数およびその選定方法を定めることになる。

(iii) **仲裁規則**　いかなる仲裁規則に準拠して仲裁手続をとり行うかについても検討しなければならない。機関仲裁の場合は，通常は，当該仲裁機関が備えている仲裁規則によるが，UNCITRAL（国際連合国際商取引法委員会）の仲裁規則の採用も考えられよう。ただし，仲裁機関によってはUNCITRALの仲裁規則の使用が認められないこともあるので注意を要する。また，アドホック仲裁の場合の仲裁規則は，売主・買主が仲裁条項の中で指定するか，仲裁人が定めることとすることができる。

(iv) **仲裁地**　仲裁地は，仲裁の法律上の本拠地であり，仲裁契約，仲裁手続，仲裁判断の有効性等には仲裁地の仲裁法（または民事訴訟法の中の仲裁に関する規定）が適用されることとなる（仲裁法につき第1部第***6***章*3*(11)参照）。また，仲裁地の裁判所が仲裁判断の取消し等の申立てにつき管轄を有することになる。仲裁地の選択については，売主・買主間の意見の相違をみることが多く，妥協案として，第三国を仲裁地と定めることがしばしばある。第三国を仲裁地と定める場合には，ロンドンやシンガポールなどが選定されることが多い。また，仲裁地と実際の仲裁手続（hearing）を行う場所を分けることも可能である。

(v) **仲裁判断の最終性**　仲裁が紛争解決の手段として選ばれる理由の1つは，当事者の選択した仲裁人による仲裁判断を最終的なものとして受け入れることにより，紛争の早期処理を図るためであるため，仲裁判断が最終（final）であり，当事者はこれにより拘束される（binding）と規定する条項が大半といえる（なお，理論的には，仲裁は当事者が紛争を解決するための一手段とし，最終的には裁判により解決する旨を規定することも可能である）。

(3) 仲裁契約と外国仲裁判断の効力

売買契約書に仲裁条項を記載する場合，仲裁契約（仲裁合意）の効力および外国仲裁判断の執行の可能性についてよく確認しなければならない。もちろん，紛争の相手方が任意に仲裁判断に従うことも考えられるが，相手方の執行対象財産の所在国において，外国仲裁判断の強制的な執行手段が確保されていないと，仲裁判断の実効性が失われてしまうことから，外国仲裁判断の執行力には特に注意を要する。

仲裁契約の効力と外国仲裁判断の執行可能性については，まずは，執行国や仲裁地の条約の締結・加盟状況（留保を行っているか等も含め）および条約の内容を確認する必要がある。

仲裁契約の効力および外国仲裁判断の執行に関する条約には多国間条約と二国間条約（友好通商航海条約等）とがあり，これを一覧表に示せば次のとおりとなる。なお，前述のとおり，多国間条約加盟国の中には一部留保を行っている国もあるから注意しなければならない。

仲裁に関する国際条約・通商条約締約国一覧表

○印は締約国であることを示す。

2017年4月末現在

国　名	ジュネーブ議定書	ジュネーブ条約	ニューヨーク条約	通商条約
アイスランド			○	
アイルランド	○	○	○	
アゼルバイジャン			○	
アフガニスタン			○	
アメリカ			○	○
アラブ首長国連邦			○	
アルジェリア			○	
アルゼンチン			○	○
アルバニア	○		○	
アルメニア			○	
アンゴラ			○	
アンティグア・バブーダ			○	
アンドラ			○	
イギリス	○	○	○*	○
イスラエル	○	○	○	
イタリア	○	○	○	
イラク	○			
イラン			○	
インド	○	○	○	
インドネシア			○	
ヴェネズエラ			○	

国　名	ジュネーブ議定書	ジュネーブ条約	ニューヨーク条約	通商条約
ウガンダ			○	
ウクライナ			○	
ウズベキスタン			○	
ウルグアイ			○	
エクアドル			○	
エジプト			○	
エストニア			○	
エルサルバドル			○	○
オーストラリア			○	
オーストリア	○	○	○	
オマーン			○	
オランダ	○	○	○	
ガーナ			○	
ガイアナ			○	
カザフスタン			○	
カタール			○	
カナダ			○	
ガボン			○	
カメルーン			○	
韓国			○	
カンボディア			○	
ギニア			○	
キプロス			○	
キューバ			○	
ギリシャ	○	○	○	
キルギス			○	
グアテマラ			○	
クウェート			○	
クック諸島			○	
クロアチア			○	○
ケニア			○	
コートジボアール			○	

国　名	ジュネーブ議定書	ジュネーブ条約	ニューヨーク条約	通商条約
コスタ・リカ			○	
コモロ連合			○	
コロンビア			○	
コンゴ民主共和国			○	
サウジアラビア			○	
サントメ・プリンシペ			○	
ザンビア			○	
サンマリノ			○	
ジブチ			○	
ジャマイカ			○	
ジョージア			○	
シリア			○	
シンガポール			○	
ジンバブエ			○	
スイス	○	○	○	
スウェーデン	○	○	○	
スペイン	○	○	○	
スリランカ			○	
スロバキア			○	
スロベニア			○	○
セネガル			○	
セルビア			○	○
セントヴィンセントグレナディーン			○	
タイ	○	○	○	
タジキスタン			○	
タンザニア			○	
チェコ			○	
中央アフリカ			○	
中国			○**	○
チュニジア			○	
チリ			○	
デンマーク	○	○	○	

国　名	ジュネーブ議定書	ジュネーブ条約	ニューヨーク条約	通商条約
ドイツ	○	○	○	
ドミニカ			○	
ドミニカ共和国			○	
トリニダード・トバゴ			○	
トルコ			○	
ナイジェリア			○	
ニカラグア			○	
ニジェール			○	
日本	○	○	○	
ニュージーランド	○	○	○***	
ネパール			○	
ノルウェー	○		○	
バーレーン			○	
ハイチ			○	
パキスタン			○	○
バチカン			○	
パナマ			○	
バハマ			○	
パラグアイ			○	
バルバドス			○	
パレスチナ			○	
ハンガリー			○	○
バングラデシュ	○	○	○	
フィジー共和国			○	
フィリピン			○	
フィンランド	○	○	○	
ブータン			○	
ブラジル	○		○	
フランス	○	○	○	
ブルガリア			○	○
ブルキナ・ファソ			○	
ブルネイ			○	

国　名	ジュネーブ議定書	ジュネーブ条約	ニューヨーク条約	通商条約
ブルンジ			○	
ベトナム			○	
ベニン			○	
ベラルーシ			○	
ペルー			○	○
ベルギー	○	○	○	
ポーランド	○		○	○
ボスニア・ヘルツェゴビナ			○	○
ボツワナ			○	
ボリヴィア			○	
ポルトガル	○	○	○	
ホンジュラス			○	
マーシャル諸島			○	
マケドニア旧ユーゴスラビア共和国			○	○
マダガスカル			○	
マリ			○	
マルタ	○	○	○	
マレーシア			○	
南アフリカ共和国			○	
ミャンマー	○	○	○	
メキシコ			○	
モーリシャス	○	○	○	
モーリタニア			○	
モザンビーク			○	
モナコ	○		○	
モルドバ			○	
モロッコ			○	
モンゴル			○	
モンテネグロ			○	○
ヨルダン			○	
ラオス			○	
ラトヴィア			○	

国　名	ジュネーブ議定書	ジュネーブ条約	ニューヨーク条約	通商条約
リトアニア			○	
リヒテンシュタイン公国			○	
リベリア			○	
ルーマニア	○	○	○	○
ルクセンブルグ	○	○	○	
ルワンダ			○	
レソト			○	
レバノン			○	
ロシア			○	○

＊ジブラルタル・マン島・バミューダ・ケイマン諸島・ガーンジー島・ジャージー・英領バージン諸島を含む。

＊＊香港・マカオを含む。

＊＊＊ニウエを含まず。

(注)「通商条約」の欄の○印は，日本と通商条約を締結した国で，その条約に仲裁規定のあることを示す。

また，国によっては，条約に加盟していなくても，国内法により仲裁契約の効力を認め，かつ，外国仲裁判断に執行力を与えている場合もあるため，条約に加盟していない場合は，そのような国内法の存在，および当該国内法においていかなる条件の下に仲裁契約の効力が認められ，また，外国仲裁判断の執行が認められているかを確認する必要がある。

(4)　裁判による紛争の解決

契約から発生した紛争の解決方法につき別段の合意がない場合は，裁判所に提訴することとなる。その場合は，執行可能性等を考慮し，被告の住所地を管轄する裁判所において訴訟を提起することになるケースが多い。

また，当事者が契約の中であらかじめ専属的な管轄裁判所を定めた場合には，当該管轄裁判所への提訴が必要となる。非専属的管轄裁判所を定めた場合には，当該裁判所のほか，法律上管轄を有することになる他の裁判所に提訴することも可能となる。裁判による紛争解決の条項を作成するにあたっては，次の点を検討しなければならない。

(i)　**裁判管轄の合意**　　裁判管轄の合意は，私的自治の原則に基づき，原則有効であるが，国，地方公共団体または中央銀行等の公的な当事者は外国の裁判権に服さない場合があるので注意しなければならない。裁判管轄の合意をする場合には，どこの国のどの裁判所において解決するのかを明確にした上で，当該裁判所の管轄が専属的であるか，それとも非専属的であるかについて規定しなければならない。ただし，専属的裁判管轄の合意は一定の要件（例えば，指定された裁判所が当該事件につき法律上も管轄権を有するなど）を満たす場合に限り有効とされる可能性があったり，売主・買主共に全く関係のない第三国の裁判所を管轄裁判所とする合意をしても，当該裁判所は訴訟を受理しない可能性があることに注意を要する。

(ii)　**訴状の送達**　　被告（相手方当事者）が裁判所所在国外に住所を有する場合には，訴状の送達は，嘱託送達（letters rogatory）の方法等によらざるを得ない場合も多く，訴状の送達が行われるまでに長期間を要する。国によっては，訴状送達を容易にするために，契約書の定めに基づいて，相手方が選任した裁判所の管轄地域内の代理人（プロセスエージェント）に訴状の受領を行わせることが認められている。しかし，このような条項が機能するかは国によって異なり，日本では認められていない。

(iii)　**外国判決の効力**　　契約書の中で裁判管轄の合意をするときは，外国における判決の効力，その執行可能性，執行判決に至るまでの手続，これに要する時間などの調査が必要となる。外国判決の執行については，外国仲裁判断の執行の場合と異なり，執行を認めるための条約が存在しないため，種々困難が伴う。外国判決を自国において執行することは，いわばその国の主権を一部否定することにもなり，仮に外国判決の執行が認められるとしても，その承認基準は一般的に厳しい。例えば，わが国の民事訴訟法118条は次の条件の下に外国判決の効力を認めている。

①　外国裁判所の裁判権が法令，条約により認められていること。

②　敗訴の被告が訴訟の開始に必要な呼出しもしくは命令の送達（公示送達その他これに類する送達を除く）を受けたこと，またはこれを受けなかったが応訴したこと。

③　外国の判決の内容および訴訟手続が日本における公序良俗に違反してい

ないこと。

④　相互保証のあること。

(iv)　**裁判管轄と準拠法**　裁判管轄の合意をする場合，裁判手続にはその国の民事訴訟法が適用されることになる。売主・買主の合意によって適用される手続法を自由に決定することができない点は，仲裁の場合と事情を異にする。

他方で，裁判管轄の合意があっても，売買契約を解釈するための（実体法についての）準拠法は自由に取り決めることができる。しかし，裁判において，外国法に基づく実体法上の解釈が問題となった場合，当該外国法の専門家ではない当事者代理人がその点につき主張・立証し，当該外国法の専門家ではない裁判官がその点につき判断しなければならず，費用や時間がかかる上，正しい判断がなされない可能性もある。そのため，管轄裁判所を定めたときは，実体法についても同じ国の法律を準拠法とするのが賢明である。

Variation Clause

〔1〕　仲裁条項

①　日米貿易仲裁協定の規定に基づく標準仲裁約款の例

All disputes, controversies, or differences which may arise between the parties, out of or in relation to or in connection with this contract, or the breach thereof, shall be finally settled by arbitration pursuant to the Japan-American Trade Arbitration Agreement of September 16, 1952, by which each party hereto is bound.

日本商事仲裁協会と米国仲裁協会とが，両国企業間の商事紛争を両国での商事仲裁により解決されることを促進するために結んだのが，日米貿易仲裁協定である。この協定に基づく規定によると，日本での仲裁は一般社団法人日本商事仲裁協会の規則により，また，米国では米国仲裁協会の規則によるが，当事者間で仲裁地につき合意されない場合に，当事者の一方から仲裁の通知を受けたいずれかの協会は双方の協会より任命される合同委員会で仲裁地を決定することとなっている。

② 米国仲裁協会国際紛争解決センター（ICDR）の標準仲裁約款の例

Any controversy or claim arising out of or relating to this contract, or the breach thereof, shall be determined by arbitration administered by the International Centre for Dispute Resolution in accordance with its International Arbitration Rules.

当事者間であらかじめ仲裁人の数，仲裁地，使用言語を取り決める場合は，上記に加え，以下を合意しておく。
"The number of arbitrators shall be (one or three)" ;
"The place of arbitration shall be ______" ; and
"The language of the arbitration shall be ______."

③ 国際商業会議所（ICC）の標準仲裁約款の例

All disputes arising out of or in connection with the present contract shall be finally settled under the Rules of Arbitration of the International Chamber of Commerce by one or more arbitrators appointed in accordance with the said Rules.

④ 中国でICC仲裁を行う場合は，明示的にICCにて行う旨の明記が必要

All disputes arising out of or in connection with the present contract shall be submitted to the International Court of Arbitration of the International Chamber of Commerce and shall be finally settled under the Rules of Arbitration of the International Chamber of Commerce by one or more arbitrators appointed in accordance with the said Rules.

⑤ 中国でCIETAC仲裁を行う場合は，仲裁地の明記が推奨される（Column ⑪参照）

Any dispute arising from or in connection with this Contract shall be submitted to China International Economic and Trade Arbitration Commission (CIETAC) for arbitration in Beijing which shall be conducted in accordance with the CIETAC's arbitration rules in effect at the time of applying for arbitration. The arbitral award is final and binding upon both parties.

⑥ 3人の仲裁人による英語での仲裁を規定する例

Any disputes between the parties in connection with this Agreement shall be finally settled by arbitration in Stockholm, Sweden in accordance with the Rules of the Arbitration Institute of the Stockholm Chamber of Commerce. The arbitral tribunal shall be composed of three (3) members. The arbitration proceedings shall be conducted in the English language.

⑦ 仲裁判断の見直しのため裁判所に訴えず，かつ，仲裁の判断が出るまでは法廷に訴えず，訴える場合も仲裁判断の執行を求めるために限る例

The Seller and the Buyer agree that neither party shall appeal to any court from the decision of the arbitrators. In addition, the Seller and the Buyer agree that neither party shall have any right to commence or maintain any suit or legal proceeding concerning a dispute hereunder until the dispute has been determined by arbitration as provided for herein and then only for enforcement of the award rendered in such arbitration.

⑧ 紛争が仲裁に係属している間も仲裁判断により調整することを条件として契約上の義務履行を継続する旨を定める例

Pending settlement of any dispute the parties hereto shall abide by their obligations under this Agreement without prejudice to a final adjustment in accordance with an award rendered in an arbitration settling such dispute.

〔2〕 裁判条項

① 被告の国での裁判による解決を規定する例

Any legal action taken by the Buyer against the Seller shall be brought in a court of [the Seller's Country] having competent jurisdiction over the Seller. Any legal action taken by the Seller against the Buyer shall be brought in a court of [the Buyer's Country] having competent jurisdiction over the Buyer.

② 専属的裁判管轄約款の例

Each Party hereby irrevocably agrees that any legal suit, action or proceeding with respect to this Agreement shall be instituted in the courts of the State of New York, or of the United States of America for the Southern District of New York, and each Party irrevocably submits to the exclusive jurisdiction of such courts in any such suit, action, or proceeding. The Buyer hereby irrevocably designates, appoints and empowers CT Corporation System, with offices at ________ , New York, New York, to receive for and on behalf of the Buyer service of process in the State of New York. The Buyer further irrevocably consents to service of process out of the said courts, in lieu of service of process upon CT Corporation System, by mailing copies thereof by registered mail, postage prepaid, to the Buyer at its address set forth on the first page of this Agreement.

なお，当事者間での紛争の和解による解決の例としては，第3部10-⑬，10-⑭を参照されたい。

第18章 準拠法

> **Article ×× Governing Law**
> This Agreement shall be governed by and construed and interpreted in accordance with the laws of Japan.
>
> 第××条 紛争の解決
> 本契約は，日本法に準拠して解釈されるものとする。

1 本条のねらい

契約上の表現は同じであっても，法律が異なれば，その意味・解釈が異なることがある。したがって，売主・買主が意図していることと，契約の表現が等しくなるように，契約解釈の基準となる法律を定めることが本条の目的である。

2 本条作成の際の指針

本条は governing law や applicable law などと呼ばれる。規定自体はシンプルであるが，売主・買主共に準拠法を自国法にすることを主張するため，なかなか意見の一致をみないことがある。

そのような場合の解決策として，第三国の法律を準拠法にすることが多い。

3 準拠法の定めなき場合の準拠法の決まり方

契約書に準拠法についての規定を置かなかった場合，どこの国の法律が適用されるのであろうか。日本国内の契約では，契約書上に記載しなくとも，当事者の意思の推定等により日本法が準拠法となると考えられるが，国際売買契約の場合は，関連する国の国際私法に従い，一般的には契約当事者の意思により選択された法律，その意思が明らかでないときは，契約の締結地，履行地，その他を考慮の上，ケース・バイ・ケースで決定される。しかし，例えば売主と買主のそれぞれの国の国際私法によって導かれる準拠法が異なる場合は，どちらの国の国際私法が適用されるかについても争いが生じることになる。このような事態を避けるためにも準拠法の定めは重要である。

日本における準拠法についての国際私法は，「法の適用に関する通則法」（通則法）である。通則法7条には，「法律行為の成立及び効力は，当事者が当該法律行為の当時に選択した地の法による」と規定されており，契約当事者の意思が明らかな場合は，同条に基づき，当該法律が準拠法となる。契約当事者の意思により準拠法が選択されない場合については，通則法8条に「最も密接な関係がある地の法」（最密接関係地法）によると規定されており，同条に基づき，当該法律行為に最も関係の深い地の準拠法が適用されることになる。

4 CISGについて

第1部第*6*章*2*(1)に述べたとおり，CISGは，国際物品売買契約の成立および売主・買主の権利・義務を規律するものであり，当該売買契約締結時において，契約当事者の営業所（place of business）が異なった国にあり，かつ，①それらの国がいずれも本条約の締約国である場合または② CISG締約国の法が準拠法に指定される場合には，当該売買契約にはCISGが自動的に適用される。もっとも，契約に明記することでCISGの適用を排除（opt-out）することが可能であり，逆に自動適用されない場合であっても，当事者間でCISGの適用を合意することもできる。CISGが適用される場合で準拠法の規定と矛盾が生じる場合は，当事者間で別段の合意がなければCISGが優先される。

Variation Clause

CISGの適用排除条項の例

This Contract shall be governed by and construed in accordance with the laws of Japan, excluding the United Nations Convention on Contracts for the International Sale of Goods.

第19章

公租公課

Article ×× Taxes and Duties

All taxes (including but not limited to withholding, sales, use, value added, registration, ad valorem, excise, employment and documentary stamp taxes), customs duties, import surcharges or other governmental charges to be imposed or charged in connection with the sale and purchase of the Products hereunder by any governmental authorities other than the governmental authorities of the Seller's country shall be borne and paid by the Buyer.

第××条　公租公課

本契約に基づく商品の販売に関連して，売主所属国外の政府当局により賦課または徴収されるすべての税金（源泉徴収税，販売税，使用税，付加価値税，登録税，従価税，消費税，雇用税および印紙税などを含む），関税，輸入課徴金，その他政府の課す負担金は，買主が負担し，支払うものとする。

1　本条のねらい

売買契約履行に関連して，売主所属国外において税金・関税等が賦課される場合の負担者を取り決める。サンプル条項においては，買主が負担することとなっている。

2　本条作成の際の指針

国際売買取引に関して，対象商品の輸出国においてどのような税金等が発生するかは，輸出者のよく知るべき事項であるが，輸出国外においてどのような税金等が発生するのか，また，誰に発生するのかを見極めることは難しい。そこで，輸出国外で発生する税金等の負担者をあらかじめ取り決めておくこととなる。

サンプル条項は，国際的によく活用されるインコタームズのFOBやCIFといった積地渡し条件を念頭に置いたものであるが，DDP（関税込持込渡条件）等の場合には，関税は売主の負担となるので，受渡条件との関連を意識しながら本条項を作成しなければならない。

また，税金等の負担について定めていても，契約締結時には予想できなかった関税の大幅な引上げ，あるいは，新しく設定された賦課金については，売主が負担するとなると売主の採算が合わなくなる可能性もあり，買主に負担させることを定めることも考えられる（第3部6-③Article 6(c)参照）。第2部第**6**章の契約金額の項では，税金のほか製造費等の増加による価格調整として説明を加えたが，本条においては税金，賦課金の側面に限定して規定することもできる。

Variation Clause

① 売主・買主双方の負担を規定する例

All customs duties, excise, taxes, fees and other charges including the cost of any certificate of origin imposed on or required for the sale and purchase of the Products hereunder in the country of shipment shall be the responsibility of the Seller and for the Seller's account. All similar charges including any import charges imposed in the country of destination shall be the responsibility of the Buyer and for the Buyer's account.

② 新設または増額された税金等の負担を定める例

Any new or increased customs duties, taxes, import surcharges or other governmental charges which become effective in the country of destination after the date of this Agreement shall be borne and paid by the Buyer.

上記のほか第3部6-②**Article 10**，6-④**Article 24**，6-⑤**Article 12**を参照願いたい。

③ 売主が支払うべき諸税が契約締結後に増加した場合，契約価格を変更する旨を規定する例

The price specified in this Agreement shall be subject to adjustment to the extent of any increase in taxes, import duties, import surcharges or other governmental charges which become effective after the date of this Agreement and are payable by the Seller.

④ 買主が源泉税を控除しても，契約代金全額の支払を確保する（Gross Upする）例

The Buyer shall make all payments under this Agreement free and clear of all deductions and withholdings in respect of any taxes payable by the Buyer hereunder, and if any of the taxes are required by applicable law to be deducted or withheld by the Buyer from the payment to the Seller of the price for the products, the amount of such payment due and owing from the Buyer shall be adjusted to such amount as shall, after deduction or withholding of such taxes, be equal to the sum the Seller would have received had no such taxes been deducted or withheld.

相殺の禁止

Article ×× No Set-off

The Buyer shall pay to the Seller the full price for the Products under this Agreement without availing the Buyer of the benefit of any right of set-off, counterclaim, recoupment or other such rights which the Buyer may have against the Seller, which rights shall be exercised in separate proceedings between the Buyer and the Seller.

第××条　相殺の禁止

買主は，本契約に基づく商品の価格を相殺，反訴（カウンター・クレーム），控除の権利または買主が売主に対して有する他の権利を利用することなく支払うものとし，かかる諸権利は売主・買主間の別の訴訟において行使されるものとする。

1　本条のねらい

本条の目的は，売買契約の代金支払の際に買主がクレームその他の事由を理由に相殺等を主張して売買代金の支払拒絶を禁ずることを取り決めることにある。

2　本条作成の際の指針

売買契約，特に国際売買契約の売主にとっては，買主から売買代金の全額をいかに早く契約条件どおりに支払を受けることができるかは重要なことである。

一方，買主としては，購入した物品が契約条件に合致していなかったり，不良製品であったり，数量が不足している場合には，当然のことながら契約代金の支払を拒絶したり，クレーム代金を差し引いた上で残りの代金を売主に支払うことを考える。

したがって，売主としては認めていないクレーム等により買主が勝手にクレーム代金を相殺して支払ってもらっては売買代金の回収に支障を来すことになり，このような問題を避ける意味からも明文を設けて相殺等の禁止を規定するのが一般的である。

売主としては，この規定により買主から売買代金の全額の支払を受けた上でクレーム等の解決にあたることができ，仮にクレームが協議によって解決できず，仲裁，訴訟になった場合でも代金の支払を受けているので安心してこれらに対処できることになる。なお，売買契約において，相殺禁止については独立した条項を設けず，支払条項の一項目として規定されることもある。

3　相殺に関する日本法，英米法の考え方

日本法上は，民法505条において，相殺権が認められている。同条によれば，売主・買主が互いに同種の債務を負担し，双方の債務が弁済期にある場合には，相殺が可能であるが，同条2項には当事者の意思により相殺権を排除できる旨の規定がされており，サンプル条項のように相殺禁止の規定を置くことは，日本法上，何ら問題がない（なお，平成29年改正民法において，相殺の充当順序に関する民法の規定を排除するためには「別段の合意」が必要とされた〔民512条〕）。

一方，英米法においては相殺は原則として認められておらず（英国動産売買法53条では，契約解除に至らない程度の売主の契約違反がある場合には，買主は，この違反に対して代金の減額または代金債務の消滅をもって対抗できると規定されてい

る)，売主・買主は互いに双方の債務が弁済期にあっても訴訟外でこれを主張することはできない。しかし，訴訟法上，反訴を提起した上で同じ取引または緊密に関連する取引に基づく請求権による相殺の抗弁を主張することは認められているため，買主としては，売主が提起した代金支払請求訴訟に対し，製品不良等を理由とした損害賠償請求訴訟等を反訴として提起し，売買代金請求権と損害賠償請求権等との相殺を主張することが可能となる。

したがって，サンプル条項にあるように，買主が反訴を提起して売買代金の支払を拒絶することをあらかじめ明文でもって禁止し，仮に買主が法律上売主に対する何らかの金銭的請求権を有するとしてもそれを売買代金の支払拒絶のために行使せず，別の訴訟で行使する旨の合意を取り付けておくことは，英米法上も意味がある。

4 留意事項

契約に相殺禁止条項がある場合，買主は相殺することはできず，相殺を行った場合は契約違反となる。しかし，仮に買主が契約に違反して相殺を主張して売買代金の支払を拒絶したり減額された代金を支払ってきた場合，売主が買主に相殺前の代金の支払をさせるためには，仲裁，訴訟を提起して，仲裁判断，判決を得た上で強制執行をしなければならず，費用も時間もかかることとなる。

したがって，売主としては，このような事態も想定した上で，例えば，船積前にL/Cを開設させるなどして，確実に買主からの代金支払を確保することを考えなければならない。

逆に，買主としては，相殺を認める条項を設けることも検討する必要があり，また，相殺禁止条項があっても，売主に対するクレームがある場合には売主と交渉して代金の全額または一部の支払を拒絶することに全力を尽くす必要がある。

Variation Clause

① 売主が認めていないクレームを理由とした買主による支払の留保または相殺を禁止する例

Withholding or set-off of payment by the Buyer on account of any claims not accepted by the Seller shall not be permitted.

② 契約に基づく支払すべて（商品代金に限らず）につき相殺を禁止する例

Any and all payments which the Seller shall be entitled to hereunder shall not be subject to deduction or offset of any amount which the Seller may be obliged to pay to the Buyer under any provisions of or in relation to the performance of this Agreement, which shall be settled between the Buyer and the Seller separately.

③ 買主が相殺する権利を明記する例

The Buyer shall be entitled from time to time to set off against the Buyer's payment obligations under this Agreement, any amounts lawfully due from the Seller to the Buyer, whether under this Agreement or otherwise.

第21章

契約の譲渡

Article ×× Assignment

Neither party shall assign, transfer or otherwise dispose of this Agreement or any of its rights, interest or obligations hereunder without the prior written consent of the other party.

第××条 譲 渡

本契約のいずれの当事者も，事前の相手方の書面による承諾なしには，本契約または本契約の権利・義務を譲渡，移転またはその他の処分をしてはならない。

1 本条のねらい

本条は，売主・買主間で締結された売買契約およびこれに基づく権利・義務を，一方の当事者が勝手に第三者に譲渡その他の処分を行うことを禁止することを取り決める旨を明確に合意する条項であり，3で後述するように，契約・権利・義務の譲渡については，日英米で考え方が異なる点もあるため，無用なトラブルを回避することなどをそのねらいとする。

2　本条作成の際の指針

契約は，相手方の信用をベースとして成立するものである。したがって，契約締結後に，買主が信用して契約したはずの売主が，突然契約を買主の知らない第三者に譲渡したり，逆に売主が信用力があると信じて契約した買主が信用力に不安のある第三者に勝手に契約を譲渡した場合には，他方の契約当事者の以後の契約履行に支障を生じさせることとなる。また，売主または買主にとって全く関わりのない第三者が，突然契約関係に入ってきた場合には，円滑にいくべき契約関係も上手くいかなくなるであろう。このような事態を避けるため，契約譲渡の禁止，制限を取り決めておく必要がある。

契約上，譲渡の絶対的禁止を定めることも可能であるが，実際にはサンプル条項記載のように相手方の事前の書面による同意なしには契約を譲渡しない旨を取り決め，相手方の一方的譲渡を防止する方法がとられている。

3　日本法，英米法の考え方

契約譲渡をもう少し細かく分析してみると，①契約上の売主・買主の地位およびそれぞれの諸権利の譲渡，②代金請求権，受領権等の契約上の債権・権利の譲渡，③代金支払義務，受領義務等の契約上の債務・義務の譲渡の3つが問題となる。

日本法では契約の譲渡は，契約上の権利・義務の譲渡として考えられ，権利の譲渡は債権譲渡として，義務の譲渡は債務の引受けとして捉えられている。平成29年改正民法において，539条の2に「契約上の地位の移転」の条文が新設され，契約の相手方の承諾により第三者に契約上の地位を移転することが可能であることが明文化された。売買契約から生じる債権の譲渡については，債権者は，契約に別段の規定がなければ，債務者に対する通知または債務者による承諾により，第三者に譲渡できる（民467条）。債務者は，債権譲渡の通知を受ける，又はこれを承諾するまでに譲渡人に対して生じた事由（弁済や契約解除による債権の消滅等）をもって譲受人に対抗することができる（民468条）ため，債務者の抗弁を排除するには，債務者が意思表示の一般的な規律に基づいて「抗弁の放棄」の意思表示をすることが必要である。債務の引受けについては，平成29年民法改正において，併存的債務引受及び免責的債務引受が明文化された（民470条～472条の4）。引受け前の債務者と引受人が連帯して債務を負担する併存的債務引受は，債権者と引受人となる者との契約（民470条2項）または債務者と引受人との間の契約に加えて債権者が引受人に対して承諾をすること（同条3項）によってすることができる。免責的債務引受は，債権者と引受人との間の契約に加えて債権者が債務者に対して通知をすること（民472条2項），または債務者と引受人との間の契約に加えて債権者が引受人に対して承諾すること（同条3項）によってすることができる。

英国法では，権利の譲渡については，1925年の英国財産権法（Law of Property Act）136条において，譲渡人の署名ある書面で，権利を第三者に対して無条件で譲渡することを義務者に通知すれば有効と規定されている。しかし，義務者は，この場合，当該契約に基づき譲渡人（本来の契約の相手方）に対して有するすべての抗弁を主張できるほか，これ以外の取引から生じる抗弁も，譲渡の通知を受け取る前に発生している事由に基づくものについては，譲受人に対して主張できると解されている。他方で，義務の譲渡については，譲渡人の契約上の義務を免責することになる契約上の義務のみの譲渡は認められていない。契約上の義務履行を第三者に委託（delegation）することは認められるが，その可否は契約の趣旨・目的・状況から判断される。義務が代わって履行されることを vicarious performance という。

米国法では，権利の譲渡は，契約・法律等により譲渡が認められない場合，債務者の義務を実質的に変える場合，もしくは負担・リスクを実質的に増大させる場合，または反対給付を受ける機会を実質的に失うこととなる場合を除き，債権者が第三者に権利を譲渡する意図を債務者に書面または口頭により表明することによりなされ，この結果，譲渡人は当該権利を喪失し，譲受人が債権者となる（UCC 2-210条2項，リステイトメント317条）。権利の譲渡の結果，譲受人は債務者に対し，債務者が譲渡人に対して負担していた義務の範囲で権利を取得し，債務者は，権利の譲渡通知を受け取る前に生じていた事由をもって譲受人に対抗できるが，通知以後に生じたものは対抗できない（リステイトメント

336条)。義務の譲渡については，英国法と同様に，譲渡人の契約上の義務を免責することになる契約上の義務のみの譲渡は認められていないが，契約上の義務履行の委託（delegation of performance）は，UCCおよび契約法のリステイトメントによれば，公序良俗に反する場合，または債務者が自ら債務を履行することが重要な意義を有する場合等を除き，認められる。契約上の義務履行の委託（delegation of performance）の場合は，委託者は契約責任を免れるものではない（UCC 2-210条1項，リステイトメント318条)。なお，契約書上に「契約の譲渡を禁止する」（prohibition of assignment of "the contract"）と規定された場合，特段の事情がなければ，これは契約上の義務履行の委託（delegation of performance）のみを禁止するものと解釈され（UCC 2-210条3項，リステイトメント322条1項)，「契約を譲渡する」または「契約に基づくすべての権利を譲渡する」等（an assignment of "the contract" or of "all my rights under the contract"）と規定された場合は，特段の事情がなければ，これは譲渡人の権利の譲渡（assignment of rights）と義務履行の委託（delegation of performance）を意味するものと解される（UCC 2-210条4項，リステイトメント328条)。また，一方の当事者による義務履行の委託（delegation of performance）の結果として，他方当事者が履行に不安を感じる場合には，義務受託者に対して保証（adequate assurance）を要求できる（UCC 2-210条5項)。

Variation Clause

① 売主（買主）が相手方の契約譲渡のみを制限する例

The Buyer (Seller) shall not transfer or assign this Agreement or any part hereof without the Seller's (Buyer's) prior written consent.

② 子会社に対しては相手方の承諾なしに自由に契約を譲渡できる旨を規定する例

The Seller (Buyer) may assign or transfer this Agreement or any of its rights, interest or obligations hereunder to its subsidiary without the

Buyer's (Seller's) approval, provided that the Seller (Buyer) shall remain liable for its subsidiary's full performance of any and all obligations under this Agreement so assigned.

同種の例は第3部6-② **Article 16** にあるが，さらに詳細に規定した例としては，第3部6-③**Article 15**(b)を参照されたい。

③ 相手方の同意を得て譲渡できるが，同意を不当に引き延ばしてはならない旨を規定する例

The Seller (Buyer) may assign or transfer this Agreement or any of its rights, interest or obligations hereunder with the Buyer's (Seller's) prior written consent, which consent shall not be unreasonably withheld.

④ 契約の譲渡があっても，当初の売主または買主は，責任を免れない旨を規定する２つの例

(i) Such assignment shall not relieve the Seller or the Buyer of its responsibilities with respect to this Agreement.

(ii) Notwithstanding any assignment, the assignor shall be and remain liable for the assignee's full performance of this Agreement so assigned.

⑤ 契約上の義務の譲渡がなされた場合に，譲渡人が免責される旨を規定する例

Such assignment shall relieve entirely the assignor of its responsibilities to perform this Agreement so assigned, from the date of such assignment.

⑥ 契約に基づく譲渡を直ちに書面で相手方に通知することを義務づける例

Notice of any such assignment shall be given promptly in writing by the party effecting the assignment to the other party to this Agreement.

契約に基づく代金請求権の譲渡を通知する例としては，第3部10-⑩，10-⑪を参照されたい。なお，契約履行につき，代理人を選定する例としては，第3部6-③ **Article 20**，6-④**Article 25** がある。

⑦ 担保差入れなども制限する例

Neither party shall assign, sell, pledge, encumber or otherwise convey any of its rights and interests in this Agreement without the prior written consent of the other party.

Column ⑫ Assignment と Delegation と Novation について

英米法上，契約上の債権（権利）を第三者に譲渡・移転することを「assignment」といい，債務（義務）の履行を委託することを「delegation」という（delegation は債務の譲渡・移転ではないため，債務者は契約の相手方に債務を負い続け，契約の相手方は債務者に対して対価を支払うこととなる）。債務を譲渡・移転する場合には，「novation」による必要がある。Novation とは，現行の契約を失効させて新たな契約に代えることをいい，契約の当事者を変更する際（当初の契約当事者の一方が契約から外れ，新たに第三者が契約当事者として加わり，当該第三者が，契約から外れる当事者の契約上の権利・義務を引き継ぐケース）に用いられる。したがって，英米法上，債務を譲渡・移転するには，novation によって権利と共に譲渡・移転することになる。

第22章

権利不放棄

Article ×× Non-Waiver

Except as otherwise specifically provided for in this Agreement:

(i) no failure or delay on the part of either party in exercising any right or power under this Agreement shall operate or be construed as waiver thereof, nor shall the waiver by either party of a breach of any provision hereof operate as or be construed as a waiver by such party of such provision or any succeeding breach of such provision; and

(ii) no waiver of any provision of this Agreement shall be effective unless the same shall be made in writing and signed by the party against whom such waiver is sought to be enforced.

第××条　権利不放棄

本契約中に特段の定めのない限り：

(i) 本契約に基づく権利，権限の行使にあたり，いずれの当事者に不行使または遅滞があってもその権利，権限を放棄したこととはならず，いずれかの当事者による本契約の規定違反に対する権利の放棄は，当該当事者がその後に起きる同規定の違反もしくは当該規定そのものを放棄するものではない。

(ii) 本契約のいかなる規定の放棄も，放棄をする当事者の署名のある書面でなされなければ有効とはならない。

1 本条のねらい

契約の一方当事者の契約違反に対する，他方当事者による契約上の権利行使，義務履行請求は，必ずしも直ちに契約条項どおりに行われるとは限らない。権利の不行使等を放置した場合，契約違反があっても問題とはしない，といった受け取り方をされてしまうおそれがある。そこで，本条においては，例えば，一方当事者が契約の履行を怠った場合，他方当事者がそれを直ちに咎めなくても契約違反に対する救済を求める権利を放棄したことにはならず，また，あるとき当該権利を放棄したとしても，その後の契約違反についての権利までも放棄したことにはならないことを明確にする。

2 本条作成の際の指針

契約の違反があったときは，相手方当事者にはこれまでに説明したように，各種の救済手段があり（第2部第***12***章～第***15***章参照），契約を解除したり損害賠償を求めたりすることもできる。しかし，実際には，相手方の契約違反があったとき，違反の深刻度にもよるが，直ちに契約解除だの損害賠償だのとはいわず，若干の猶予を与えたり，多少遅れた履行を黙って認めたりするケースが考えられる。

例えば，輸出において，外国の買主が船積予定日の30日前までにL/Cを開設しなければならない場合，買主が約束どおりにL/Cを開設しなかったときは，売主は契約上，船積を差し止めたり，契約を解除したり，損害賠償請求をしたりする権利がある（第2部第***15***章参照）。しかし，損害賠償を請求しても，相手方が任意に応じてくれなければ，その取立てのために訴訟や仲裁を提起しなければならず費用も時間もかかるし，既に生産手配に入っている商品の処分も容易ではない，といったようなことを考えると，売主としては，少し待つ方が望ましい場合も多い。また，L/Cの開設が遅れたとしても，予定どおりに支払がなされれば，結果的には問題は生じなかったこととなる。

しかし，先の例には，以下のような2つの問題がある。

① 売主が買主によるL/C開設が遅れたことを咎めずに黙って待っていたり，または，買主からの猶予の申出に応じた場合，後に当該取引についての船積差止め，契約解除，損害賠償請求などができるか，

② 売主が買主によるL/Cの開設の遅れを一度は不問に付して船積をした場合，次回以降の船積（契約が長期契約だったり，分割船積だったりしたとき）のL/C開設の遅れをも許容したことになるのか，

という問題である。

一般的に，ある行為や不作為が当事者の権利にいかなる影響を与えるかは，個々のケースに応じて判断されることになる。関連する法概念としては英米法における estoppel（禁反言）の法理がある。Estoppel とは，法的関係にある一方当事者が，他方当事者に対し権利を行使しないとの明示または黙示の表明（representation）をし，他方当事者がこれを信頼した場合，表明の撤回を許すことは不衡平であるという法理である。先の例にこれを適用すると，一旦，売主が買主によるL/C開設の遅れを許容し，買主もこれを信頼したにもかかわらず，後日それが契約違反であると主張するのは，estoppel の法理により許されないとされる可能性がある。

そこで，サンプル条項(i)号の前段は上記①の問題について，また後段は②の問題について，いずれの場合も，後日の履行請求，損害賠償請求を妨げるものではないことを明らかにする。

サンプル条項のような権利不放棄条項が規定されていない契約である場合はもちろん，権利不放棄条項が契約に存在する場合であっても，相手方の契約違反に対して権利行使をしない場合には，必ず相手方に「一切の権利を留保する（reserve all rights）」とか「当方の契約上の権利は何ら損なわれない（without prejudice to our rights under this Agreement）」旨を通知し，記録として残しておくことが重要である。

なお，サンプル条項冒頭の規定「本契約中に特段の定めのない限り」は，契約書中の別の箇所において，一定の事項は権利放棄とみなされる旨が定められている場合には（第2部のサンプル条項では第**5**章および第**14**章に規定がある），本条項は，それらの規定を排除するものではないことを明らかにするためのものである（第3部6-①**Article 23**参照）。

Variation Clause

権利不放棄の条項の骨子は，サンプル条項に尽きるが，同じような条項の例としては第3部6-① **Article 23**，6-③ **Article 16**，および以下の例を参照されたい。

① 権利放棄がなされてもそれは1回限りであることを規定する例

Such waiver shall be effective only in the specific instance and for the purpose for which it is given.

② 先に権利の放棄があっても，後の権利行使に影響を与えぬことを規定する例

The right of either party hereto to require strict performance by the other party of any terms or obligation imposed upon such other party by this Agreement shall not in any way be affected by any previous waiver, forebearance or course of dealing.

③ 一部権利の行使により，残りの権利の行使が妨げられないことを規定する例

Any single or partial exercise of any right, power or privilege shall not preclude any other or further exercise thereof.

第23章

通　知

Article ×× Notice

(a) Any notice required or permitted to be given under this Agreement shall be given in writing and shall be addressed to the nominated address shown below. Such notice may be given either by personal delivery, registered air mail, overnight courier service, facsimile or email, and shall be deemed duly given [delivered] upon receipt where delivered in person, seven business days after being sent by registered air mail, postage prepaid, one day after being sent by overnight courier service with confirmation of delivery, or upon confirmation of receipt where transmitted by facsimile transmission or email.

The Seller:

Personal Delivery and Mail Address:

Fax:

Email Address:

Attention:

The Buyer:

Personal Delivery and Mail Address:

Fax:

Email Address:

Attention:

(b) Each party may at any time and from time to time change its address immediately above by giving notice to the other in accordance with this Article.

第××条 通　　知：

(a) 本契約に基づく通知は，すべて書面により，次に記された住所に宛ててなされることを要する。かかる通知は，現実の手交，書留航空便，翌日配達クーリエサービス（配達証明付き），ファクシミリまたは電子メール（受領確認がなされたもの）にて行われるものとし，現実の手交により通知されたときは，その受取りのときに，書留航空便により通知されたときは投函から7営業日後に，翌日配達クーリエサービスにより通知されたときは送付から1日後に，ファクシミリまたは電子メールにより通知されたときは送信時に，それぞれ通知が到達したものとする。

売主：

住所：

ファックス：

電子メールアドレス：

宛先：

買主：

住所：

ファックス：

電子メールアドレス：

宛先：

(b) 各当事者は，いつでも，本条に基づく通知をもって，上記住所を変更することができる。

1 本条のねらい

本条の目的は，契約に基づく通知の方法と効力発生時期を明らかにすることにある。

2 本条作成の際の指針

意思表示の効力については，国によって発信主義と到達主義に分かれている（第1部第**3**章*2*(2)参照）。

そこで，サンプル条項では，契約に基づいて行うべき通知に関して，あらかじめ，方法や効力発生時期を取り決める。具体的には，次のような点を明らかにする効果がある。

① 通知は，常に書面をもって行うべきものとしていること。書面で証拠が残らないものは，正式の意思表示として扱わないと規定することによって，言った，言わないという紛争を回避するねらいがある。

② 通知の方法を定めていること。通知の方法で最も確実なのは，署名された書面を持って実際に相手方に出向く方法であり，相手方の責任者に手渡して，受取りの署名を取得しておけば，これほど確実に通知の事実を確認できる方法はない。しかし，国際当事者間の取引ではこのような方法は現実的ではないため，書面による通信手段としては，郵便（クーリエを含む），ファクシミリ，電子メールということになる。

③ ファクシミリや電子メールによる通知を有効と認めていること。一般的にファクシミリや電子メールを署名された書面と同一視することについては難点がある。しかし，通知は急がなければならないことが多く，その際，ファクシミリや電子メールを一切使えないというのは不都合であることが多い。

④ 通知の効力発生時期を明らかにすること。前述のとおり，準拠法によって意思表示の効力の発生時期に関する考え方が異なり得るため，その疑義を排除するねらいがある。また，国際当事者間の場合は，通知の到達の確認に時間がかかることが多いため，通常は，契約に基づく通知は，通知してから何日後に通知としての効力が発生すると規定される。

なお，本条においては，書留航空便による郵送の場合には，到達が確認できなくとも，投函から7営業日後には有効となると規定しているが，当然，通知が相手方に到着したことを確かめることが望ましい。また，妥当な日数については，相手方の国の郵便事情を考え，送達に要する日数に余裕をもたせた日数とするのが通常である。

3 本条に係る諸問題

(1) 発信主義と到達主義

発信主義と到達主義の意味，また各国の法制において，どちらを採用しているかに相違があることについては，第1部第**3**章*2*(2)以下を参照されたい。通知の方法や効力発生時期については，準拠法（第2部第**18**章参照）の定める意思表示の効力に関する原則にとらわれず，当事者が自由に取り決めて差し支えない。通知の効力はなるべく早い時点で発生させた方がよいと考えれば，通知の効力発生時期については発信主義を採ることに合理性がある。一方で，通知の確実性（書面を必要とするのは，確実性を重視するからである）という観点からは，到達主義を採用することにも十分理由がある。

(2) 書留／Return receipt

到達主義を採用する場合はもちろんのこと，そうでない場合でも，郵便が実際に相手方に到着したかどうかを確認するのは，大事なことである。最も確実なのは，送った書面の写しに受領した旨の署名をして返送してもらうことである。しかし，例えばクレームの通知など，相手方が署名して返送することが期待できない場合は，書留等の方法により受領を確認する必要がある。英文では registered mail や return receipt requested といった表現が使われる。先進国には概ねこうした制度が存在するが，国際郵便には利用できない国もあるので，確認が必要である。

(3) ファクシミリや電子メールの利用

ファクシミリや電子メールによる通知は，署名された文書の書留やクーリエによる郵送と全く同一視することはできず，また相手方に完全な形で届かない事態も発生し得るが，送受信記録を保管し，相手方の受領確認を取り付けることによって補完し得る。また，電子メールの場合，相手方への到達を確認する方法がサービスによって異なり，見落としや意図しない廃棄等も比較的起こりやすいため，郵送に比し，安定性を欠く点に留意が必要である。

Variation Clause

① 完全な到達主義にする例

Any notice required or permitted to be given under this Agreement shall be given in writing and shall be addressed to the nominated address shown below. Such notice may be given either by personal delivery, registered air mail, overnight courier service, facsimile or email, and shall be effective upon receipt.

② 電子メールによる通知についてはその後の現実の書面の手交または郵送による送付を要するとする場合には，次のような一文が追加される。

Any notice by email shall be followed, and shall be considered valid only when followed by a dispatch of the same notice within three business days by personal delivery or registered air mail (such same notice to be deemed given upon dispatch).

第24章 完全合意

Article ×× Entire Agreement

This Agreement constitutes the entire agreement between the parties with respect to the subject matter hereof and supersedes [, cancels and annuls] all prior or contemporaneous negotiations, agreements or understandings.

第××条 完全合意

本契約は，本契約の目的に関する当事者間の合意のすべてを規定するものであり，本契約より以前または本契約と同時に行われた交渉，合意または了解［の一切を無効とし，これら］に優先する。

1 本条のねらい

本条の目的は，契約内容については，この契約書に記載されたことがすべてであり，それ以外の交渉・合意・了解等は一切拘束力がないことを明らかにすることにある。

2 本条作成の際の指針

1つの売買契約が締結されるまでには，特にそれが大規模，重要な案件に関するものであれば，様々な交渉の過程を経る。例えば，秘密保持契約，レター・オブ・インテント（第1部第**2**章参照）などを締結した上で最終の売買契約の締結に至る。交渉過程の中では，当事者がそれぞれ提案した事項につき，合意に至るものもあれば，削除されるものもあり，また，双方が妥協して変更されるものもあるが，これらが行われた結果が契約条件として売買契約書に記載されることとなる。本条のねらいは，交渉の最終形である契約書だけが全当事者の合意内容を示すものであり，交渉過程のやり取り等はすべて当該契約書に取って代わられることを明確にすることにある。

交渉の過程で問題になった点，意見が対立した点等がすべて解決され，結論が明確に契約書に記載されていれば，交渉過程でのやり取りとの矛盾という問題は起こらない。しかし，現実には，交渉過程で相互に妥協を行い，結果として契約書の内容が曖昧になってしまうこともある。本条のねらいは，このような場合に交渉過程でのやり取りによる蒸し返しを排除することにあるため，交渉過程のやり取りを生かしておきたい場合は，本条のような規定はない方がいいことになる。

3 本条に係る諸問題

(1) 口頭証拠による契約条件の補完

本条は，英米法上の口頭証拠排除の原則（parol evidence rule）を契約書の条項として規定したものである。口頭証拠排除の原則は，裁判上，契約書と矛盾する内容または契約書を変更するような内容を他の証拠によって主張することを制限するものである。その詳細は複雑であるが，一般的に，契約書に全く記載されていない内容や条件を他の証拠のみをもって主張することは許されないのに対し，契約書の文言解釈のために契約書以外の証拠を使用することは認められる。例えば，UCC では，契約当事者による契約内容の最終的な合意を証する書面（最終合意書面）が作成された場合，当該最終合意書面作成以前の合意や作成と同時に口頭でなされた合意を証拠として，当該最終合意書面に記載された内容を否定することは許されないとする一方で，取引の交渉過程もしくは取引の慣行，実際の履行過程，または，当該最終合意書面と矛盾しない条項の証拠によって，当該最終合意書面の内容を説明・補完することは許される，と規定されている（UCC 2-202条）。

(2) 変更契約の有効性

誤解されがちであるが，口頭証拠排除の原則は，あくまで，最終合意書面の作成以前または作成と同時になされたその他の合意などを排除するものであり，最終合意書面の作成より「後」に合意した事項には及ばない。一般的に，一旦取り決めたことを，「後」で変更することは自由であり，同じ事項について複数の合意があるときは，最も後の合意が優先する。

Column ⑬　Severance/Severability（分離/分離可能性）

Severanceとは，「分離」を意味し，通常，次のような文言となる。

“The invalidity or unenforceability for any reason of any provision of this Agreement shall not prejudice or affect the validity or enforceability of the remainder of this Agreement.”

この条項は，何らかの理由で契約内容の一部が無効または執行不能となった場合に，契約全体が無効または執行不能とされては当事者双方にとって損失・損害が甚大となることから，無効または執行不能部分を除いた部分は引き続き有効であることを確認するものである。

完全合意条項等と並んでboilerplate条項として記載されることが多い条項である。

Variation Clause

一般に，完全合意条項をより詳細に規定した方が相手方からの反論を防ぐという観点からは有効とされており，例えば，次の文例のとおり，Agreementの定義やno reliance等について，より厳密に記載するケースがある。

This Agreement, along with any exhibits, appendices, schedules, side letters and amendments hereto, encompasses the entire agreement of the parties, and supersedes any understandings and agreements between the parties, whether oral or written. The parties hereby acknowledge and represent that said parties have not relied on any representation, guarantee, warranty or other assurance, except those set out in this Agreement, prior to the execution of this Agreement. The parties hereby waive all rights and remedies, at law or in equity, arising or which may arise as the result of a party's reliance on such representation, guarantee, warranty or other assurance, provided that nothing herein contained shall be construed as a restriction or limitation of said party's right to remedies regarding gross negligence, willful misconduct or fraud of any party taking place prior to, or contemporaneously with, the execution of this Agreement.

第25章 契約の変更

Article ×× Amendments

This Agreement can only be modified by a written agreement signed by the representatives of the parties hereto.

第××条 契約の変更

本契約は，当事者の代表者による，署名ある書面の合意によってのみ変更される。

1 本条のねらい

本条は，契約の諸条項は，書面以外の方法で変更されないことを明らかにすることをねらいとする。

2 本条作成の際の指針

特に長期契約においては，時が経つにつれて，契約条件（数量，値段，船積時期など）が現状にそぐわず，その変更が必要となることがある。

前述のとおり，原則，契約は口頭でも有効に成立する。同様に，一旦成立した契約を変更する場合にも，原則，書面は要求されない。もっとも，実際の契約書においては，本条のような規定を置くのが通常である。それは，契約変更の方法を書面に限定することによって，変更の有無および変更の内容を明確にすることができるからである。

変更契約書作成時の注意事項としては，①その変更がいつから，あるいはどの取引から適用されるのか，②その変更が原契約の他の条項にどのような影響を与えるのかについて，明確にするということである。①②については，変更契約書上の規定として，それぞれ以下のような文言が考えられる。

① This Amendment Agreement shall become effective from ______.

② All terms and conditions of the Original Agreement, other than those specifically modified by this Amendment, shall continue in full force and effect in every respect.

②に関連し，1つ問題となり得るのは，単に「変更契約が原契約に優先する」と規定するだけでは，不十分であるという点である。例えば，売買代金の延払につき，「引渡日より年率10%，各元利支払日に支払を怠ったときは遅延損害金12%」と合意されていたとしよう。これが後に，「引渡日より年率11%」と変更された場合，「各元利支払日に支払を怠ったときは遅延損害金12%」の条項は引き続き有効なのだろうか。変更契約の中に，単に「変更契約が原契約に優先する」と規定するだけでなく，原契約の条項がすべて「無効になる」との文言を入れれば，変更契約が原契約の条項を上書きすることとなり，先の例の遅延損害金についての合意は消滅したことになろう。

なお，変更契約の例としては，第3部8-①および8-②を参照されたい。特に8-①では変更の種々の方法を示している。

3　契約変更一般に関する考え方

(1) 日 本 法

日本法には，他の大陸法と同様，約因（consideration）の概念は存在しないので，契約当事者が合意さえすれば，一方の当事者のみに利益を与える変更内容であっても有効である。また，通常の商取引の契約において，法律上，書面性が要求される取引は保証契約等に限定されており（平成29年改正民法において，契約の方式の自由〔原則書面の作成その他の方式は不要〕が明文化され〔民522条2項〕，保証契約に加え，時効の完成猶予の効果をもたらす協議を行う旨の合意〔民151条1項〕，金融取引にも用いられる諾成的消費貸借契約〔民587条の2第1項〕等には書面性が必要であることも明文化された），契約の変更にあたっても，書面性は要求されない。しかし，実務上は，書面によって契約変更の事実およびその内容を明確にする。

⑵ 英国法

契約の成立において約因（consideration）が要求されるのと同様，契約の変更においても約因が要求されるというのが，英国法の基本的な考え方である。したがって，買主のみが一方的に利益を受ける変更は法律上有効な変更であるか疑義が生じる。そこで，例えばnominal consideration（約因は等価性を求められないため，1万ポンドの値引きに対して1ポンドの約因を与えれば約因が成立するとされる）や衡平法上のpromissory estoppelの理論が利用される。後者は，一方当事者がある明確な約束をした場合，それが約因を伴わなかったとしても，他方当事者がその約束を信頼した場合，その約束を無効とすることが衡平を欠くような場合には，その約束を有効とするものである。しかし，いずれにせよ，英国法においては，後述する米国法におけるような抜本的な解決がとられていないため，将来の無用な争いを避けるためには，約因の存在する形で契約を変更するか，いわゆる捺印証書（deed）の形式を整える必要がある。なお，詐欺防止法等により書面性が義務づけられている契約については，その変更においても書面性が要求されると一般に解されている。

⑶ 米国法

米国法は約因の問題を重視しない傾向にあり，契約の変更については，UCC 2-209条1項では“An agreement modifying a contract within this Article needs no consideration to be binding.”と定められており，一方当事者のみに利益を与えるような変更も当事者の合意だけで有効に成立することになる。なお，書面性の要求の問題に関しては後述*4*参照。

(4) 国際物品売買契約に関する国際連合条約（CISG）

CISG の 29 条 1 項には，“A contract may be modified or terminated by the mere agreement of the parties.”（「契約は，当事者の合意のみによって変更し，又は終了させることができる。」）と定められており，その趣旨は前述の UCC 2-209 条 1 項と同じく，約因を不要とすることにある。したがって，英米法の国が 29 条 1 項に留保を付けることなく本条約の加盟国となれば，当該国の当事者または当該国の法律を準拠法とする契約の，契約変更における約因の問題は生じないこととなる。

なお，CISG における書面性の要求については次の *4* で述べる。

4 実質的変更と書面要求との乖離の問題

仮に契約条項で契約の変更に書面を要求したとしても，実際には電子メールや口頭による合意でもって，あるいは事実をもって契約が変更されることがある。日本法において，このような契約の定めに従わない変更の有効性については必ずしも明らかではないが，諸事情を勘案し，また信義則等の概念を用い，実質的変更を信頼した当事者の保護が図られるものと思われる。英国法においては，必ずしも明確な基準があるわけではないが，promissory estoppel の法理等により，書面による変更以外は不可とはならないものと解される。

この点に関し，UCC 2-209 条 2 項は次のように定める。

> “A signed agreement which excludes modification or rescission except by a signed writing cannot be otherwise modified or rescinded, but except as between merchants such a requirement on a form supplied by the merchant must be separately signed by the other party.”

契約上，当該契約の変更について書面性が要求される旨の条項がある場合には，書面によって変更されない限り，拘束力のある変更にはならないとしている。ただし，当該条項が，商人の「フォーム」（典型例は，boilerplate 条項とも呼ばれる一般的な条項が印刷してあるフォーム）に規定されている場合，相手方が商人であれば当該条項は有効となるが，相手方が商人ではない場合は，当該条項について，相手方が別途署名をしなければ有効とはならない。

また，CISG 29条2項は次のように規定する。

"A contract in writing which contains a provision requiring any modification or termination by agreement to be in writing may not be otherwise modified or terminated by agreement. However, a party may be precluded by his conduct from asserting such a provision to the extent that the other party has relied on that conduct."
(「合意による変更又は終了を書面によって行うことを必要とする旨の条項を定めた書面による契約は，その他の方法による合意によって変更し，又は終了させることができない。ただし，当事者の一方は，相手方が自己の行動を信頼した限度において，その条項を主張することができない。」)

第1文において，契約上，当該契約の変更について書面性が要求される旨の条項がある場合には，書面によって変更されない限り，拘束力のある変更にはならないとしている点は，前述のUCC 2-209条2項と類似している。また，第2文において，一方当事者が他方当事者の行為を信頼した場合は，当該条項に依拠することはできないことを規定している点は，英国法のpromissory estoppelの理論を踏襲していると思われる。

このように，法または条約によって，契約上の契約変更に関する書面性の要求と現実との間に乖離が生じた場合の問題につき解決が図られているが，実務上は，契約の変更に書面性を要求し，書面以外の方法で契約を変更することがあっても，必ず書面によってその内容を確認することで無用な紛争を防ぐ必要がある。なお，契約上，契約の変更に書面性が要求されていない場合であっても，契約変更は書面によることが望ましいことは多言を要しない。

Variation Clause

契約変更条項の他の例としては，第3部6-①**Article 28**，6-②**Article 18**，6-④**Article 27**を参照されたい。Entire agreement条項と一体となっている例のみ，次に掲げる。

This Agreement shall constitute the entire agreement of the parties hereto, and shall supersede all prior or contemporaneous agreements and understandings, and may not be modified or amended except in writing executed by duly authorized representatives of the respective parties hereto.

契約の発効

Article ×× Effective Date

This Agreement shall become effective on the date first above written.

第××条 契約の発効

本契約は，冒頭の日付をもって発効する。

1 本条のねらい

本条は，契約の発効日を定めるものである。

2 本条作成の際の指針

契約の発効日と契約締結日とを混同してはならない。契約の発効日とは，契約そのものが有効になる日のことであり，契約の締結日とは必ずしも一致しないのである。例えば，契約は2021年1月1日に締結したが，その効力は2022年1月1日から発生させることはあり得る。

契約締結日と契約の発効日を一致させない理由としては，ある一定の条件を満たした場合に契約を発効させたいという事情がある場合が考えられる。例えば，政府許可を取得しなければならない取引では，政府許可取得を契約の発効条件（「前提条件（condition precedent）」）としないと，政府許可が取得できなかったことにより契約の履行ができなくなった当事者は，契約の債務不履行責任を問われるおそれがある。したがって，契約の発効日を検討するにあたっては，取引を行うために必要な許認可等の条件等があるかを事前に調査し，不測の事態が生じないように，必要な条件を契約の発効条件とするなどの対応が必要になる。

3　遡及効

例えば，2021年4月1日から取引を開始した長期売買契約の契約書を同年5月1日に署名した場合のように，契約書の作成・署名に先行して取引が実行され，事後的に契約書が作成・署名されることには問題はないであろうか。契約署名前に実行された取引にも事後的に署名した契約書が適用されるようにするためには，当該契約書の中で，署名日以前の取引についても遡及的に適用する旨の明示をすべきであろう（*Variation Clause* ①参照）。

Variation Clause

① 発効を遡及させる例

This Agreement shall retroactively become effective on [date].

② 契約の効力発生を一定の条件に係らせる例

The rights and obligations under this Agreement shall become effective only if and when any and all of the following events occur:

a.

b.

c.

第27章

署名欄

IN WITNESS WHEREOF, the parties hereto have caused this Agreement to be signed by their respective duly authorized representatives in duplicate as of the date first above written.

AAA Trading Co., Ltd.

Name:

Title:

BBB Corporation

Name:

Title:

上記合意の証として，本契約の当事者はそれぞれの正当な権限を有する代表者をして，本契約書２部に，冒頭の日付をもって署名した。

AAA Trading Co., Ltd.

名前：

役職：

BBB Corporation

名前：

役職：

1　本欄の意味

本欄は，契約書が誰により，いつ，何部，署名されたかを示すものである。

2　本欄作成の際の指針

“IN WITNESS WHEREOF, ... above written.”の文言は必須のものではなく，両当事者の署名欄のみの場合もある。なお，“the day and year first above written”とは，契約書の冒頭に示される“THIS AGREEMENT, made and entered into this first day of March, [2021]”の日付を指す（第2部第**1**章参照）。

契約書の部数については，通常，契約が二当事者間の場合は2部，三当事者間の場合は3部というように，当事者の数だけ原本を作成する。ところが，印紙税の節約等の見地から，原本は1部のみとし，他は写しを原本に代えるケースも見受けられる。しかしながら，売買契約書の原本は当該売買契約の重要な証拠であるため，必ず当事者の数だけ原本を作成し，各社にてそれぞれ保管することが望ましい。

3　締結権者・署名権者の問題

契約は，正当な法律上の能力・権限のある者により締結されなければならない。そうした権限または能力をもたない者により締結された契約は，瑕疵ある契約として，無効または取消しの対象となり得る。なお，会社等の法人が契約を締結する場合，署名者に契約締結権限があるかという問題については第1部第**4**章*1*を参照されたい。

また，一般的に，法人が，その定款で定められた目的の範囲外の法律行為をなした場合は，無効となる（ultra vires の法理）。日本法上は，法人の「目的の範囲」（民34条）は緩やかに解されており，会社の目的自体に規定されていない行為であっても，目的遂行に必要な行為は，目的の範囲に属すると解されている。したがって，日本法上では，通常の売買契約において，契約の無効または取消しといった問題はあまり生じない。

英国法においては，Companies Act，2006 等において，ultra vires の法理の適用範囲を相当程度限定しており，一部慈善団体等への適用や，理論上，目的の範囲外の法律行為をしようとする取締役等に対する株主の差止命令請求権等を残し，その適用がなくなった。また，実際には，ほとんどの会社において，定款上の事業目的は「適法なる一切の商行為」と記載されており，ultra vires の法理の適用に関する議論そのものが陳腐化している。

米国においても，伝統的な ultra vires の法理に関する議論は陳腐化している。Ultra vires の法理の適用範囲は，非営利団体（地方自治体を含む）等に限定されている。また，米国においても，会社の定款上の事業目的の記載を「適法なる一切の行為」とすることが認められているため，通常の会社において，事業目的外の行為の有効性の問題が表面化することは少ない。

4 署名方法

(1) 署名および記名捺印

日本においては，契約書には記名捺印を行うことがほとんどであるが，国際取引においては署名である。なぜならば，そもそも外国の相手方は記名捺印の有効性を判断しかねるため拒否するであろうということと，準拠法が日本法でない契約の場合には，記名捺印が署名として認められず，相手方の国において契約の履行を求める際に不都合が生じる可能性があるからである。したがって，外国の相手方との契約においては，相手方の署名をとることになる。契約書の署名の真正を担保する手段としてはサイン証明等の手続がある（第1部第**4**章*4*を参照されたい）。

また，昨今では，通常の署名に代えて，いわゆる「電子署名」を用いるケースが増えつつある。電子署名の法的有効性や事務上の効能については，国内取引契約と国際取引契約，あるいは和文契約と英文契約とで，基本的な相違はないが，契約当事者が常に遠隔地に存在するという点において国際取引契約の方が電子署名を採用する事務的ニーズがより高いと思われること，また，欧米企業を中心に電子署名に関する技術やサービスが発展してきているという背景もあることから，国際取引契約において電子署名が採用されるケースは比較的多いと言える。なお，電子署名には様々な方式があり，また各国における電子署名に関する法制度も必ずしも同一ではないため，国際取引契約において電子署名を採用する場合には当該署名方法が当事国において有効なものとして認められるかどうか，裁判手続において証拠能力が認められるか，といった点を都度確認する必要がある。

⑵ 特別の署名方法 —— Seal

コーポレート・シールについては第1部第**4**章*2*⑵以下を参照されたい。日本法にはシールについて法令上定めはないが，海外の顧客の要求に応えるべく，シールを保有している日本企業も少なくない。

⑶ 契約変造の防止

契約変造防止の手段として，わが国では契約書の作成にあたって契約書は袋とじとされるが，国際売買契約書の作成にあたっては，単にホチキス等で留め，契約書の各ページに署名者のイニシャルを記入するだけの場合の方が多い。

5 Witnessの法的意味

Witnessすなわち立会人の法的意味については，第1部第**4**章*3*を参照されたい。実際の取引においては，witnessに単なる立会人の意味を超えた意味を付与しようとする傾向がある。例えば，輸出業者と輸入業者との売買契約において，対象商品の製造業者にwitnessとして署名させ，輸出業者と輸入業者間の売買契約の側面支援を約束させようとする場合である。このような場合に，製造業者の署名を得たことで安心し，肝心の製造業者との契約の締結を怠ることがないように注意する必要がある。

6 代理人による署名

国際売買契約において，契約当事者の署名者に代えて，代理人が署名するケースも多くみられる。代理人は，原則として売買契約上の義務は負わず，また，かかる取引について与信を付与したり受けたりすることはない。契約上の権利義務はあくまでも本人である契約当事者に帰属することとなる。国際売買契約において，契約当事者の関係会社やその他の第三者が署名する場合は，通常，かかる第三者に対し委任状を発行する。国際売買取引では，委任状が適法に発行されているかを確認するため，公正証書と共に提出を求められることがあるので，事前に相手方と確認することが望ましい。

Variation Clause

① 契約書調印地および日付を記載した例

IN WITNESS WHEREOF, this Agreement is made in duplicate in Tokyo by the duly authorized representatives of the Seller and the Buyer on this ______ day of ______, 20______.

The Seller ________________ The Buyer ________________

② コーポレート・シールを用いた例

The Corporate Seal of XYZ Corporation was hereunto affixed by authority of the board of directors in the presence of:

Director

Secretary

③ 契約書を３通以上作成する場合の例

Article ×× This Agreement may be executed in [number] counterparts, each of which shall be deemed an original and which shall together constitute one and the same instrument.

第三部

国際売買契約書文例および各種書式

1 レター・オブ・インテント

1-① これまでの交渉結果を確認し，今後の交渉継続を約する例

______, 20__

ABC & CO., LTD.
[address]______________
Attention: Mr. ______________
[title]______________

Dear Sirs,

We refer to the recent discussions held in Tokyo, Japan on ______, 20__, between representatives of our two companies.

In respect of the proposed sale by us and purchase by you of three units of JPM brand printing machines Model JPM-02, we confirm our intention to proceed further with our negotiations based on the following basic principles which have been reached to date between us:

1. ______________________________
2. ______________________________

A formal contract incorporating further details of the sale and purchase, as well as other items not covered by this letter will be prepared after further negotiations have taken place between us.

This letter is not intended to constitute a contract nor to create any legal obligation on either of us, but only to express our intention to enter into good faith negotiations leading to a formal contract reflecting the principles described in this letter.

Please sign and return to us one of the enclosed copies of this letter to indicate your approval of the terms set out in this letter.

Yours faithfully,

DEF & CO., LTD.

____

Name:

Title:

Accepted and Agreed:

ABC & CO., LTD.

____

Name:

Title:

Date:

1-② 買主の意図する買条件を提示し，正式契約締結のために努力することを約する例

______, 20__

ABC & CO., LTD.

[address]

Attention: Mr. ____________

[title]

Dear Sirs,

LETTER OF INTENT FOR SALES CONTRACT

We are pleased to inform you that we intend to order from you [name of products], subject to the following terms and conditions:

1. Scope of Supply:
2. Price:
3. Terms of Payment:
4. Delivery:
5. Other Terms and Conditions:
6. Formal Contract: It is understood that both of us will use our best efforts to execute a formal contract in respect of the subject matter of this letter on or prior to ______, 20__. In the event that, notwithstanding our best efforts, it is impossible to execute a formal contract by such date, we will consult with each other in order to agree an extension to the date for execution of such formal contract.

Please indicate your acceptance of the terms set out in this letter by signing and returning to us one of the enclosed copies of this letter of intent.

Yours faithfully,

DEF & CO., LTD.

____

Name:

Title:

Accepted and Agreed:
ABC & CO., LTD.

____

Name:
Title:
Date:

1-③　守秘義務契約

NON-DISCLOSURE AGREEMENT

This NON-DISCLOSURE AGREEMENT (this "Agreement") is made and entered into this __day of [month], 20__ between ABC Corporation, a company incorporated in Japan having its registered office at ______ ("ABC") and DEF Company Limited, a company incorporated in the State of New York, U.S.A. having its registered office at ________ ("DEF").

WHEREAS, ABC and DEF wish to enter into discussions regarding a proposed transaction relating to [the design, development, manufacture, marketing and sale of a certain product] (the "Product") by ABC as seller to DEF as buyer (the "Project").

NOW, THEREFORE, in consideration of the undertakings of the parties set out in this Agreement, ABC and DEF agree as follows:

1. For the purpose of evaluations and discussions of the Project between the parties (the "Purpose"), ABC agrees to disclose and make

available to DEF, pursuant to the terms and conditions of this Agreement, by way of written disclosure, oral discussion and otherwise, such data and information concerning the Product as ABC considers necessary for the Purpose (the "Confidential Information").

2. Subject to the provisions of paragraph 3 hereof, DEF agrees for three (3) years from the date of this Agreement:
   (a) that it shall not use and shall prevent its directors, officers and employees from using the Confidential Information without ABC's prior written consent, except for the Purpose; and
   (b) that it shall not disclose and shall prevent its directors, officers and employees from disclosing the Confidential Information to any third party either in writing or orally, without ABC's prior written consent.

3. The restrictions set forth in paragraph 2 of this Agreement shall not apply to any Confidential Information:
   (a) which, at the time of disclosure, had been previously in the public domain;
   (b) which is in or comes into the public domain otherwise than as a consequence of a breach of this Agreement;
   (c) which, at the time of disclosure, is known by DEF; or
   (d) which was independently developed by DEF.

4. The restriction set forth in paragraph 2 (b) shall not apply if, and to the extent that, DEF is required by an order of the court or governmental institution to disclose the Confidential Information; provided, however, that DEF shall (i) promptly notify ABC of such requirement to the extent practicable or permissible by law, and (ii) disclose only that portion of the Confidential Information which is legally required to be disclosed.

5. DEF understands that ABC does not make any representation or warranty, express or implied, as to the accuracy or completeness of the Confidential Information.
6. It is understood that this Agreement shall not create any commitment between the parties regarding the Project and the parties are not under any legal obligation to enter into a definitive agreement with respect to the Project.
7. This Agreement shall be governed by and construed in accordance with the laws of Japan.
8. Any dispute, controversy and/or difference which may arise out of, in relation to, or in connection with this Agreement, or the breach thereof, which cannot be settled by mutual accord without undue delay, shall be settled by arbitration in Tokyo, Japan under the Rules of Arbitration of the International Chamber of Commerce.

AS WITNESS, this Agreement has been duly executed by the parties on the date stated at the beginning of this Agreement.

For and on behalf of
ABC Corporation

____

For and on behalf of
DEF Company Limited

____

2 申込書

2-① 売申込書

_____, 20__

ABC & CO., LTD.
[address]_______
Attention: Mr. _____________
[title]_______

Dear Mr. _____________

We are pleased to set out in this letter our offer to sell to ABC & CO., LTD. ("ABC") [quantity] of [type of goods] for _______ United States dollars (U.S.$_____) on the following terms and conditions:

This offer will expire unless we receive ABC's written and unconditional acceptance at our office on or before [date and time].

Yours faithfully,

DEF & CO., LTD.

____
Name:
Title:

2-② 買申込書

______, 20__

ABC & CO., LTD.
[address]______
Attention: Mr. ______
[title]______

Dear Mr. ______

We are pleased to set out in this letter our offer to purchase from ABC & CO., LTD. (“ABC”) 4,000 metric tons of rimmed steel ingots, not killed, not semi-killed (the “Materials”) under the terms and conditions set forth below.

The Materials

Quantity: SAF 1006/1008/1010

Allowance on Total Delivery: +0%/−10%

Dimensions:	base	710 x 635 mm
	max. height	2,200 mm (peremptory)
	min. height	1,800 mm
	weight	abt. 6,160 kg

Technical Characteristics:

The technical characteristics of the Materials shall be negotiated and agreed between us during the visit by our engineers to ABC's manufacturer's plant in Japan scheduled for around ____, 20__. The final use of the Materials supplied by ABC is for the manufacture of hot rolled strips.

Commercial Conditions

Price: U.S.$ ____/MT fixed, not subject to change.

Shipment/Delivery:

Shipment to be made from ____, 20__ to ____, 20__ in minimum lots of 1,000 MT each on ocean-going vessels, on a CIF Savona, Italy basis.

Forwarding Agent:

Please advise when loaded the name of vessel, loading port, estimated date of arrival and quantity loaded to our forwarding agent by email or facsimile. The name of our forwarder at Savona, Italy is ____, whose notice details are ____.

Weight: The weight as measured by Italian Customs Office, with international allowance +/−1%, will be final and binding on the parties, in the absence of manifest error.

Payment: By an irrevocable letter of credit negotiable within sixty (60) days from the date of B/L for each shipment in ABC's favour against presentation of the following documents:

- Commercial Invoice with four (4) signed copies addressed to us.
- Inspection certificate signed by one of our engineers before shipment of the Materials.
- Signed copy of the notice dispatched by ABC or ABC's manufacturer to our forwarding agent within three (3) days from the date of shipment of the Materials, indicating the date of shipment, loading port and name of vessel, total quantity of the Materials loaded,

place in holds, estimated date of arrival, and arrival port.

- B/L in two (2) parts issued to order, blank endorsed, bearing the following statements: "clean on board, shipped under deck, freight prepaid, transshipment not allowed."
- Mill certificate, one (1) original and four (4) signed copies per each cast.
- Weight list, one (1) original and four (4) copies.
- Certification of ABC's manufacturer that marks of quality and relative casting number are painted by oil vanish on each ingot.
- Certificate of analysis.
- Insurance policy F.P.A. under I.C.C., war under I.W.C., for 110% of invoice value.
- Letter from ABC stating that one (1) part of original B/L, one (1) invoice and one (1) certificate of original have been directly air-mailed to us.

Special L/C Terms:

Valid for negotiation until ______, 20__.

L/C to contain following stipulations: "General remarks on B/L and charter party B/L acceptable", "third party bill of lading acceptable."

Partial shipments are allowed.

Disputes

The parties will endeavor to settle any possible dispute arising out of this transaction in an amicable manner. If such is not possible, both parties shall refer the dispute to arbitration. The number of arbitrators shall be three (3), one of whom shall be appointed by each party and the remaining one, being president of the tribunal, shall be appointed by the Chamber of Commerce of Milan, Italy, which will in addition have power to appoint the arbitrator for any party which has failed to appoint its own arbitrator, each such appointment to be made within thirty (30) days from the date of request to the Chamber of Commerce. The seat, or legal place of arbitration shall be Milan, Italy and it shall be conducted in the ______ language. The award rendered by such tribunal shall be final and binding upon the parties.

Please notify ABC's acceptance to our offer to purchase the Materials on the terms set forth above, on or before _______, 20__, following which date our above offer will be null and void.

Yours faithfully,

DEF & CO., LTD.

____

Name:

Title:

3 承 諾 書

3-① 無条件買承諾書

______, 20__

DEF & CO., LTD.
[address]____________
Attention: Mr. ____________
[title]____________

Dear Sirs,

Your offer contained in a letter to us dated ______, 20__, for the sale by you to us of [quantity] of [type of goods] at a price of _____ United States dollars (U.S.$____) is hereby accepted.

Yours faithfully,

ABC & CO., LTD.

____
Name:
Title:

3-② 条件付買承諾書

______, 20__

DEF & CO., LTD.
[address]______________
Attention: Mr. ______________
[title]______________

Dear Sirs,

Thank you for offer contained in a letter to us dated ______, 20__, for the sale by you to us of [quantity] of [type of goods] at a price of ______ United States dollars (U.S.$______).

We would like to propose, as a counter-offer, the following changes to your offer:

Price: __________
Payment: ______
Delivery: _______

We also propose that the following additional terms should apply to the sale.

____
____

Yours faithfully,

ABC & CO., LTD.

____

Name:
Title:

3-③ 無条件売承諾書

______, 20__

DEF & CO., LTD.
[address]____________
Attention: Mr. ______________
[title]______________

Dear Sirs,

We are pleased to notify you of our acceptance of your offer dated ____ to purchase 4,000 metric tons of rimmed steel ingots from us on the terms and conditions specified therein.

Yours faithfully,

ABC & CO., LTD.

____

Name:
Title:

3-④　条件付売承諾書

______, 20__

DEF & CO., LTD.

[address]

Attention:　Mr. ______________

[title]

Dear Sirs,

We appreciate your offer made pursuant to your letter of [date] to purchase 4,000 metric tons of rimmed steel ingots from us on the terms and conditions contained therein.

We regret that we cannot accept the terms of your offer, however, the offer would be acceptable to us on the following terms:

Price: __________

Payment: _______

Delivery: _______

We should be grateful if you would confirm your acceptance of our above counter-proposal on or before [date].

Yours faithfully,

ABC & CO., LTD.

____

Name:

Title:

4 見積書

ABC & CO., LTD.

HEAD OFFICE:	POSTAL ADDRESS:	TEL: ××-××××-××××
×-×, MARUNOUCHI ×-CHOME, CHIYODA-KU, TOKYO, JAPAN	C.P.O. BOX 100, TOKYO, 100-91 JAPAN	FAX: ××-××××-×××× E-mail: ××××××

ESTIMATE

No. ....

Date, ...
IN REPLY, PLEASE REFER TO
THIS ESTIMATE NO.
ADDRESSING TO __________
DEPARTMENT.

Dear Sirs,

Further to your enquiry of [date] we are pleased to provide you with this estimate, which is subject to the following terms and conditions:

1. Port of Shipment: ______________________
2. Time of Shipment: ______________________
3. Place of Delivery: ______________________
4. Terms of Payment: ______________________
5. Manufacturer: ______________________

N.B. This estimate is not to be construed as a firm offer, and is subject to our confirmation. This estimate is valid until [date].

Item No.	Description	Quantity	Unit Price	Amount

5 スポット売買契約書

SALE AND PURCHASE AGREEMENT

THIS AGREEMENT, made and entered into this __ day of ____, 20__ between:

ABC Corporation, a company incorporated in Japan having its registered office at ________, ("Seller"), and

DEF Company Limited, a company incorporated in New York, U.S.A. having its registered office at ________, ("Buyer"),

WITNESSETH:

WHEREAS, the Buyer wishes to purchase the equipment, auxiliary equipment, accessories, attachments and/or services described in Exhibit A (collectively "Equipment") from the Seller.

NOW, THEREFORE, in consideration of the undertakings of the Seller and the Buyer set out in this Agreement, the parties agree as follows:

Article 1 Sale and Purchase

1.1 The Seller shall sell and the Buyer shall purchase the Equipment.

1.2 From time to time, the Buyer may require spare parts and/or service for the Equipment. The Buyer shall purchase such spare parts and service from the Seller at the Seller's standard list prices as may be established by the Seller from time to time.

Article 2 <u>Specification</u>

The Equipment to be delivered under this Agreement shall conform to the specifications set forth in Exhibit A. It is mutually understood and agreed that Exhibit A shall constitute an integral part of this Agreement.

Article 3 <u>Price</u>

3. 1 The price for the Equipment shall be United States Dollars ____ (“<u>Price</u>”) per set F.O.B. Yokohama, Japan.

3. 2 The Price is exclusive of any and all taxes including, but not limited to, excise, sales, use, property, transportation, or occupational taxes and other similar taxes relating to the sale or use of the Equipment. The Buyer shall indemnify and hold the Seller harmless from and against all taxes levied or imposed upon the Seller arising from or in connection with the sale and purchase of the Equipment pursuant to this Agreement.

Article 4 <u>Payment</u>

4. 1 The payment for the Equipment shall be made by the Buyer by telegraphic transfer to the bank account designated by the Seller in United States Dollars no less than ten (10) days prior to the date of delivery of the Equipment. All bank charges for the transfer remittance shall be borne and paid by the Buyer.

4. 2 Unless otherwise agreed between the parties, an invoice shall be issued and sent by pre-paid mail by the Seller to the Buyer upon the delivery of the Equipment at the place of the delivery set forth in this Agreement.

Article 5 <u>Delivery</u>

Delivery of the Equipment shall be effected at Yokohama Port,

Japan on or before the __ day of ____, 20__ , on a F.O.B. Yokohama basis (Incoterms 2020). Title to the Equipment shall pass from the Seller to the Buyer at the same time as when the risk of the Equipment shall pass from the Seller to the Buyer.

Article 6 Warranty

6.1 The Seller warrants that the Equipment shall be free from defects in title and the Equipment shall conform to the specifications or quality expressly set forth in this Agreement. THE SELLER DOES NOT MAKE AND HEREBY DISCLAIMS ANY WARRANTY IN RESPECT OF THE EQUIPMENT OTHER THAN AS PROVIDED ABOVE IN THIS ARTICLE, WHETHER EXPRESS OR IMPLIED, INCLUDING WITHOUT LIMITATION ANY IMPLIED WARRANTY OF MERCHANTABILITY OR FITNESS FOR PARTICULAR PURPOSE.

6.2 The Seller's liability for breach of the warranty obligation above is limited to repairing or replacing, at the Seller's option, the Equipment which does not conform with the warranty set out above, and shall apply to any defect which is proved within sixty (60) days from the date of the delivery on the condition that the Buyer notifies the Seller, in writing accompanied by satisfactory proof, of the defect within ten (10) days after discovery of such defect by the Buyer.

Article 7 Default

In the event that the Buyer is in breach of any of the terms and conditions of this Agreement, or becomes insolvent or proceedings are commenced to declare the Buyer bankrupt, or a receiver is appointed for the Buyer, the Seller may terminate this Agreement and upon such termination by the Seller, any and all claims or demands against the Buyer held by the Seller shall immediately become due and payable.

Article 8 Limitation of Liability

Notwithstanding any provision in this Agreement to the contrary, the Seller shall not be responsible or liable for any indirect, incidental, special or consequential loss or damages resulting from the Seller's breach of its obligations under this Agreement for any reason.

Article 9 Confidentiality

All drawings, designs, specifications, manuals and programs furnished to the Buyer by the Seller shall remain the confidential and proprietary property of the Seller. All such information, except as may be found in the public domain, shall be held in strict confidence by the Buyer and shall not be disclosed by the Buyer to any third parties.

Article 10 Entire Agreement and Variation

This Agreement constitutes the entire agreement between the parties and supersedes any prior written or oral agreement between the parties concerning the subject matter. No variation or modification of this Agreement shall be effective unless it is in writing and signed by the parties.

Article 11 Arbitration

Any dispute, controversy, or claim arising out of or in connection with this Agreement, including with respect to the formation, applicability, breach, termination, validity or enforceability thereof, shall be finally settled by arbitration. The arbitration shall be conducted by three arbitrators, in accordance with the Rules of International Chamber of Commerce in effect at the time of the arbitration. The seat of the arbitration shall be ________, and it shall be conducted in the English language. The arbitration award shall be final and binding on the parties. Judgment upon the award may be entered by any court having jurisdiction thereof or having jurisdiction over the relevant party or its assets.

Article 12 Governing Law

This Agreement shall be governed by and construed in accordance with the laws of ______.

AS WITNESS, this Agreement has been duly executed by the parties on of the date stated at the beginning of this Agreement.

For and on behalf of
ABC Corporation

____

For and on behalf of
DEF Company Limited

____

6 長期売買契約書

6-① 標　準

LONG TERM SALE AGREEMENT

THIS AGREEMENT, made and entered into this ______ day of ______, 20____, by and between _________, a company organized and existing under the laws of ________, having its principal place of business at ____________ (hereinafter called the "Seller") and ________, a company organized and existing under the laws of _______, having its principal place of business at _______________ (hereinafter called the "Buyer", Buyer and Seller together, the "Parties", individually, a "Party");

WITNESSETH:

WHEREAS, the Buyer requires a stable supply of ________ hereinafter more particularly specified (hereinafter called the "Products"); and

WHEREAS, the Seller is desirous of selling the Products to the Buyer throughout the period hereinafter more particularly specified;

NOW, THEREFORE, in consideration of the foregoing and the obligations of the Seller and the Buyer herein contained, the Parties do hereby agree as follows:

Article 1. DEFINITIONS

In this Agreement, the following terms shall have the following meanings, except where the context otherwise requires:

(a) "Contract Year" means a period of twelve (12) months commencing on each ______ and ending on the following ______, throughout the term hereof; and "Quarter" of a Contract Year means any period of three (3) months commencing on ______, ______, ______ or ______;
(b) "Dollars" or "U. S. $" means the lawful currency of the United States of America;
(c) "Manufacturer" means _______, a company organized and existing under the laws of ______, having its principal place of business at ______;
(d) "Month" means a calendar month;
(e) "Price" means the price of the Products from time to time agreed by the Parties in the manner provided in Article 5 hereof on a CIF ______ port basis;
(f) "Products" means ______ to be produced by the Manufacturer and supplied by the Seller in accordance with the Specifications;
(g) "Specifications" means the specifications of the Products set forth in Article 4 hereof;
(h) "Ton" means a metric ton equivalent to 2,240.6 pounds avoirdupois.

In this Agreement, unless the context requires otherwise, the singular includes the plural and vice-versa.

Article 2. SALE AND PURCHASE OF PRODUCTS

The Seller shall sell and deliver to the Buyer and the Buyer shall purchase and take delivery from the Seller of the Products in accordance with and subject to the terms and conditions hereinafter set forth.

Article 3. QUANTITY

The quantity of the Products which the Seller shall deliver to the Buyer and of which the Buyer shall take delivery hereunder in each Contract Year shall be as follows:

Contract Year	Annual Quantity of the Products
First	______ Tons
Second	______ Tons
Third	______ Tons
Fourth	______ Tons
Fifth	______ Tons

Article 4. SPECIFICATIONS

The Specifications of the Products shall be as follows:

Article 5. PRICE

(1) The Price shall be agreed upon by the Parties not later than ______ (_______) days prior to the first date of each Quarter of each Contract Year, provided however that the Price for the delivery during the First Contract Year shall be Dollars ______ (U. S. $______) per Ton CIF ______ port basis.

Should the Parties fail to reach an agreement on the Price for the Products to be delivered during any Quarter during the term hereof by the time above provided, for any reason whatsoever, the Parties shall be discharged from their respective obligations hereunder for the quantity of the Products to be delivered during such Quarter and such quantity (amounting to one fourth of the annual quantity of the Products of the Contract Year in which the Quarter in question falls) shall be deleted from this Agreement and shall not be carried forward to any succeeding Quarter.

(2) The Price shall be subject to adjustment to the extent of:

(i) any increase in export duty, export surcharge or other governmental charge, insurance or freight, which becomes effective after the determination of the Price in accordance with the provisions of paragraph (1) of this Article, and is payable by the Seller;

(ii) any increase in the cost of manufacture of the Products substantially caused by an extraordinary increase in price of petroleum products, fuel or energy sources or other raw materials which could not have been foreseen at the time of the decision of the Price; or

(iii) any decrease at the time of payment in the exchange rate of the Dollars in relation to [currency] from the exchange rate prevailing on the date of the decision of the Price (by more than ______%). Such exchange rate shall be based upon the telegraphic transfer selling exchange rate quoted by the principal office of the ______ bank, [place], at the opening of the business day on which such payment is due or, in the event of such rate being not available on that date, at the opening of the first business day thereafter on which such rate shall be quoted.

Article 6. PAYMENT

(1) The Buyer shall pay to the Seller the Price and all other charges and expenses payable under this Agreement in Dollars by way of

an irrevocable and confirmed letter of credit in favor of the Seller established by a prime bank in [place] in a form and upon terms satisfactory to the Seller (hereinafter called the "Letter of Credit").

(2) The Buyer shall, at its own expense, establish the Letter of Credit at least ______ (______) days prior to the date of each shipment of the Products.

The Letter of Credit shall inter alia:

(i) be subject to Uniform Customs and Practice for Documentary Credits, 2007 Revision, International Chamber of Commerce, Publication No. 600, or any subsequent revision or amendment thereto;
(ii) authorize reimbursement to the Seller for such sums, if any, as may be advanced by the Seller for consular invoices, banking charges and any other expenditure made by the Seller for the account of the Buyer;
(iii) be maintained for a period of thirty (30) days after time of each shipment hereunder; and
(iv) be subject to any amendment by the Buyer which shall be always based upon reasonable instructions to be from time to time made by the Seller.

(3) The Letter of Credit shall be available at a bank to be designated by the Seller against negotiation by the Seller of the following documents:

(i) draft signed by the Seller;
(ii) commercial invoice in triplicate signed by the Seller and consul-

ar invoices, if required by the Buyer;

(iii) clean on-board bills of lading in full set to order of the Seller, blank endorsed;

(iv) marine insurance policy; and

(v) certificate of quality inspection issued by the Manufacturer.

(4) The Buyer shall pay the Price for the Products without availing itself of the benefit of any right of set-off, counterclaim, recoupment or other such rights which the Buyer may have against the Seller, which rights shall be exercised in separate proceedings between the Buyer and the Seller.

Article 7. DELIVERY

The Products shall be shipped from [port], [country] on a CIF ___________ port basis. The date of bill of lading shall be deemed to be conclusive evidence of the date of shipment of the relevant Products.

Article 8. TITLE AND RISK

Property, title and all risks of loss or damage to each shipment of the Products shall pass from the Seller to the Buyer when the Products (the whole consignment) are onboard the vessel.

Article 9. ARRANGEMENT OF VESSELS

The Seller shall assume the obligation for providing vessels for the transportation of the Products from [port] to [port] and the Seller shall arrange for and provide such vessels in accordance with the provisions of Article 11 hereof.

Article 10. MARINE INSURANCE

The Seller shall, at its own expense, insure the Products on F.P.A. (free from particular average) terms for the period commencing at the time when the Products leave the Seller's warehouse or place of storage at the commencement of the transit until the time of delivery thereof to the Buyer's warehouse or place of storage at the port of unloading and in the amount of the Price plus ten (10) percent thereof. Any additional insurance, if required by the Buyer, shall be effected by the Seller at the expense of the Buyer subject to receipt by the Seller of a notice requiring the same at least _______ (_______) days prior to the date of shipment of the Products.

Article 11. SHIPPING SCHEDULE

The shipment of the Products shall be made once a month in approximately equal quantities during every Quarter of each Contract Year.

Article 12. UNLOADING CONDITIONS

(1) Notice of nomination of vessels to unload shall be given ______ (______) days prior to the expected date of arrival of each vessel at the unloading port. Such nomination shall state the name of the vessel and its estimated time of arrival at the unloading port.

(2) The Seller shall cause the master to give the Buyer three (3) notices of the estimated time of arrival of the vessel at the unloading port, the first such notice to be given ______ (______) days prior to the estimated time of arrival of the vessel, the second to be given ______ (______) hours prior to the estimated time of arrival and

the third to be given ______ (______) hours prior to the estimated time of arrival.

(3) The Buyer, at its own expense, shall unload the Products at the unloading port which the Buyer warrants shall have necessary unloading facilities for a vessel of the type carrying the Products.

(4) The Buyer shall cause the Products to be unloaded at the rate of _______ (_______) Tons per weather working day of twenty-four (24) consecutive hours, excluding Saturdays, Sundays and holidays.

(5) The Buyer shall pay to the Seller demurrage at the rate of Dollars ______ (U. S. $______) per day, pro rata for all hours of laytime used, in excess of permitted laytime, within thirty (30) days after completion of unloading.

(6) The Buyer shall be reimbursed by the Seller with despatch money at the rate of Dollars ______ (U. S. $______) per day, pro rata for all hours of laytime not used in each shipment, within thirty (30) days after completion of unloading.

(7) The payment of demurrage and dispatch money shall be made by telegraphic transfer to the accounts of the Seller or the Buyer with the bank designated by the Seller or the Buyer as the case may be.

Article 13. QUALITY INSPECTION

The Seller shall cause the Manufacturer to inspect the Products, prior to each shipment, at the Manufacturer's works in [place] in accordance with the Manufacturer's usual practice and shall cause the Manufacturer to issue a certificate of inspection in respect thereof. Such certificate of inspection issued by the Manufacturer shall be considered as final and conclusive in respect of quality and condition of the Products and of their conformity in all respects with the Specifications.

Article 14. QUANTITY INSPECTION

An independent surveyor appointed by the Seller shall conduct a draft survey at the loading port and issue a weight certificate at the expense of the Seller. Such weight certificate shall be taken as final, except as to errors admitted by such surveyor.

Article 15. WARRANTY AND LIMITATION OF LIABILITY

(1) The Seller warrants that the Products shall conform to the Specifications as stipulated in Article 4 hereof. NO OTHER WARRANTY OR REPRESENTATION, EXPRESS OR IMPLIED, INCLUDING WITHOUT LIMITATION, WARRANTIES OF MERCHANTABILITY OR FITNESS FOR ANY PARTICULAR PURPOSE, IS MADE BY THE SELLER.

(2) The Buyer shall, in claiming breach of warranty on the part of the Seller hereunder, submit to the Seller such proof as shall be required by the Seller, within such time as stipulated in Article 20 hereof.

(3) If the Seller, upon its inspection after the receipt of a claim by the Buyer, has determined that the Products should fail to conform to the foregoing warranty, the Seller's sole and exclusive liability shall be, at the Seller's option:

(i) to replace such nonconforming Products; or

(ii) to reimburse the Buyer for loss or damages as actually sustained therefrom, the amount of which, however, shall in no event exceed the Price of the particular Products with respect to which the damages shall have occurred.

(4) IN NO EVENT SHALL THE SELLER BE LIABLE FOR:

(i) ANY INDIRECT OR CONSEQUENTIAL DAMAGES WHATSOEVER INCLUDING, BUT NOT LIMITED TO, DAMAGE TO THE BUYER'S PROPERTY RESULTING FROM THE USE, TRANSPORTATION, SALE OR STORAGE OF THE PRODUCTS WHETHER IN MANUFACTURING PROCESSES, ALONE OR IN COMBINATION WITH OTHER SUBSTANCES, OR LOSS OF USE, REVENUE OR PROFIT, EVEN IF THE SELLER KNEW OR SHOULD HAVE KNOWN THE POSSIBILITY OF SUCH DAMAGES, OR INJURY TO OR DEATH OF PERSONS; OR,

(ii) CLAIMS, DEMANDS, OR ACTIONS AGAINST THE BUYER BY ANY OTHER PARTY, ON ANY GROUNDS WHATSOEVER INCLUDING, BUT NOT LIMITED TO, INJURY TO OR DEATH OF PERSONS.

Article 16. PATENTS, TRADE MARKS, ETC.

The Buyer shall indemnify and hold the Seller harmless from any liability for infringement of patent, trade mark, brand, utility model, design, pattern, copyright and/or other industrial property right in the Products, whether in the Seller's country or any other country, provided, however, that the Seller shall be liable for any such infringement in the Seller's country if the patent, trade mark, brand, utility model, design, pattern, copyright or other industrial property rights so infringing are not designed or selected by the Buyer.

Article 17. PACKING AND MARKING

(1) Packing of the Products shall be carried out in the manner usually effected by the Manufacturer in its export of such kind of the Products.

(2) Shipping marks shall be as follows:

Article 18. FORCE MAJEURE

(1) The Seller shall not be liable for any delay in shipment or delivery, or nondelivery, of all or any part of the Products, or for any other default in performance of this Agreement due to the occurrence of any event of force majeure (hereinafter called "Force Majeure") including, but not limited to, prohibition of exportation, refusal to issue export license, governmental laws, regulations, orders or actions, war, warlike condition, insurrection, mobilization, riot, civil commotion, blockade, strike, lockout, slowdown, sabotage, fire, explosion, flood, typhoon, hurricane, tidal wave, plague or other epidemics, quarantine, earthquake, landslide, prolonged failure or shortage of electric current, fuel or other energies, shortage of petroleum products or raw materials, accident to or breakdown of machinery or plant, unavailability or shortage of shipping space, embargoes, perils of the sea, accident of navigation, act of God or any other cause beyond the reasonable control of the Seller, the Manufacturer or any other person, firm or company directly or in-

directly connected with the sale, manufacture, transportation, shipment or delivery of the Products, and the Buyer may not terminate this Agreement due to such delay, failure or default.

(2) On the occurrence of any event of Force Majeure, the Seller shall have the option either (i) to extend the time of delivery of the Products or performing its other obligations hereunder during such period as the event of Force Majeure continues or (ii) to terminate unconditionally this Agreement wholly or partially. In the event of the Seller exercising such option, the Buyer shall accept such extension of time or termination, as the case may be, without any claim against the Seller.

(3) On the occurrence of any event of Force Majeure, the Seller shall give notice and full particulars of such event of Force Majeure to the Buyer as soon as practicable.

Article 19. TERMINATION

In addition to any other rights and remedies stipulated herein and at law, the Seller may:

(i) by written notice to the Buyer, terminate this Agreement and any other contract or agreement with the Buyer;
(ii) delay or suspend shipment or, unless paid for by the Buyer, stop the Products in transit;
(iii) dispose of the Products to any third party and recover from the Buyer such damages as incurred by the Seller from such disposal together with any incidental or consequential damages;
(iv) accelerate any installment or otherwise postponed or deferred

payment for shipment already made hereunder, if any, and any other contract or agreement with the Buyer, thereby causing it to become immediately due and payable; and/or

(v) grant the Buyer indulgence for a reasonable period, for the payment of the Price with interest thereon at the rate of fourteen point five percent (14.5%) per annum or the maximum interest rate permitted by the usury laws in the Buyer's country, whichever may be lower, calculated from the due date for such payment until the actual date of payment, on the basis of a 360-day year;

if any one of the following events shall occur:

(a) the Buyer shall fail to perform any material obligation under this Agreement including, but not limited to, the failure to establish the Letter of Credit or explicitly indicate the refusal to perform such material obligation hereunder;

(b) the Buyer shall become unable to pay its debts generally as they become due, or shall hold a meeting of its creditors, or shall make a general assignment for the benefit of its creditors, or shall file a petition in bankruptcy, or shall be adjudicated or declared a bankrupt or insolvent, or shall file a petition or an answer seeking, consenting to or acquiescing in any reorganization, arrangement, adjustment, composition, readjustment, liquidation, dissolution or similar relief under any present or future statute, law or regulation, or shall file an answer admitting or not contesting the material allegations of a petition or answer filed against it for or proposing any such relief; or if any proceeding against the Buyer of the type referred to herein seeking any such relief shall not have been dismissed within thirty

(30) days after the commencement thereof; or

(c) a trustee, receiver or liquidator of the Buyer or of any material part of the Buyer's assets or properties shall be appointed with the consent or acquiescence of the Buyer, or if any such appointment, not so consented to or acquiesced in, shall remain unvacated or unstayed or such trustee, receiver or liquidator shall not have been dismissed or discharged for an aggregate of thirty (30) days (whether or not consecutive).

Article 20. CLAIM

The Buyer shall give a written notice of any claim of whatever nature arising from this Agreement within ______ (______) days after the date of the bill of lading of the relevant Products. Within ______ (______) days of the date of the said notice, the Buyer shall forward full particulars of such claim in writing by registered airmail to the Seller, whereupon the Seller and the Buyer shall negotiate to settle such claim in an amicable manner.

Article 21. TAXES, DUTIES AND CHARGES

Any tax, withholding tax, duty, import duty or any other charges imposed or charged outside the Seller's country in connection with the execution of this Agreement, the importation of the Products into ______ and/or the making of any payments hereunder, if any, shall be borne and paid for by the Buyer.

Article 22. ASSIGNMENT

The Buyer shall not assign or transfer the whole or any part of this

Agreement to any person, firm or company without obtaining the prior consent in writing of the Seller.

Article 23. NO IMPLIED WAIVERS

The failure of one party hereto at any time to require performance by the other of any provision hereof shall, in no way, affect such party's right to require full performance thereof at any time thereafter nor shall the waiver by one party hereto of a breach of any provision hereof be taken or held to be a waiver by such party of any succeeding breach of such provision or as a waiver of the provision itself.

Article 24. NOTICE

(1) All notices hereunder shall be written in the English language and be delivered by hand, sent by airmail, or sent by email followed by a confirming letter airmailed within ______ (______) days to the address of either Party at its respective addresses as follows:

To the Seller
Airmail: ______________________
Attention: Mr.___________________
[title]___________________
Email address:

To the Seller
Airmail: ______________________
Attention: Mr.___________________
[title]___________________
Email address:

(2) Either Party may, at any time, change its address by giving notice

to the other Party in the manner listed above.

Article 25. TRADE DEFINITIONS AND GOVERNING LAW

Trade terms shall have the meanings defined in the Incoterms 2020 (International Rules for the Interpretation of the Trade Terms), as amended, unless otherwise specifically provided in this Agreement. This Agreement shall be governed by and construed in accordance with the laws of Japan.

Article 26. ARBITRATION

All disputes, controversies or differences which may arise between the Parties, out of or in connection with this Agreement shall, unless settled by amicable arrangements of the Parties, be finally settled by arbitration in Tokyo, Japan in accordance with the Commercial Arbitration Rules of the Japan Commercial Arbitration Association. The award shall be final and binding upon the Parties, and judgement on such award may be entered in any court or tribunal of competent jurisdiction.

Article 27. HARDSHIP

The Parties declare it to be their intention that the provisions of this Agreement shall operate between them fairly without detriment to the interests of either Party and this understanding forms the basis upon which this Agreement has been negotiated and entered into. If, prior to or during the course of the performance of this Agreement, the terms of this Agreement shall cease to be fair or become inequitable due to factors beyond the control of the Parties, including substantial changes in economic circumstances from the circumstances subsisting at the effective date, then the Parties shall discuss how far such situation can be taken into account and shall further review any or all relevant provisions as may be necessary.

Article 28. ENTIRE AGREEMENT AND MODIFICATION

This Agreement constitutes the entire agreement between the Parties with respect to the subject matter contained herein and supersedes all prior or contemporaneous communications or agreements with regard to the subject matter. This Agreement may not be modified except in writing by the Parties.

Article 29. HEADINGS

In this Agreement, headings are inserted for convenience of reference only and do not affect interpretation.

IN WITNESS WHEREOF, the Parties have caused this Agreement to be executed by their duly authorized representatives in duplicate, each duplicate to be considered an original and each party to retain one original, as of the day and year first above written.

The Seller:	The Buyer:
______________________	______________________
Name:	Name:
Title:	Title:

AGREEMENT

THIS AGREEMENT made and entered into this _____ day of _____, 20____, by and between ____________, a corporation organized under the laws of _______, having its principal place of business at _______ (hereinafter referred to as the "Buyer"), and ___________, a corporation organized under the laws of _______, having its principal place of business at _______ (hereinafter referred to as the "Seller", Buyer and Seller together, the "Parties", individually, a "Party");

WITNESSETH:

WHEREAS, the Buyer requires a stable supply of bulk sulphur as subsequently more particularly specified (hereinafter referred to as the "Products"); and

WHEREAS, the Seller is desirous of selling the Products to the Buyer throughout the term of this Agreement;

NOW, THEREFORE, in consideration of the premises and obligations of the Seller and the Buyer contained within the Parties do hereby agree as follows:

Article 1. DEFINITIONS:

In this Agreement, (a) "Ton" shall mean a metric ton equivalent to 2,240 pounds avoirdupois; and (b) "Contract Year" shall mean the twelve (12) month period commencing on the date of arrival of the first shipment of the Products hereunder at the port of ________ and each successive twelve (12) month period throughout the term of this Agreement.

Article 2. MATERIAL AND QUALITY:

All the Products delivered under this Agreement shall be crude and dark bulk sulphur in dry-solid form and shall be at least 99.5 percent pure on a dry basis.

Article 3. QUANTITY:

Subject to the terms of this Agreement, the Seller shall sell and deliver to the Buyer and the Buyer shall purchase and accept delivery from the Seller of all of the Buyer's requirements of the Products during each Contract Year up to an annual maximum quantity of ______ (____________) Tons.

Article 4. TERM:

This Agreement shall become effective from the date first above written and unless terminated under this Agreement shall continue in force for a period terminating on the expiry of the fifth (5th) Contract Year.

Article 5. DELIVERY POINT AND DISCHARGE:

(a) The Products shall be deemed to have been delivered to the Buyer at the time of loading on to the carrying vessel at the port of loading, and title and risk of loss shall pass to the Buyer at such point of delivery.

(b) The Seller shall procure, at its own expense, insurance to cover the full contract price of the Products from the time of delivery, and such insurance shall cover war, marine and all other types of risks customarily insured against, provided however that, if the premium for war risks insurance should increase to more than ten United States Cents (¢10) for each one hundred United States Dollars of the CIF value of the shipments, the excess portion of the premium shall be for the Buyer's account. Any extra costs of insurance (cargo penalty rate) incurred by reason of the vessel's age, flag, classification or ownership shall be for the Seller's account.

(c) The Buyer shall designate a safe berth for the vessel at the port of ______, and shall be responsible for all arrangements for discharging the Products. The vessel may be required by the Buyer, with the Seller's consent, to shift from one berth to another discharging berth at the vessel's expense. If the Products are loaded in deep tanks, any extra cost of discharge shall be for the Seller's account. The Buyer shall weigh the Products shipped hereunder at its own expense, if the Seller so requests.

(d) The Buyer shall pay all dues, duties, taxes and other charges levied on the Products at the discharging port. Duties or charges levied on the vessel at such port by reason of the Products being on board shall be for the account of the vessel.

(e) The Products shall be received by the Buyer at such rate as will enable the vessel to be discharged at an average rate of not less than ________ (________) tons per working day of 24 consecutive hours, weather permitting.

Laytime for discharging shall begin 24 hours after receipt of notice of readiness to discharge. All time from 12 o'clock noon on Saturday to 8 a.m. on Monday and from 5 p.m. on the day before a holiday to 8 a.m. on the day following a holiday shall be excluded from laytime. If the Products are not discharged from the vessel at the average rate hereinabove provided, and if this results in delay in discharging beyond the expiration of laytime, demurrage shall be payable by the Buyer to the Seller at the rate of United States Dollars ______ (U. S. $______) per running day of 24 hours or pro rata, for the period of such delay. The Seller shall pay the Buyer dispatch money at the rate of United States Dollars ______ (U. S. $______) per running day of 24 hours or pro rata, for laytime saved at discharging port. Any time used awaiting turn, shifting berths or docks or repairing vessel's equipment shall not count as laytime or as time on demurrage. Any time lost in discharging due to act of God, restraint of rulers, governments or public enemies, riots, lockouts, strikes or other labor disputes, fire, floods, explosions or other circumstances whatsoever beyond the control of the Buyer shall not count as laytime or time on demurrage, nor shall any time lost in discharging by reason of breakdown of the vessel's winches, falls, tackle or other vessel equipment or by any neglect or fault of the vessel, its owner, master or their agents, count as laytime or time on demurrage. The Buyer may require discharging during the 24-hour period after notice of readiness has been given or on Sundays, holidays or other excepted time, the Buyer paying any extra expenses above the cost of discharging during working hours arising therefrom but any time so used shall not be counted as laytime.

Article 6. PRICE:

(a) On or before __________, 20____ and thereafter on the ________ of

________ of each succeeding year, the Seller shall notify the Buyer of the price per Ton CIF [port] for the Products to be delivered under this Agreement during the following calendar year. The Buyer shall be deemed to have accepted such price for the ensuing year unless, within thirty (30) days following the effective date of the Seller's notice to the Buyer, it shall notify the Seller that it has been offered, in good faith, for delivery over the ensuing year, sulphur of a quality equal to or better than that being supplied by the Seller under this Agreement at a price which would result in a total cost free out at the discharging dock in [port], lower than the CIF cost of the Seller's Products of such grade at the same point, and in a quantity equal to or greater than the Buyer's annual requirements.

(b) In the event that the Buyer shall give the Seller the notice provided in subparagraph (a) of this Article 6, which notice shall set forth sufficient details to establish the foregoing conditions, the Seller, by notice to the Buyer within fifteen (15) days following the date of the Buyer's notice, shall elect either: (i) to reduce the Seller's price for the ensuing year to the extent necessary to make the cost of the Seller's Products CIF [port], no greater than the cost to the Buyer which would have resulted if the competitive offer had been accepted; or (ii) to accept, within fifteen (15) days following the date of the Seller's notice, a notice by the Buyer cancelling this Agreement effective at the end of the then current Contract Year.

(c) In the event that the Seller shall fail to give notice as provided in subparagraph (b) of this Article 6, such failure shall be deemed to mean that the Seller has elected the second alternative set forth therein, thereby permitting the Buyer to cancel this Agreement effective at the end of the then current Contract Year. In the event that the Buyer should fail to give notice as provided in subparagraph (b)(ii) of this Article 6, such failure shall be deemed to mean that the Buyer has elected to accept the price declared by the Seller under subparagraph (a) of this Article 6.

Article 7. PAYMENT:

Payment for each shipment of the Products shall be made by the Buyer to the Seller on a documentary bill for collection basis, in United States Dollars, within ______ (______) days of the date of the relevant bill of lading, on the condition that the relevant shipping documents shall be released to the Buyer against acceptance by the Buyer of the documentary bill for collection.

Article 8. SHIPMENT SCHEDULE:

The quantity of the Products to be sold and purchased hereunder during any Contract Year shall be shipped in reasonably uniform periodic quantities, in accordance with the vessel availability and good economic and commercial practice.

Article 9. WEIGHT DETERMINATION:

All shipments of the Products hereunder shall be governed by certified in-turn weights loaded. The Seller shall invoice at these weights, less 0.5%, to cover possible losses in weight en route to the discharging port.

Article 10. TAXES:

Except for income and franchise taxes imposed on the Seller, the Buyer shall bear and hold the Seller harmless against all taxes, excise, duties, customs charges or other governmental charges now or hereafter imposed by any competent governmental authority (a) on this Agreement or (b) on the shipment, importation, exportation, sale or use of the Products covered hereby.

Article 11. FORCE MAJEURE:

Neither Party shall be liable for any failure to make or take any delivery hereunder, or for any delay in making or taking such delivery, if such failure or delay is due to any contingency which is beyond the reasonable control of such Party, including, without limitation, acts of God, drought or other adverse weather conditions, earthquakes, floods, fires, explosions, wars (declared or undeclared), blockades, riots, insurrections, civil disturbances, acts of a public enemy, strikes, lockouts or other industrial disturbances (whether or not the demands of the affected party's employees are reasonable or within such party's power to grant), hazards of navigation, embargoes, shortages of or inability to obtain labor, fuel, water, steam, electric power, transportation, raw materials, or manufactured products, damage to or destruction of machinery, malfunction of equipment, action of any competent governmental authority, compliance with any law, order, direction or regulation of any competent governmental authority, compliance with the decision of any competent judicial or administrative authority, inability to obtain export or import licenses, and any other causes beyond the reasonable control of the Party in question whether of the kind herein enumerated or otherwise. Unless otherwise agreed in writing, any shipment which is delayed for more than ninety (90) days due to any of the above contingencies shall be deemed to be eliminated from this Agreement and shall not be made up at a later date. Nothing contained herein shall relieve the Buyer of its obligation to pay for the Products once such Products have been loaded on a vessel for delivery to the Buyer.

Whenever any shipment is eliminated from this Agreement because the Seller has invoked this Article 11, the Buyer shall be entitled to purchase the quantity so eliminated from any supplier whom the Buyer may choose.

Article 12. LIMITATION OF LIABILITY:

If any Products which the Seller ships to the Buyer hereunder should be less than ninety nine point five (99.5) percent pure, the Seller's sole liability for such quality defect shall be to grant the Buyer a pro rata price reduction on such Products. Under no circumstances shall either Party have any liability to the other for indirect or consequential damages.

Article 13. DIVISIBILITY:

Each shipment of the Products hereunder shall constitute a separate sale.

Article 14. TERMINATION FOR DEFAULT:

Without prejudice to any other remedy, either Party shall be entitled to terminate this Agreement by notice to the other Party, at any time if the other Party should default in performing any of its obligations hereunder and should fail to correct such default within ten (10) days after notice of default.

Article 15. NOTICES:

Any notice provided for under this Agreement (a) shall be in writing; (b) shall be given by mail, hand delivery or email; and (c) shall be addressed to the Party to be notified at the address given at the head of this Agreement (or such other address as such Party may substitute by notice). Any such notice shall be deemed sufficiently given when received by the Party to be notified at such address except that notice by registered mail shall be deemed sufficiently given when mailed postage prepaid to such Party at such address.

Article 16. ASSIGNMENTS:

The Seller shall be entitled to assign this Agreement to any subsidiary or affiliate of the Seller, provided that, the Seller guarantees due performance by such subsidiary or affiliate. Except as provided in the preceding sentence, neither Party shall be entitled to assign this Agreement without the prior written consent of the other Party and no assignment attempted without such consent shall have any force or effect.

Article 17. ENTIRE AGREEMENT:

This Agreement contains the entire agreement between the Parties with reference to the sale by the Seller of the Products to the Buyer and supersedes all prior written, oral or implied agreements between the Seller and the Buyer relating to such sale. EXCEPT AS EXPRESSLY STATED HEREIN, THE SELLER MAKES NO REPRESENTATIONS OR WARRANTIES CONCERNING QUALITY OF THE PRODUCTS, INCLUDING, WITHOUT LIMITATION, REPRESENTATIONS AS TO MERCHANTABILITY OF THE PRODUCTS.

Article 18. MODIFICATION:

The only manner in which this Agreement or any provision hereof may be changed, waived, discharged, or terminated is by writing duly signed by the Party against whom enforcement of the change, waiver, discharge or termination is sought. Under no circumstances shall any change or termination be effected orally or by any purchase order form issued by the Buyer or any purchase order acknowledgement form issued by the Seller.

Article 19. GOVERNING LAW:

The validity, interpretation and performance of this Agreement shall be governed by the laws of ______.

SELLER

____

Name: ________________________

Title: ________________________

BUYER

____

Name: ________________________

Title: ________________________

6-③ 液化石油ガス

LPG SALES AGREEMENT

This Agreement is made the _____ day of _______, 20___ between ______________________________ (hereinafter referred to as the "Seller") of the one part and ______________________________ (hereinafter referred to as the "Buyer", Buyer and Seller together, the "Parties", individually, a "Party") of the other part.

Whereas

(a) The Seller has rights, interests, permissions and authorizations necessary to explore its reserves of oil and natural gas at _____ area containing propane and butane which collectively are known as liquefied petroleum gas (hereinafter referred to as "LPG") and has appropriate facilities for LPG to be separated from the oil and natural gas prior to its sale.

(b) The Seller undertakes to sell and deliver to the Buyer and the Buyer undertakes to purchase and take delivery of LPG on the terms and conditions set out in this Agreement.

NOW THIS AGREEMENT WITNESSETH that it is hereby agreed as follows:

Article 1. Definitions

In this Agreement, unless the context otherwise requires:

"LPG" shall mean liquefied petroleum gas being propane and butane as specified herein.

"Contract Year" shall mean a period of twelve (12) calendar months commencing on each first day of April and ending the thirty first day of March of the immediate succeeding year throughout the term of this Agreement.

Article 2. Term

(a) This Agreement shall come into force on the date first above written and shall apply to LPG delivered by the Seller to the Buyer in accordance with the provisions hereunder for a term of fifteen (15) Contract Years commencing on the 1st day of April, 20______ and ending on the 31st day of March, 20______. This Agreement shall be extended and effective for successive periods of five (5) years thereafter unless terminated by either Party by two years' notice in writing given prior to the commencement of any such period of five (5) years.

(b) The duration of this Agreement as defined in clause (a) shall be subject to the provision for earlier termination as contained in subclause (c)(iii) of Article 6.

Article 3. Quantities

(a) Subject to clause (b) below the annual volume of LPG which the Seller shall sell and deliver to the Buyer and the Buyer shall purchase and take delivery of from the Seller pursuant to this Agreement shall be as follows:

Contract Year Commencing | Volume (Metric Tons)

(b) If in respect of any Contract Year the Buyer's actual requirements exceed the volume for such year determined in accordance with clause (a) above, the Buyer may, by notice to the Seller, request the Seller to supply all or part of such additional requirements. The Seller shall have an option exercisable within a period of thirty (30) days whether or not to agree to supply such additional quantities. In case the Seller accepts, such additional quantities of LPG shall be sold and purchased according to the terms and conditions outlined in this Agreement. Failure to give notice within the thirty (30) day period shall be deemed a rejection by the Seller to supply additional quantities.

(c) LPG to be delivered hereunder in each Contract Year shall consist of approximately forty-five (45) weight percent of propane and fifty-five (55) weight percent of butane.

(d) The volume of LPG actually delivered by the Seller and purchased and taken by the Buyer in accordance with clauses (a) and (b) above shall be subject to such operational tolerance as the Seller and/or the Buyer may reasonably require. It is agreed that such operational tolerance will not exceed plus or minus ten (10) percent of the annual volumes determined in accordance with clauses (a) and (b) above.

Article 4. Quality

LPG delivered by the Seller hereunder shall be of the following specifications:

(i) Propane

Ethane	maximum	______%
Propane	maximum	______%
Butane	maximum	______%
Pentane	maximum	______%
Olefins	maximum	______%
Total Sulphur	maximum	______ppm

(ii) Butane

Ethane	maximum	______%
Propane	maximum	______%
Butane	maximum	______%
Pentane	maximum	______%
Olefins	maximum	______%
Total Sulphur	maximum	______ppm

Article 5. Price

The price for LPG sold and delivered to the Buyer at the delivery point as stipulated in Article 7 shall be as follows:

(a) for LPG to be delivered during the first, second and third Contract Years namely between April 1st, 20_____ and March 31st, 20_____, United States Dollars ______ (U.S.$______) per metric ton; and

(b) for LPG to be delivered during the fourth Contract Year and in succeeding Contract Years thereafter, namely on and after April 1st, 20______, United States Dollars ______ (U.S.$______) per metric ton.

Article 6. Price Review

(a) If during the term of this Agreement there has been a substantial change in the relevant market for the sale of LPG in [the Buyer's/the Seller's country/worldwide], either Party may seek a review of the circumstances. As a result of such review either Party may make a request for an alteration in the price of LPG as fixed by Article 5. Such request shall be in writing setting out details of the circumstances giving rise to the request and setting out the effects which the circumstances are alleged to have upon the price.

(b) Not later than sixty (60) days from the receipt of the request pursuant to clause (a) above, the Party receiving the request shall advise the other Party whether or not and if so to what extent it agrees to any alteration in that price. If the Parties are unable to agree upon these matters within thirty (30) days thereafter, the price shall remain unchanged.

(c) The Seller shall pay all taxes, duties and levies imposed by statute, regulation or otherwise attributable to the sale and delivery of LPG by the Seller to the Buyer and applicable as at the date of this Agreement.

The price of LPG fixed by or pursuant to this Agreement shall be increased by the amount of any subsequent increase after the date hereof in such taxes (other than income tax), duties and levies and by the amount of any such new tax, duty and levy, provided that:

(i) promptly after the imposition or increase in such taxes, duties or levies the Seller shall, by written notice, give the Buyer all available information pertaining to the imposition or increase in such taxes, duties or levies together with advice as to the extent to which the price of LPG should be increased and the date from which such increase shall apply;

(ii) within a period of thirty (30) days from the receipt of such notice the Buyer shall advise the Seller whether it agrees to the increase in the said price; and

(iii) if the Parties are unable to agree on the increase in the said price within a further period of thirty (30) days the said price shall be increased in accordance with the Seller's written notice as provided for in subclause (i) above, provided that, the Buyer shall have the right, by written notice to the Seller within a period of sixty (60) days after the end of such thirty (30) days period, to terminate this Agreement as from a time to be specified in the notice being not less than ninety (90) days after the date of such notice of termination.

Article 7. Delivery

(a) Delivery shall be made by the Seller and taken by the Buyer at an approximately even rate in each Contract Year and in accordance with the shipping schedule to be fixed pursuant to Article 11.

(b) LPG shall be delivered at the tankship's permanent loading manifold flange at a temperature corresponding to a vapour pressure not exceeding ______.

Article 8. Measurement and Determination

With respect to the loading of LPG and determination of the quantity of

LPG delivered under this Agreement, the following provisions shall apply:

(a) LPG delivered shall be measured in the Seller's onshore refrigerated storage tanks, which tanks shall be:

(i) calibrated and certified at the time of construction and approved by the Government of [the Seller's country], in accordance with [the agreed standard],

(ii) equipped with a level gauge, capable of measuring to the nearest one-eighth (1/8) inch the liquid level contained in the Seller's storage tank. Such gauge shall be certified in accordance with the [legislation of the Seller's country] and

(iii) equipped with a remote reading thermocouple type temperature measuring device capable of recording temperatures at two different levels in the tank. Such device shall be certified and endorsed by a [agreed testing institute or association] test certificate.

(b) The procedure to be followed by the Seller in determining the quantity of LPG delivered shall be as follows:

(i) Immediately prior to the commencement of loading all onshore and tankship valves concerned with the loading of LPG shall be checked and certified as being in the correct position for initial gauging. Such checking and certification shall be made by the tankship's Master and the Seller or the Seller's representative except that either Party may elect not to participate in such checking. Once the foregoing is accomplished, the initial liquid level, temperature and pressure readings shall be taken simultaneously, or as near thereto as practicable, for both the tankship's tanks and the Seller's onshore tanks and the results recorded.

(ii) Immediately upon completion of loading of each shipment all onshore and tankship valves concerned with the loading of LPG shall be placed and certified as being in the same setting as at the time of the initial gauging. Such certification shall be made by the tankship's Master and the Seller or the Seller's representative. Once the foregoing is accomplished, the final liquid level, temperature and pressure readings shall be taken simultaneously, or as near thereto as practicable, for both the tankship's tanks and the Seller's onshore tanks and the results recorded.

(c) At both initial and final gaugings, all LPG piping and other equipment used for loading of LPG up to the onshore liquid loading isolation valve separating onshore facilities from the tankship shall be completely full of liquid LPG.

(d) All liquid level, temperature and pressure readings referred to in clauses (b) and (c) shall be made and recorded by the Seller or Seller's representative and certified by the tankship's Master.

(e) A representive sample of LPG delivered to the Buyer in each shipment shall be obtained and analyzed by the Seller in a Government Certified Test Laboratory at the loading port to determine the liquid specific gravity of LPG.

(f) The method of calculating the quantity of LPG delivered to the Buyer in each shipment shall be as follows:

(i) After determining the specific gravity of LPG in accordance with clause (e) above, the Seller shall calculate the average liquid density in [agreed unit] at [agreed temperature] of LPG delivered which shall be certified to the Buyer by the Seller.

(ii) For LPG residual vapour in the tankship's tanks before and after loading, it shall be assumed that the average vapour density shall be, in the case of propane, [agreed number of units] per cubic foot at the reference condition of [agreed temperature] and [agreed number of units] per square inch absolute, and for butane, [agreed number of units] per cubic foot at the same reference conditions.

(iii) By using the Seller's onshore tank calibration tables, the Seller shall calculate the volume of liquid LPG in the Seller's onshore tanks at the initial and final gaugings, corrected to [agreed temperature].

(iv) The volume in [agreed unit] at [agreed temperature] of LPG loaded into the tankship shall be determined by subtracting:

aa) the change (taking into account any volumetric adjustments as necessary for temperature variations) in the volume of LPG vapour in the tankship resulting from loading measured by the tankship's gauges and converted to cubic feet, multiplied by the ratio of its average vapour density in pounds per cubic foot at [agreed temperature] and [agreed number of units] per square inch absolute to its average liquid density in pounds per [agreed unit] at [agreed temperature], from

bb) the change in liquid volume (taking into account any volumetric adjustments as necessary for temperature variations) in the Seller's onshore tanks measured at the initial and final gaugings.

(v) Adjustment of volumes to [agreed temperature] and the conversion to metric tons shall be made in accordance with [relevant legislation and agreed standards].

(vi) If the quantity of LPG delivered to the Buyer cannot, for any reason, be determined by means of the aforementioned measurement procedures, such determination, unless the Parties otherwise mutually agree, shall be based on the Buyer's tankship's tank capacity plans and calibration tables.

Article 9. Billing and Payment

(a) Subject to clause (b) below at least twenty-one (21) days before the date of every shipment hereunder the Buyer shall open a confirmed irrevocable letter of credit in United States currency in favor of the Seller payable at a bank appointed by the Seller in an amount sufficient to cover the purchase price for such shipment, plus 5%. The purchase price for each shipment shall be calculated upon the basis of the price payable for the annual volumes of LPG determined in each Contract Year in accordance with Article 5 subject to any alteration in accordance with Article 6.

The Seller may draw against such letter of credit by bill of exchange payable at sight up to the value of the shipment as shown by the Seller's invoice upon presentation of the following documents:

(i) a full set of negotiable clean on board ocean bills of lading;

(ii) certificates of quantity and quality delivered by the Seller in original together with six (6) signed copies thereof; and

(iii) Seller's signed invoice in original together with six (6) signed copies thereof.

(b) As an alternative to the billing and payment arrangement set out in clause (a) above the Seller at its option may from time to time agree to accept cash payment of the value of the shipment as shown on the Seller's invoice from any third party nominated in writing by the Buyer and acceptable to the Seller, provided that, certified evidence is given to the Seller by the Buyer of such third party's agreement to make such cash payment to the Seller immediately upon the presentation of the documents listed in clause (a) above by the Seller or the Seller's agent to the Buyer, the third party or either of their representatives.

Article 10. Rate of Exchange

In the event of a change in the rate of exchange between the currencies of Japan and the United States as a result of which either Party derives a significant gain or loss, then the Parties will enter into discussion to consider if any adjustment to the price of LPG delivered hereunder is necessary and acceptable to them to restore the same effective price and their same relative commercial position as applied prior to the change in the rate of exchange. Such adjustment will take into account the effect of the change in the rate of exchange on the other Party.

Article 11. Shipping Arrangements

The Buyer and the Seller shall, with due regard to the necessity to arrange regular deliveries of LPG hereunder, arrange shipping schedules as follows:

(a) Shipping Schedules

(i) At least one hundred and twenty (120) days prior to the commencement of each Contract Year, the Buyer shall submit to the Seller a tentative shipping schedule for that year. Such schedule shall specify the quantity of propane and butane expected to be lifted in each shipment.

Within thirty (30) days of receiving the schedule, the Seller shall notify the Buyer of the Seller's agreement to the schedule or shall enter into discussions with the Buyer on such changes as may be necessary to make the schedule acceptable to the Buyer and the Seller.

(ii) Not later than first day of each month, the Buyer shall submit to the Seller notification of the Buyer's firm requirements for individual shipments for the month commencing two months from the time of notification together with the Buyer's estimated requirements for individual shipments for a further two-month period.

(b) Nomination of Tankship

(i) Each and every tankship which is to load LPG under this Agreement shall be nominated by the Buyer by notice to the Seller in writing or email. Such notice shall specify:

aa) the name of the tankship,

bb) the approximate quantity of propane and butane to be loaded,

cc) the expected date of arrival of the tankship at the port of loading,

dd) the nature of contents of tanks on arrival at the port of loading

and shall not be effective unless it is received by the Seller not less than twenty-one (21) clear days before the expected date of arrival of the tankship concerned.

(ii) Upon receipt by the Seller of the notice as provided in sub-clause (i) of this clause, the Buyer shall be deemed to have notified a range of days extending over three (3) clear days before and three (3) clear days after the expected date of arrival specified in the notice and making a range of seven (7) clear days in all. In the event the expected date of arrival or the actual date of arrival falls outside the said range of seven (7) clear days and if as a result thereof the Seller may reasonably require a change in the arrangements for loading the tankship (including, but not limited to, the time of commencement of laytime, the length of laytime and the quantity of LPG to be loaded) then the Buyer and the Seller shall agree on the extent of such changes and in the event agreement is not reached within a reasonable time the Seller shall have the right to reject the tankship or a renomination of the tankship as the case may be.

(iii) In addition to the notice provided under sub-clause (i) of this clause the Buyer will give the Seller fourteen (14) days, seven (7) days, seventy-two (72) hours, forty-eight (48) hours and twenty-four (24) hours notice of tankship's estimated time of arrival. Such notices are to be given by the Master of the tankship by email, radio or telephone (but if notice is tendered by radio or telephone, it shall be confirmed promptly by email) to the Seller's representative at the port of loading.

(iv) Notwithstanding any express or implied term of this Agreement, the Seller shall not be under obligation to commence loading hereunder until the expiry of at least eighteen (18) clear days from the receipt of notice by the Seller in accordance with the provisions of sub-clause (i) of this clause.

(c) Notice of Condition of Tankship

Should the condition of the tankship's tanks and facilities be such that it would be reasonable to expect an abnormal delay in loading, the tankship shall not proceed to the berth without the consent of the Seller.

Article 12. Berth

For each tankship nominated by the Buyer to receive a shipment under this Agreement, the Seller shall provide a berth so that the tankship can, when fully laden, proceed to lie at and depart therefrom always safely afloat. The Seller's obligation in this respect is at the date hereof limited to providing a berth suitable for direct access of a tankship not exceeding [agreed number of] feet length and [agreed number of] feet draught in salt water.

Article 13. Loading Conditions and Demurrage

(a) The laytime allowed to the Seller for the loading of each shipment under this Agreement shall be sixty (60) consecutive hours, weather permitting Sundays and holidays included unless loading on a Sunday, holiday or any other period in question is prohibited by law or regulation at the port of loading.

For tankships other than those referred to in this clause the laytime allowed for loading shall be agreed between the Parties consistent with the tankship's capabilities.

(b) When the tankship has arrived at the customary anchorage at the port of loading and is ready to load, a notice of readiness shall be tendered to the Seller or its representatives (as the case may be) by the Master of the tankship or its agent by email, radio or telephone (but if notice is tendered by radio or telephone, it shall be confirmed promptly by email). The tankship shall be deemed ready within the meaning of this Article whether it arrives during or outside of usual business hours and whether it is in berth or not.

(c) In the event that notice of readiness is tendered by the tankship in accordance with clause (b) but due to the fault of the tankship pratique is not granted on initial inspection then laytime shall commence when loading commences.

(d) If the tankship arrives before the range of days referred to in subclause (b)(ii) of Article 11, laytime shall not commence until 06:00 hours on the first day of the aforementioned range of days unless the Seller shall commence to load without protest as to the insufficiency of notice, in which case laytime shall commence when loading commences. Should the tankship arrive after the expiry of the aforementioned range of days then laytime shall commence when loading commences.

(e) Laytime shall commence either at the expiration of six (6) running hours after tender of notice of readiness, tankship in or out of berth, except that any delay to the tankship in reaching her berth caused by the fault to the tankship shall not count as used laytime, or immediately upon the tankship's arrival at berth and all fast, whichever occurs first. Laytime shall continue until the hoses or loading arms (as the case may be) have been disconnected.

(f) In the event of the tankship's tanks being unfit to receive LPG pursuant to this Agreement due to the nature of the contents or condition of the tanks, the Seller shall render every reasonable assistance in making the tanks fit to receive LPG provided that all costs thereby incurred shall be paid for by the Buyer.

(g) A tankship shall be deemed to be in a fit state to receive LPG if it shall be capable of achieving the minimum average of ________ (______) metric tons per hour during the period of loading.

(h) Subject to the provisions of clauses (c), (e) and (g), the allowed laytime shall be extended by the length of any delays attributable to the tankship.

(i) In the event a tankship is already on demurrage and a delay in loading occurs:

i) which is directly attributable to fire or explosion in or about the Seller's plant or because of breakdown of the Seller's machinery or facilities such plant machinery and facilities being required for the delivery of LPG by the Seller hereunder, then the rate of demurrage provided in clause (j) shall be reduced by one-half for the period of such delay, or

ii) which is directly attributable to events referred to in Article 18 other than those referred to in sub-clause i) of this clause, any such delay shall not count for the purpose of calculating demurrage pursuant to clause (j),

provided that the Seller or the Seller's agent could not have reasonably prevented the occurrence of such delays by the exercise of reasonable care and due diligence.

(j) If LPG is not loaded within the allowed laytime as specified in this Article the Seller shall pay to the Buyer demurrage in respect of the excess time at the rate of [agreed sum of money] per day (and pro rata for part of a day).

(k) Unless the tankship is already on demurrage, delay in loading caused by any event of force majeure (as defined in Article 18) shall not count as used laytime.

(l) Each tankship shall sail from the Seller's wharf as soon as loading is completed weather and tides permitting otherwise the Master shall accept the order of a responsible officer of the Seller or harbour authority directing the Master to vacate the berth.

Article 14. Port Expenses

(a) Any outward wharfage rates or similar charges imposed on LPG delivered to the Buyer shall be for the account of the Seller.

(b) All duties and other charges imposed on the tankships at the port of loading shall be borne by the Buyer, provided that, in the event a tankship is already on demurrage the Seller shall reimburse the Buyer for the tonnage charge (including fire watch) payable by the Buyer for the period of time the tankship is on demurrage.

(c) In the event that loading is suspended due to the fault of the tankship the Seller may order the tankship to vacate the berth and the costs of such removal and any reberthing so involved are to be for the account of the Buyer.

Article 15. Assignment

(a) Except as provided in clause (b) below neither the Seller nor the Buyer may assign its rights under this Agreement in full or in part without the written consent of the other which consent shall not be unreasonably withheld. No assignment shall be in effect until the assignee agrees in writing with the other Party to be bound by and to perform all the obligations of this Agreement.

(b) The Seller or the Buyer may assign this Agreement in full to any subsidiary corporation or corporations, to its parent corporation or corporations or to any subsidiary or subsidiaries of its parent corporation or corporations, provided always that, the Seller or the Buyer (as the case may be) shall remain responsible for the performance of any of their obligations under this Agreement. The Seller or the Buyer may also assign or pledge its rights or benefits under this Agreement including any moneys due or to become due to any bank or other lending institution and may pledge this Agreement as security to such lenders but the other Party shall not be obliged to take cognisance of any such assignment or pledge. The terms "subsidiary corporation" or "parent corporation" as used in this clause (b) shall have the meanings thereto ascribed in [Companies Act of   ].

Article 16. Waiver

No waiver of any breach of this Agreement or of any of the terms hereof shall be effective unless such waiver is in writing and signed by the Party against whom such waiver is claimed. No waiver of any breach shall be deemed to be a waiver of any other or subsequent breaches.

Article 17. Arbitration

All disputes arising out of or in connection with this Agreement shall be finally settled by arbitration under the Rules of Arbitration of the International Chamber of Commerce by three (3) arbitrators.

The Board of Arbitration shall be composed of three arbitrators, with each Party choosing an arbitrator and the Parties' two arbitrators choosing a third arbitrator. If either Party to the arbitration fails to choose an arbitrator within thirty (30) days after notice of commencement of arbitration or if the two arbitrators fail to choose the third arbitrator within thirty (30) days after the date of appointment of the second of the arbitrators, the Court of Arbitration of the International Chamber of Commerce shall upon the request of either Party to the arbitration appoint the arbitrator or arbitrators to complete the Board. The seat of arbitration shall be [designated city]. The arbitration award shall be final and binding upon the Parties to the arbitration and judgement on the award may be entered in any court of competent jurisdiction.

Article 18. Force Majeure

If the Seller or the Buyer is rendered unable wholly or in part to observe or perform any of its obligations under this Agreement other than the obligation to make money payments, then such Party shall be deemed not to be in breach of this Agreement if the failure was caused by any reason which is outside the control of the Party claiming the benefit or protection of this Article and which that Party could not at the time of its occurrence prevent by the exercise of reasonable care and due diligence, including but not limited to, an act of God, including lightning, earthquake, storm or tempest; strike, lockout or other industrial disturbance; sabotage; war; blockade; riot; landslide; flood; fire; wa shout; arrest or restraint of lawful authority; civil disturbances; fire or explosion in or about the Seller's plant or breakdown of the Seller's machinery and facilities; temporary failure of gas supply; well blowouts or the order or orders of any country or governmental authority.

Article 19. Risk and Property

The risk and property in LPG shall pass to the Buyer as LPG passes the tankship's permanent loading connection at the port of loading.

Article 20. Appointment of Agents

Either Party may in its discretion appoint an agent or agents at its own expense to carry out any and all of the functions required or authorized to be performed under this Agreement. Either Party shall advise the other Party of the name of the agent or agents and of functions entrusted thereto. The appointment of such an agent or agents shall not relieve such Party of any obligation or responsibility under this Agreement.

Article 21. Remedy for Breach

Neither the Seller nor the Buyer shall have the right to terminate this Agreement by reason of any breach or default by the other unless:

(i) a notice has been given in writing of such breach or default including a notice that if the breach complained of is not remedied or made good the complainant reserves the right to terminate this Agreement for reason of that breach;
and

(ii) the Party alleged to be in breach or default does not within ______ (______) days after the receipt of such notice either (i) agree to submit to arbitration the questions as to whether there has been a default and the amount of any compensation payable in respect of such breach or (ii) remedy such breach or make good such default and pay or agree to indemnify the complainant for and against all loss and damage incurred or which may be incurred by the complainant as a result of such breach.

Article 22. Law of Contracts

This Agreement shall be governed by and be construed in accordance with the laws of [designated country].

Article 23. Notices

All notices required or authorized to be given under this Agreement shall be in writing and except where otherwise expressly provided shall be sent by registered mail addressed to a Party at its address set forth in the preamble to this Agreement or by email to a registered email address. Unless otherwise provided in this Agreement, notices shall be effective on and from the date on which it is mailed or emailed in accordance with this Article. Either Party may, by notice to the other, change its address for the service of notices.

Article 24. Government Approval

The Seller and the Buyer undertake to use their best efforts to secure approvals as may be necessary from their appropriate government authorities for the export or import (as the case may be) of LPG in accordance with the terms of this Agreement.

IN WITNESS WHEREOF, the Parties have caused this Agreement to be duly executed the day and year first hereinbefore written.

The Seller　　　　　　　　　　　　The Buyer

6-④　鉄鉱石

IRON ORE SALE AND PURCHASE CONTRACT

THIS CONTRACT made and entered into this ______ day of ______, 20____, by and between ______________ (hereinafter called "Seller") and ______________________(hereinafter called "Buyer", Buyer and Seller together, the "Parties", individually, a "Party").

WITNESSETH:

WHEREAS, Seller is the producer of Ore as hereinafter defined and desires to sell and deliver Ore to Buyer; and

WHEREAS, Buyer desires to purchase and accept Ore from Seller.

NOW, THEREFORE, in consideration of the premises and of the undertakings of Seller and Buyer in this Contract, the Parties hereby agree as follows:

ARTICLE 1. DEFINITIONS:

In this Contract, the following terms shall, unless the context otherwise requires, have the following meanings:

(1) "Ore" means lumpy hematite iron ore produced at [designated mine].

(2) "Dollar(s)" or the sign "$" means the lawful currency of the Unit-

ed States of America, freely transferable from ______ and payable to an external account, and "Cent" or the sign of "¢" shall mean one hundredth of one Dollar.

(3) "Long ton" means a ton of 2,240 pounds avoirdupois. For the purpose of conversion, a long ton equals 1.016047 metric tons and a metric ton equals 0.9842064 long ton.

(4) "Wet basis" means Ore in its natural wet state.

(5) "Dry basis" means Ore dried at [agreed temperature].

(6) "Trimming" means seaworthy trimming.

(7) "Delivery Quantity" means the final dry weight as set forth in Article 16 "WEIGHING" and Article 20 "LOSS OF CARGO" of this Contract.

ARTICLE 2. COMMODITY:

The commodity to be sold and purchased pursuant to this Contract shall be Ore.

ARTICLE 3. SALE AND PURCHASE:

Seller shall sell and deliver and Buyer shall purchase and take delivery of Ore in accordance with the terms and conditions set out in this Contract.

ARTICLE 4. DELIVERY QUANTITY AND DELIVERY PERIOD:

(1) Delivery period shall be as follows:

(2) The quantity to be delivered by Seller to Buyer shall be as follows:

(3) The quantity mentioned in paragraph (2) of this Article shall be, with respect to each one (1) year period commencing April 1st each year and ending March 31st the following year, subject to a quantitative tolerance of ten (10) percent more or less at Buyer's option which shall be declared before the commencement of each such one (1) year period. Monthly allocation of vessels shall be made, in principle, on the basis of average monthly quantity calculated from the quantity mentioned in paragraph (2) of this Article.

ARTICLE 5. GUARANTEED SPECIFICATIONS:

Seller guarantees that any and all Ore delivered to Buyer pursuant to this Contract shall meet the following specifications:

(1) Chemical Composition: (on Dry basis)

Iron (Fe)	______% basis, ______% minimum
Silica plus Alumina ($SiO_2 + Al_2O_3$)	______% maximum
Sulphur (S)	______% maximum
Phosphorus (P)	______% maximum
Copper (Cu)	______% maximum
Lead (Pb)	______% maximum
Zinc (Zn)	______% maximum
Total of other metals (Except Mn, Mg and Ca)	______% maximum

(2) Free Moisture Loss at [agreed temperature]:

______ percent maximum for each shipment.

However, the annual average thereof for the total shipment made under this Contract shall not exceed ______ percent.

(3) Physical Composition (on Wet basis):

No more than a maximum of ________ percent of Ore shall pass through ______ standard square screen and maximum size shall be ______ with a tolerance of ______ percent.

The specifications guaranteed as above in respect of chemical and physical compositions shall be applied to each shipment of Ore.

ARTICLE 6. PRICE:

The price for Ore shall be Dollars _________ per dry long ton FOB Trimmed [designated loading] port as provided in Article 9 on the basis of ______ percent of iron (Fe), subject to the bonus and penalty provisions specified in Article 7 and subject to rejection below ______ percent of iron (Fe) content.

ARTICLE 7. BONUS AND PENALTY:

(1) Iron (Fe):

The price for Ore shall be increased or decreased by ______ Cents (_______ ¢) for each one (1.00) percent of iron (Fe) content per dry long ton above or below ______ percent with fractions thereof pro rata, provided that iron (Fe) content shall not be below ______ percent.

(2) Moisture:

In the event that the free moisture loss at [agreed temperature] exceeds the guaranteed maximum of ______ percent as set forth in paragraph (2) of Article 5 for any shipment, Seller shall pay to Buyer the freight for the quantity corresponding to the excess moisture over the guaranteed maximum calculated on the basis of the final wet weight.

(3) Physical Composition:

(A) In the event that Ore passing through ______ standard square screen exceeds the guaranteed maximum as set forth in paragraph (3) of Article 5, but is not in excess of twenty (20) percent, the penalty at the rate of ______ Cents (______ ¢) per wet long ton shall be applied to such excess quantities determined in accordance with Article 17 in respect of each shipment. However, in respect of shipments where Ore below ______ in size exceeds ______ percent, the penalty at the rate of ______ Dollars ______ per wet long ton shall be applied to the excess quantity of undersize Ore over ______ percent determined in accordance with Article 17.

(B) In the event that Ore remaining on ________ standard square screen exceeds the guaranteed maximum of ______ percent as set forth in paragraph (3) of Article 5 for any shipment, a penalty at the rate of ______ Cents (______ ¢) per wet long ton shall be applied to such quantity exceeding guaranteed maximum of the oversize Ore, fractions thereof pro rata.

(4) Impurities:

If the composition of Ore in respect of Silica plus Alumina ($SiO_2 + Al_2O_3$), Sulphur (S), Phosphorus (P), Copper (Cu), and "other metals" (except Mn, Mg and Ca) exceeds the guaranteed maximum as set forth in Article 5 for each shipment, Buyer shall nevertheless accept such delivery of Ore but following penalties shall be imposed:

(A) for Silica plus Alumina ($SiO_2 + Al_2O_3$), at the rate of ______ Cents

(______¢) per dry long ton for each ______ percent in excess of the guaranteed maximum of ______ percent, fractions pro rata.

(B) for Sulphur (S), at the rate of ______ Cents (______¢) per dry long ton for each ________ percent in excess of the guaranteed maximum of ______ percent, fractions pro rata.

(C) for Phosphorus (P), at the rate of ______ Cents (______¢) per dry long ton for each ______ percent in excess of the guaranteed maximum of ______ percent, fractions pro rata.

(D) for Copper (Cu), at the rate of ______ Cents (______¢) per dry long ton for each ________ percent in excess of the guaranteed maximum of ______ percent, fractions pro rata.

(E) for "other metals", at the rate of ______ Cents (______¢) per dry long ton for each ______ percent in excess of the guaranteed maximum of ______ percent, fractions pro rata.

(5) Contamination:

Seller shall compensate Buyer for the additional costs sustained by Buyer and/or the actual damage to Buyer's Ore discharging and/or conveying equipment resulting from:

(i) foreign materials in Ore delivered; or

(ii) substantially stickier Ore than is usually delivered by Seller.

Contamination of foreign materials and the condition of Ore in regard to stickiness shall be determined by [the designated independent expert in Japan]. Seller shall have the right to be represented at this inspection through its representative at its own cost.

(6) Non-conformance to Specifications:

If, in the shipment of Ore under this Contract, there are substantial discrepancies between the final results and the guaranteed specifications as specified in Article 5, or in case there are shipments not conforming to such guaranteed specifications occurring three (3) times or more in any six (6) month period, then without prejudice to the foregoing provisions of this Article and such additional penalties as may be mutually agreed upon, Buyer may request Seller to improve the quality of Ore with respect to future shipments. Seller, if so requested, shall promptly carry out a more intensive quality control programme to ensure conformity to the guaranteed specifications in future shipments, failing which Buyer shall have the right to require suspension of further shipments until Seller guarantees improvements of the quality to the effect that further shipments shall fully conform to guaranteed specifications and Buyer approves such improvements.

ARTICLE 8. DELIVERY:

Delivery shall be deemed as completed when Ore has been loaded on board the vessel and trimmed at the loading port as stipulated in Article 9.

ARTICLE 9. PLACE OF DELIVERY:

Delivery shall be effected at [the designated ports of loading].

ARTICLE 10. LOADING PORTS AND PORTS' FACILITIES:

Seller shall guarantee to Buyer that each port as set forth in Article 9 can always safely accommodate the vessels with the following maximum loaded draft, length overall of a vessel's hull (L.O.A) and Beam:

Maximum loaded draft L.O.A. Beam

______ ______ ______

Notwithstanding the above, Buyer may allocate the vessel with larger dimensions subject to Seller's consent in advance.

ARTICLE 11. PORT STOCKPILE:

In order to meet the shipping commitments, Seller shall keep ready sufficient quantity of Ore at the loading port as set forth in Article 9.

ARTICLE 12. SHIPPING PROGRAMME:

(1) Seller shall furnish Buyer with a proposed monthly shipping programme not later than fifty (50) days prior to the commencement of each month.

(2) Upon receipt of the programme, Buyer may, for the convenience of its chartering and allocation of vessel, or for any other reasons, request Seller to change the programme. Seller shall use all reasonable endeavours to accommodate such request, provided, however, that unless Seller agrees to the change, the shipping programme originally furnished by Seller pursuant to paragraph (1) of this Article shall be deemed conclusive.

ARTICLE 13. CHARTERING AND ALLOCATION OF VESSELS:

(1) All vessels to carry Ore under this Contract shall be chartered and allocated by Buyer.

(2) Buyer shall advise Seller of the vessels' allocation programme for each month based on the monthly shipping programme determined in accordance with Article 12, not later than twenty (20) days prior to the commencement of shipment for each month. Such allocation programme shall include the name of the vessel, the quantity to be loaded (ten (10) percent more or less at ship's option), the expected time of arrival (ETA) of each vessel at the loading port and the estimated loaded draft.

(3) Buyer shall declare to Seller laydays of twenty-one (21) days spread for each vessel not later than twenty (20) days prior to the ETA of each vessel at the loading port.

(4) The vessels' holds shall be clean and free of foreign materials which might result in admixture and/or contamination of Ore.

(5) Buyer shall arrange that the vessel's crew open and close the hatches and remove and replace the hatch beams as necessary for the loading at vessel's risk and expense.

(6) Buyer shall arrange that the Master of the vessel gives the relative Seller's regional office three (3) notices of the ETA of the vessel at the loading port: the first notice to be given five (5) days prior to the ETA of the vessel along with the stowage plan, the second to be given forty-eight (48) hours prior to the ETA and the third to be given twenty-four (24) hours prior to the ETA. In the last notice, the Master shall advise the approximate quantity of Ore required to be loaded within the tolerance agreed for the vessel.

(7) Seller shall notify to Buyer its shipping advice in respect of each

shipment forthwith after the sailing of the vessel from the loading port.

Such shipping advice shall include:

(i) name of the vessel;

(ii) quantity loaded as set forth in paragraph (1) of Article 16 (on the wet basis); and

(iii) date of sailing.

ARTICLE 14. SHIPPING TERMS:

The loading of Ore on to the relevant vessel shall be done by Seller at its own risk and expense. The loading terms and conditions for vessels chartered and allocated in accordance with Articles 12 and 13 shall in all respects be governed strictly by the provisions of this Article.

(1) Loading Rate:

Seller shall guarantee the loading rates as below per weather working day of ______________ hours, Sundays and holidays excepted, even if used.

(2) Laytime:

(A) Tender of Notice of Readiness:

Notice of readiness to load shall be tendered on a working day, at any time whether in or out of office hours and even before commencement of laydays when the vessel is in free pratique with clean holds, and is ready in every respect to load, whether in berth or not.

(B) Commencement of Laytime:

(i) Laytime for loading shall commence __________ hours after notice of readiness is tendered on a working day at any time whether in berth or not. The time lost in waiting for a berth shall be counted as laytime.

(ii) In case that the ______ hours turn time expires on Sunday or holidays, the laytime shall commence from 0__:00 hours of the next weather working day.

(iii) In case the vessel is found not ready to load as stipulated in paragraph (2) (A) of this Article, actual time lost in fulfilling the required conditions of readiness to load shall not be counted as laytime.

(iv) If the hatches are not opened and hatch beams are not removed on berthing, the time lost in opening of the hatches and removal of hatch beams shall not be counted as laytime.

(C) Counting of Laytime:

Time taken in waiting for tide by the vessel with maximum loaded draft, as set forth in Article 10, or less shall be counted as laytime. Shifting time and its expense of the vessel from the waiting area to the loading berth shall be for account of the vessel. Time lost in waiting for the berth shall be counted as laytime unless otherwise stipulated in this Contract. In any case, running of laytime shall not be interrupted for any vessels on demurrage unless the loading is actually hindered due to the fault of such vessels.

(D) Holidays:

Holidays at the loading port shall be only those days declared as public holidays by government or competent authorities.

(E) Completion of Laytime:

Laytime shall cease to be counted immediately on completion of loading and trimming.

(F) The vessel shall vacate the loading berth as soon as the loading is completed, weather and tide permitting.

(3) Laydays Statement:

Laydays statement at the loading port shall be prepared on the basis of the relative bill(s) of lading quantity, which shall be the quantity as set forth in paragraph (1) of Article 16 of this Contract, and on the basis of the "statement of facts" made out and signed by Seller and the Master of the vessel and/or the vessel's agent. Demurrage or dispatch money calculated on the basis of this statement shall be settled in accordance with paragraph (4) of this Article.

(4) Demurrage and Dispatch Money:

(A) Rates of demurrage per day or pro rate for all time lost and dispatch money per day or pro rata for working time saved at the loading port shall be as follows:

(B) Dispatch money shall be paid by Buyer to Seller and demurrage by Seller to Buyer in cash in Dollars for each shipment within ______ days after the mutual confirmation of the respective laydays statement. Both Parties undertake to confirm the other Party's laydays statement or to send its revised laydays statement within ______ days from the date of receipt of the laydays statement, failing which the last laydays statement shall be final and binding on both Parties.

(5) Indemnity for Sailing without Completion and/or Detention:

Should the vessel be detained for ______ days on demurrage at the loading port, then, Buyer shall have an option either to let the vessel sail without completing loading and Seller shall be liable for dead freight incurred, or to let Seller continue loading and Seller shall be liable for all damages for detention of the vessel.

(6) Overtime:

Seller shall have the right of making use of all available hatches for loading at all times and the vessel shall supply light for night work, if required, free of expense, to Seller. Overtime shall be for account of the Party ordering it. If such overtime is ordered by port authorities or any other government agencies, all extra expenses incurred thereby shall be for Seller's account except for the vessel's crew and officers' overtime and expenses of the vessel's light, gears and winches which shall be for the vessel's account.

(7) Damage to Vessel:

Any damage to vessels incurred during the loading at the loading port due to a cause or causes for which Seller is responsible shall be borne by Seller. In all such cases, each claim shall be presented in writing by the Master of the vessel to Seller or its agents immediately after the damage is sustained, failing which Seller shall be absolved of any responsibility.

The extent of the damage shall be determined by mutual agreement between the Master and Seller or its agents, failing which it shall be determined by a surveyor or surveyors appointed by both Parties.

(8) Non-Performance of Loading:

In the event that Seller fails to complete the loading into the vessel at the specified port once confirmed by Seller due to a cause or causes for which Seller is responsible, dead freight and/or any extra time and charges incurred by Buyer in diverting the vessel shall be for Seller's account.

(9) Exemption Clause:

(A) General Strike Clause:

Should the loading of the vessel by Seller be obstructed due to a strike or lockout directly affecting the loading of the vessel, such time lost shall not be counted as laytime, both in regard to working and waiting vessel(s).

Such strike or lockout shall, however, be notified by Seller in writing to the Master of the vessel forthwith and shall be stated in the statement of facts mentioned in paragraph (3) of this Article. A certificate shall be furnished by Seller to the Master of the vessel or the shipowners' agent by the time the vessel sails from the loading port or at the latest within ______ weeks after occurrence of such strike or lockout.

(B) General War Clause:

If the nation under whose flag the vessel sails should be engaged in war and if the safe navigation of the vessel should thereby be endangered, Buyer and Seller shall have an option of cancelling the relative chartering and allocation and/or obligation to load Ore in such vessel. If, owing to outbreak of hostilities, the safe navigation of the vessel is endangered, thereby making normal chartering or performance thereof impossible, as in the case of Ore loaded or to be loaded or a part becoming contraband of war whether absolute or conditional or liable to confiscation or detention according to international law or proclamation of any of the belligerent powers, Buyer and Seller shall have the option of cancelling the relative chartering and allocation and/or obligation to load Ore to such an extent as may be affected thereby. Should the loading port be blockaded, the relative chartering and allocation and/or obligation to load Ore shall be nullified.

(C) In the event or any cause or causes described in subparagraphs (A) and (B) of this paragraph obstructing or being expected to delay the loading on the vessel, Buyer shall have a right to withdraw the vessel once confirmed by Seller or to sail it without completion of the loading if the vessel is already being loaded and no dead freight and/or damage claim shall be made on Seller.

(D) For the vessel(s) already on demurrage, any event or events prescribed in subparagraphs (A) and (B) of this paragraph shall not relieve Seller of its responsibility for the loading.

(10) Shipowners' Agents:

Agents at the loading port shall be appointed by the shipowners at their own expense. Buyer shall notify the name of such agent to Seller in advance.

ARTICLE 15. MARINE INSURANCE:

Marine insurance covering Ore after it is loaded on board the vessel shall be taken out by Buyer at its expense.

ARTICLE 16. WEIGHING:

(1) Weighing at Loading Port(s):

A licensed marine surveyor duly appointed by Seller and approved by Buyer shall, at the expense of Seller, conduct the vessel's draft survey at the loading port in accordance with the international practice in respect of each shipment and shall issue a weight certificate stating the wet weight of the shipment. The weight thus determined shall be the basis for making out a provisional invoice.

Buyer's representative(s) may, at the expense of Buyer, be present at the time of weighing at the loading port.

(2) Weighing at Discharging Port(s):
Upon arrival of each shipment at the discharging port(s), a licensed marine surveyor duly appointed by Buyer and approved by Seller shall, at the expense of Buyer, conduct the vessel's draft survey in accordance with the international practice and shall issue a weight certificate stating the wet weight of the shipment. Such weight certificate shall be final in respect of the wet weight.

The final dry weight shall be calculated by deducting the final free moisture content, determined as set forth in paragraph (2) of Article 17, from the final wet weight.

Seller's representative may, at the expense of Seller, be present at the time of weighing at the discharging port(s). The weight thus determined shall be the basis for making out a final invoice.

(3) In the event that it is impossible or extremely difficult to conduct the vessel's draft survey at the loading and/or discharging port(s), Seller and Buyer shall decide an alternative method of weighing through mutual agreement.

ARTICLE 17. SAMPLING AND ANALYSIS:

(1) Analysis at Loading Port(s):
At the time of loading of each shipment, a licensed assayer appointed by Seller and approved by Buyer shall take representative samples in accordance with the [agreed standard].

The representative samples shall be subdivided into three portions (one to be retained by Seller, one to be sent for Buyer or its designated representative). The licensed assayer shall analyze the third portion for iron (Fe) content and other chemical composition on dry basis, free moisture loss at [agreed temperature] and physical composition on wet basis, as set forth in Article 5 in accordance with the [agreed standard] and shall issue a certificate of such analysis. The cost of such sampling and analysis shall be for Seller's account.

Buyer may, at its expense, send its representative to be present at the time of such sampling. The analysis thus determined shall be the basis for making out a provisional invoice. Seller shall advise Buyer, within ______ days after sailing of the vessel from the loading port, of the contents of such analysis certificate and the amount of the provisional invoice.

The analysis certificate at the loading port shall be airmailed to Buyer within ______ days after completion of loading of each shipment at the loading port.

(2) Analysis at Discharging Port(s):

Upon arrival of each vessel at the discharging port(s) in Japan, Buyer shall take representative samples for analysis of chemical and physical composition and for free moisture content at Buyer's expense. The samples shall be taken in accordance with the [agreed standard], subject to any additions and/or the amendments to be mutually agreed upon by Seller and Buyer before the relevant shipment.

Seller or Seller's representative approved by Buyer shall have the right to be present at such sampling at Seller's expense. Buyer shall analyze the samples so taken for physical composition of Ore and free moisture content. After completion by Buyer of analysis for physical composition and free moisture content, the samples taken for chemical analysis shall be divided into three (3) equal parts and sealed in accordance with the [agreed standard], one for Buyer, one for Seller and the third to be retained by Buyer for umpire purpose. Buyer shall analyze its portion of the sample for chemical composition of Ore in accordance with the [agreed standard]. Buyer shall issue a certificate of analysis to Seller stating the percentages of Iron (Fe), Silica (SiO_2), Alumina (Al_2O_3), Sulphur (S), Phosphorus (P), Copper (Cu), Lead (Pb), Zinc (Zn) and other metals (except Mn, Mg and Ca), the size of Ore and the free moisture content at [agreed temperature] as set forth in Article 5.

The analysis certificate at the discharging port(s) shall be airmailed to Seller within ______ days after completion of discharge of each shipment at the Japanese port(s). Seller may have its portion of the sample taken for chemical analysis analyzed at Seller's expense by an independent assayer selected by Seller and approved by Buyer.

The certificate of analysis issued by Buyer shall be final except in the following cases:

(A) If the physical composition does not conform to the guaranteed specifications, the final result shall be determined by the means of the two screen tests at the loading and discharging ports.

(B) If the difference in percentage of Fe content between Seller's and Buyer's analyses made under paragraph (2) of this Article is more than ________ percent and such difference cannot be resolved by mutual discussion, then the sealed sample for umpire purpose shall be forwarded to and analyzed by an umpire chemist mutually agreed between Seller and Buyer and a certificate of analysis issued by such umpire chemist shall be final for Fe content, and binding upon both Seller and Buyer. The cost of the umpire analysis shall be for the account of the Party whose analysis differs further from the umpire's analysis, but in the event that the analysis of Seller and the analysis of Buyer show an equal difference from the umpire's analysis, then such cost shall be equally borne by both Parties.

ARTICLE 18. PAYMENT:

(1) Letter of Credit:

Buyer shall establish an irrevocable and transferable letter of credit in Dollars in favour of Seller to cover 100% value of each shipment at least ______ days prior to the respective shipment(s).

(2) Provisional Payment:

The said letter of credit shall be available against Seller's sight draft for provisional payment for the amount of ______ percent of the value of the provisional invoice calculated in accordance with Articles 5, 6 and 7 on the basis of the analysis at the loading port as set forth in paragraph (1) of Article 17 and the weight at the loading port as set forth in paragraph (1) of Article 16, provided that the sight draft is accompanied by the following documents:

(A) Seller's provisional invoice made out on the basis of the documents as set forth in sub-paragraphs (C) and (D) hereunder in original with four (4) signed copies thereof.

(B) Certificate of origin issued by Seller in original with two (2) signed copies thereof.

(C) Weight certificate at the loading port as set forth in paragraph (1) of Article 16 in original with two (2) copies thereof.

(D) Analysis certificate at the loading port as set forth in paragraph (1) of Article 17 in original with two (2) copies thereof.

(E) Full set of negotiable, clean on board ocean bill(s) of lading with freight payable as per charter party evidencing shipment to Japanese port(s).

(3) Final Payment:

Buyer shall make final payment for the balance between the final value of Ore calculated in accordance with Articles 5, 6 and 7 on the basis of the final analysis as set forth in paragraph (2) of Article 17 and the final weight as set forth in paragraph (2) of Article 16, and the amount of provisional payment as set forth in paragraph (2) of this Article. Such final payment shall be made through the letter of credit against Seller's sight draft and in exceptional cases by remittance from Buyer to Seller. The said sight draft shall be accompanied by the following documents:

(A) Seller's final invoice made out on the basis of the final statement of account as set forth in sub-paragraph (B) hereunder in original with four (4) signed copies thereof.

(B) Final statement of account made out by Buyer or its agent in original with four (4) signed copies thereof.

(C) Weight certificate at the discharging port(s) as set forth in paragraph (2) of Article 16 in original with two (2) signed copies thereof.

(D) Analysis certificate at the discharging port(s) as set forth in paragraph (2) of Article 17 in original with two (2) signed copies thereof.

In case there should be any amount of overpayment due to Buyer, it shall be paid by Seller to Buyer in Dollars by telegraphic transfer or by any means to be mutually agreed upon, within ______ days after Buyer's debit note for such amount of overpayment is received by Seller.

ARTICLE 19. TRANSFER OF TITLE AND RISK:

Title with respect to each shipment shall pass from Seller to Buyer when Seller has received the proceeds from the negotiating bank against the relative shipping documents as set forth in Article 18 after completion of loading on board the vessel at the loading port, with effect retrospective to the time of delivery of Ore. Risk with respect to each shipment shall pass from Seller to Buyer when Ore has been delivered to Buyer in accordance with Article 8.

ARTICLE 20. LOSS OF CARGO:

In the event of a total or partial loss of cargo after completion of loading on board the vessel and before completion of discharge at the discharging port(s), Buyer shall make final payment to Seller on the basis of the analysis at the loading port as set forth in paragraph (1) of Article 17 and quantity as manifested on the bill(s) of lading.

In case that the vessel's draft survey is not completed by a licensed marine surveyor after Ore has been loaded on board the vessel, the quantity loaded shall be determined by the Master of the vessel in the presence of Seller's representative(s) in accordance with the international practice.

ARTICLE 21. FORCE MAJEURE:

(1) In the event of delivery of all or any part of Ore under this Contract being prevented and/or delayed due to or resulting from a cause or causes beyond the control of Seller and Buyer, such as prohibition of export or import, refusal to issue export or import licenses by government, arrests or restraints effected by rulers, governments or people, war, blockades, revolutions, insurrection, mobilization, strikes, lockouts, civil commotions, riots, acts of God, plague or other epidemics, destruction of goods by fire or flood or unforeseen blockage of entrance channel of the port(s), Seller or Buyer shall be relieved of the responsibility for performance of this Contract as per paragraph (3) of this Article to the extent to which such performance has been prevented.

(2) In the event that such force majeure event occurs as described in paragraph (1) of this Article, the Party whose performance has been prevented shall advise the other Party as soon as possible and then shall, within ______ weeks after occurrence of such event furnish the other Party in writing with the particulars of the relevant event and documents explaining that its performance is prevented or delayed due to a cause or causes as set forth in paragraph (1) of this Article and further shall furnish at the same time or at latest within ______ weeks after occurrence of such event the documentary evidence duly proving such Force Majeure event.

The Party declaring force majeure shall, during the duration of such force majeure event, use its best efforts to resume the performance of its obligations under this Contract with the least possible delay and such Party shall always advise the other Party of the detailed status of the event of force majeure, and the prospect of settlement of such event and of the resumption of the performance of its obligations under this Contract.

(3) Seller or Buyer shall be relieved of the responsibility for performance of this Contract to the extent to which such performance has been prevented and if approved by the other Party, the time of delivery may be postponed for the duration of time, but not longer, in which delivery is prevented by any such cause or causes hereinabove mentioned.

(4) In the event that the duration of the postponement of this Contract mentioned hereinabove exceeds ________ months, the other Party shall have the option to cancel this Contract in respect of the undelivered quantity or extend the period of delivery to be mutually agreed upon.

ARTICLE 22. ARBITRATION:

Any dispute, controversy and/or difference which may arise between the Parties out of or in relation to or in connection with this Contract, or any breach hereof shall, unless settled without undue delay by amicable arrangement of the Parties, be referred for settlement to arbitration in Tokyo, Japan, in accordance with the rules of procedure of the Japan Commercial Arbitration Association. The award shall be final and binding upon the Parties, and judgement on such award may be entered in any court or tribunal having jurisdiction thereover.

ARTICLE 23. GOVERNING LAW:

This Contract shall be governed by and construed in accordance with the laws of Japan.

ARTICLE 24. COST FLUCTUATIONS:

Any fluctuations in cost including railway freight, port and stevedoring charges, and taxes or levies imposed or incurred in [Seller's country] shall be for Seller's account.

ARTICLE 25. AGENTS:

Seller and Buyer may appoint an agent or agents to carry out all or any of the functions required of it under this Contract, provided that the ultimate responsibility shall continue to rest on the Party to this Contract.

ARTICLE 26. ASSIGNMENT:

Neither Seller nor Buyer shall assign, transfer or otherwise dispose of this Contract or rights and obligations thereunder without the prior written consent of the other Party.

ARTICLE 27. AMENDMENTS:

Any change in, modification of or addition to the terms and conditions of this Contract shall not become effective until confirmed by both Seller and Buyer in writing.

IN WITNESS WHEREOF, this Contract is made in duplicate in Tokyo, Japan by the duly authorized representatives of Seller and Buyer on this ______ day of ______, 20______.

Seller:

____

Name:

Title: ______________________

Buyer:

____

Name: ______________________

Title: ______________________

6-⑤ 砂 糖

CONTRACT

Contract for the sale and purchase of raw sugar in bulk between ____ ______ as the Seller and __________ as the Buyer.

It is hereby agreed that the Seller will sell the Buyer and the Buyer will purchase from the Seller, raw sugar in bulk in accordance with the following conditions:

1. Quantity:

Contract Year	Quantity
______	______
______	______
______	______

Total: __________ metric tons

2. Quality:

[Name of country] raw sugar in bulk, polarisation minimum [number] degrees at the time of shipment. Shipment to be made of the current season's production at the time of shipment, but for any shipment made during [month] / [month] in any calendar year, the Seller shall have the option to ship sugar from the then current and/or previous season's production. The polarisation of the sugar on arrival in Japan as ascertained in accordance with Clause 8 below shall not exceed [number] degrees.

3. Shipment:

Shipment shall be made from [name of port(s)] port(s) in cargo size quantities in accordance with a month by month shipping programme agreed between the Seller and the Buyer. Except as otherwise agreed, each monthly programme to be agreed as final between the Seller and the Buyer not later than the first day of the third calendar month preceding the month of shipment. In each contract year a minimum of [number] metric tons shall be shipped between [month] and [month] and unless otherwise mutually agreed this quantity shall be reasonably evenly spread for shipment throughout such period.

4. Price:

(A) The price in United States Dollars per metric ton landed weight basis [number] degrees mean outturn polarisation, in bulk, CIF exhold vessel at one safe port [name of port/name of port] range with all costs of discharge for the Buyer's account, shall be the simple unweighted average of the London Sugar Market Daily Price for the calendar month prior to the programmed month of shipment, converted on each London market day at the mean of the buying and selling Pound Sterling/United States Dollar exchange rate, quoted by [name] Bank in London at 12:00 hours London time on that day.

(B) Should [name] Bank not quote a rate in London at 12:00 hours London time on any London market day, the Seller and the Buyer shall confer with a view to reaching agreement on an alternative means of ascertaining the exchange rate.

(C) Should the London Sugar Market Daily Price referred to in subclause (A) above become unavailable or no longer represent the world free market value of raw sugar in bulk or the basis of the quotation be altered from CIF free out U. K. port, the Seller and the Buyer shall confer with a view to reaching agreement on an alternative basis for measuring the world free market value of raw sugar in bulk, [number] degrees polarisation for the purposes of this Contract.

(D) Should any vessel be required to discharge at two or three ports, the price shall be increased by [number] per metric ton for two ports discharge, or [number] per metric ton for three ports discharge.

5. Payment:

Payment shall be made to the Seller for [number] percent of the provisional invoice amount against first presentation in [name of place] to the Buyer of shipping documents consisting of a full set of 'on board' bills of lading (made out to order and blank endorsed) and commercial invoice in original with two signed copies, and the balance, on presentation to the Buyer of the Seller's final invoice accompanied by landed weight and outturn polarisation certificates.

6. Discharge:

The Buyer shall unload each cargo of sugar at the port(s) of discharge at a minimum average rate of [number] long tons of 2,240 lbs. per weather working day (provided that the vessel can deliver at this rate), Sundays and holidays excepted, failing which the Buyer shall pay demurrage at the charter party rate. Should cargo of sugar be unloaded at a larger rate than the above, the Buyer shall be entitled to dispatch money at the charter party rate.

Each cargo of sugar shall be discharged at one port, two ports or a maximum of three ports in [name of port/name of port] range at the Buyer's option. The Buyer shall declare the port or ports of discharge for each vessel not later than the last bill of lading date of the cargo. Rotation for two or three ports of discharge shall be at the Seller's option.

7. Weights:

The sugar shall be invoiced on certified landed weights ascertained in a manner mutually acceptable to the Seller and the Buyer.

8. Sampling And Polarisation Tests:

Samples shall be drawn at port(s) of discharge under supervision by superintendents appointed by the Seller and the Buyer. Polarisation shall be ascertained in Japan by methods mutually agreed between the Seller and the Buyer and undertaken by chemists acceptable to both the Seller and the Buyer and conforming to a system of tests properly protecting the Seller's and the Buyer's interests. The final price shall be determined in the customary manner by adding [number] percent of the FOB and trimmed value for each full degree of polarisation above [number] degrees. For sugar polarisation below [number] degrees down to and including [number] degrees, the final price shall be determined by deducting [number] percent of the FOB and trimmed value for each full degree. Fractions of a degree above and below [number] degrees shall be calculated in the same proportion. For such purpose, unless mutually agreed otherwise, the FOB and trimmed value shall be the CIF invoice value price calculated in accordance with clause 4 less United States Dollars [number] per metric ton.

9. Excess Duty/Excess Surcharge:

Should the polarisation of the sugar ascertained in accordance with clause 8 exceed [number] degrees for any separate lot of sugar cleared by customs, any extra costs in the nature of excess duty and/or excess surcharge actually incurred by the Buyer shall be reimbursed to the Buyer by the Seller.

10. Insurance:

Marine Insurance from warehouse to warehouse and Marine War Risk Insurance shall be obtained by the Seller with Lloyds and/or first-class insurance companies as per Rule 117 and Appendix No. 1 of the Rules of The Sugar Association of London. The Seller shall, whenever practicable, issue a separate policy or certificate for each refiner's quantity. The Buyer shall have the option of nominating the insurance company or companies for up to [number] percent of the quantity to be shipped during each contract year, provided that such company or companies are regarded by the Seller as first class and quote competitively.

11. Documents:

The Buyer shall in good time give the Seller copies of documents as are required by and on forms acceptable to the customs authorities at port(s) of discharge, including full details of consular certificates as required. The Seller shall have shipping documents prepared on similar forms as soon as shipment is completed but shall not be responsible for any delays owing to absence of, or distant location of, consuls from port(s) of shipment.

12. Taxation:

Any taxes or levies in the nature of taxes and any import or penalty duty which may be imposed on the sugar by the country of destination shall be for the account of the Buyer, except as provided for in Clause 9. Any taxes or levies in the nature of taxes which may be imposed on the sugar by the country of origin shall be for the account of the Seller.

13. Force Majeure:

The performance of this Contract is subject to Force Majeure as defined in the Rules of The Sugar Association of London. The inability of the Seller to secure suitable freight to provide shipment under this Contract in accordance with clause 3 above due to restricted or non availability of ship's bunkers shall be deemed a cause of Force Majeure within the provisions of The Sugar Association of London Rule 126.

14. Arbitration:

All disputes arising out of this Contract are hereby submitted to The Sugar Association of London for settlement in accordance with the Rules Relating to Arbitration.

15. Other Conditions:

This Contract is subject to the Rules of The Sugar Association of London as fully as if the same had been expressly incorporated herein, whether or not either or both of the Parties are Members, or are represented by a Member or Members of the Association. In the case of any inconsistency between this Contract and the Rules, this Contract shall prevail.

Trade and shipping terms shall have the meanings defined in the Incoterms 2020 (International Rules for the Interpretation of Trade Terms), as amended, unless otherwise specifically provided in this Contract or under the Rules of The Sugar Association of London.

________________________ ________________________

The Seller The Buyer

Signed on __________, 20___.

7 個別売買契約書

ABC & CO., LTD.

HEAD OFFICE:	POSTAL ADDRESS:	TEL: ××-××××-××××
×-×, MARUNOUCHI ×-CHOME,	C.P.O. BOX 100,	FAX: ××-××××-××××
CHIYODA-KU, TOKYO, 100	TOKYO, 100-91	E-mail: ××××××
JAPAN	JAPAN	

MONO ETHYLENE GLYCOL

SALES CONTRACT

THIS SALES CONTRACT is made this __ day of ____, 20__, by and between ________ (the "Seller"), and ________ (the "Buyer"), in respect of sales by the Seller to the Buyer and purchases by the Buyer from the Seller of mono ethylene glycol, on the terms and conditions set forth in the Long Term Supply Agreement (the "Basic Agreement") dated ____, 20__, except as specifically varied by the terms of this Sales Contract:

1. Commodity & Specifications	MONO ETHYLENE GLYGOL meeting specifications set forth in Article 3 of the Basic Agreement.
2. Quantity	40,000 MT ± 5% at the Seller's option.
3. Delivery Term	January 1, 20__ through December 31, 20__.
4. Price	U.S.$____/MT CIF Yokohama.
5. Container Description	Bulk.
6. Minimum Quantity per Shipment	2,000 MT.
7. Method of Shipment	Ocean-going chemical tanker.

8. To Buyer's Facility at Yokohama.

9. Terms of Payment Cash, 30 days from the date of B/L.

AS WITNESS, the parties have caused this Sales Contract to be executed by their duly authorized representatives on the date stated at the beginning of this Sales Contract.

______________________	______________________
(Seller)	(Buyer)

8 変更契約書

8-① 部分的な変更契約書

AMENDMENT TO
[LONG TERM SALES AGREEMENT]

This AMENDMENT, dated as of ________, 20__ (this "**Amendment**"), to that certain [LONG TERM SALES AGREEMENT], dated as of __________, 20__ (the "**Agreement**"), is entered into by and between ABC Corporation, a corporation duly organized and existing under the laws of ___________, located at ________________________________ ("**ABC**"), and DEF Corporation, a corporation duly organized and existing under the laws of _____________, located at __________________ ("**DEF**", and together with ABC, the "**Parties**", and each, a "**Party**").

WHEREAS, the Parties have entered into the Agreement; and

WHEREAS, the Parties agree to amend the Agreement as set forth in this Amendment.

NOW, THEREFORE, in consideration of the mutual covenants and agreements set forth in this Amendment, the Parties agree as follows:

1. <u>Definitions</u>
   All capitalized terms used in this Amendment and not otherwise defined shall have the meanings ascribed to them in the Agreement.

2. Amendments to the Agreement

The Agreement shall be amended as follows:

(a) The following definition shall be added to Article __ of the Agreement:

"______________________________

______________________________"

(b) Article __ of the Agreement shall be deleted in its entirety and replaced with the following:

"______________________________

______________________________"

(c) The last paragraph of Article __ of the Agreement shall be deleted in its entirety.

(d) Article __ of the Agreement shall be amended to read in its entirety as follows:

"______________________________

______________________________"

(e) Article __ of the Agreement shall be amended by adding at the end of such Article __, the following new paragraph:

"______________________________

______________________________"

(f) Article __ of the Agreement shall be amended by adding after the word "____" in the __th line, the words "______".

(g) Article __ of the Agreement shall be amended by replacing the phrase "____________" in the __th line thereof with the phrase "____________".

3. Effective Date

This Amendment shall become effective as of the date first above written.

4. Continuity

Except as herein expressly amended, all other terms and conditions of the Agreement shall remain in full force and effect and hereby ratified by the Parties in all respects.

5. Headings

The headings in this Amendment are for reference only and do not affect the interpretation of this Amendment.

6. Entire Agreement

This Amendment constitutes the entire agreement and understanding of the Parties with respect to the subject matter hereof.

7. Counterparts

This Amendment may be executed in counterparts, each of which shall constitute an original, but all of which, when taken together, shall constitute one and the same instrument.

8. Governing Law and Jurisdiction

Articles __ [Governing Law] and __ [Jurisdiction] of the Agreement shall be deemed incorporated in this Amendment except that all references in the Agreement to "this Agreement" shall be deemed to be references to this Amendment.

IN WITNESS WHEREOF, the Parties have caused this Amendment to be executed by their duly authorized representatives as of the date first above written.

ABC CORPORATION

By: ______________________

Name:

Title:

DEF CORPORATION

By: ______________________

Name:

Title:

8-② 全面的な変更契約書

AMENDMENT AND RESTATEMENT OF LONG TERM SALES AGREEMENT

This Amendment and Restatement dated as of _________, 20__ (this "**Agreement**") is made and entered into by and between:

ABC Corporation, a corporation organized under the laws of _________, having its principal place of business at __________________ (the "**Seller**"); and

DEF Corporation, a corporation organized under the laws of _________, having its principal place of business at __________________ (the "**Buyer**", and together with the Seller, the "**Parties**", and each, a "**Party**").

WHEREAS, the Parties have entered into the Long Term Sales Agreement for the sale and purchase of the Products dated _____, 20__ (the

"**Long Term Sales Agreement**"), and

WHEREAS, the Parties agree to amend and restate the Long Term Sales Agreement as set forth below.

NOW, THEREFORE, in consideration of the premises and covenants contained herein, the Parties agree as follows:

1. Capitalized terms used and not defined in this Agreement shall have the meanings specified in the Long Term Sales Agreement (as amended and restated by this Agreement) (the "**Restated Long Term Sales Agreement**").

2. The Long Term Sales Agreement shall be amended, restated and replaced entirely by this Agreement as set out in Schedule 1 to this Agreement, effective as of the date hereof so that the sales and purchase of the Products to be made on or after the date of this Agreement shall be governed by, and construed in accordance with, the terms of the Restated Long Term Sales Agreement.

3. Notwithstanding Clause 2, none of the amendments and restatements made by this Agreement shall affect the validity and terms of any sale and purchase of the Products made prior to the date of this Agreement ("**Existing Products Sales**"). For the avoidance of doubt, the rights and obligations of the Parties in respect of the Existing Products Sales including any obligations which remain to be performed in respect of the Existing Products Sales shall be governed by, and construed in accordance with, the terms of the Long Term Sales Agreement.

4. Articles __ [Governing Law] and __ [Arbitration] of the Restated Long Term Sales Agreement shall be deemed incorporated in this Agreement except that all references in such articles to "this Agreement" shall be deemed to be references to this Agreement.

IN WITNESS WHEREOF, the Parties have executed this Agreement as of the date first above written.

ABC CORPORATION

By: ________________________
Name:
Title:

DEF CORPORATION

By: ________________________
Name:
Title:

SCHEDULE 1

[*insert copy of the Restated Long Term Sales Agreement*]

9 契約の終了

9-① 解除契約書

TERMINATION AGREEMENT

This Termination Agreement is made on the __ day of ______, 20__, by and between:
ABC CO., LTD., a company organized and existing under the laws of ______ with its principal place of business located at __________ (hereinafter called "ABC"); and
DEF CO., LTD., a company organized and existing under the laws of ______ with its principal place of business located at __________(hereinafter called "DEF").

WHEREAS, ABC and DEF have entered into a sales contract for [type of goods], dated ______, 20__ (the "Sales Contract"); and

WHEREAS, both parties agree to terminate the Sales Contract in accordance with the terms set out in this Termination Agreement; and

NOW, THEREFORE, the parties hereby agree as follows:

1. Termination
The parties to this Termination Agreement hereby amicably terminate the Sales Contract, effective as of the __ day of ______, 20__.

2. Payment

In consideration of the termination of the Sales Contract pursuant to Paragraph 1 above and the release pursuant to Paragraph 3 below, ABC hereby agrees to pay to DEF the sum of _______ United States Dollars (U.S.$_______), which shall be paid within ____ days after the date hereof by telegraphic transfer remittance to the account of DEF with _____ Bank in _________.

3. General Release

In consideration of the covenants and payment herein set forth, each of the parties does for itself, and for its officers, directors, employees, shareholders, agents, affiliates, predecessors, successors and assigns, release the other and its officers, directors, employees, shareholders, agents, affiliates, predecessors, successors and assigns from all actions, causes of action, suits, debts, dues, sums of money, accounts, reckonings, bonds, bills, covenants, contracts, controversies, agreements, promises, obligations, liabilities, variances, trespasses, damages, judgments, executions, claims, representations, warranties and demands whatsoever in law, admiralty or equity which such party ever had, now has, or hereafter can, shall or may have, for, upon, or by reason of any matter, cause or thing whatsoever up to the date of this Termination Agreement, including, without limitation, all claims that have been asserted or hereafter can or may be asserted concerning the Sales Contract terminated pursuant to Paragraph 1 hereof or any obligation arising thereunder or in connection therewith, excepting only the payment obligation of ABC pursuant to Paragraph 2.

It is further understood and agreed that each of the parties may plead this Termination Agreement as a complete defense and bar to any claim, demand, action, suit or other proceeding of any kind whatsoever which might be brought against it.

4. Survival of Certain Terms of Sales Contract

Notwithstanding anything to the contrary in this Termination Agreement or in the Sales Contract, the following provisions of the Sales Contract will survive its termination and continue to bind and obligate the parties:

Article ____ and Article ____

5. Representations and Warranties

Each party hereby represents and warrants to the other party that:

(a) it has the full right, corporate power and authority to enter into this Termination Agreement and to perform its obligations hereunder;

(b) the execution of this Termination Agreement by the individual whose signature is set forth at the end of this Termination Agreement on behalf of such party, and the delivery of this Termination Agreement by such party, have been duly authorized by all necessary corporate action on the part of such party;

(c) this Termination Agreement has been executed and delivered by such party and (assuming due authorization, execution and delivery by the other party) constitutes the legal, valid and binding obligation of such party, enforceable against such party in accordance with its terms; and

(d) in entering into this Termination Agreement it has not relied on any representation, warranty or undertaking which is not contained in this Termination Agreement.

6. Confidentiality

6.1 Each party undertakes that it shall not at any time disclose to any person the terms of the Sales Contract, the circumstances giving rise to its termination and the terms of this Termination Agreement ("Confidential Information"), except as permitted by paragraph 6.2.

6.2 Each party may disclose the Confidential Information:

(a) to its employees, officers, representatives or advisers who need to know such information for the purposes of carrying out the party's obligations under the Sales Contract or this Termination Agreement. Each party shall ensure that its employees, officers, representatives or advisers to whom it discloses the Confidential Information comply with this paragraph 6; and

(b) as may be required by law, a court of competent jurisdiction or any governmental or regulatory authority.

6.3 No party shall use any Confidential Information for any purpose other than to perform its obligations under the Sales Contract or this Termination Agreement.

7. Others

7.1 This Termination Agreement shall be governed by and construed in accordance with the laws of ________________, without giving effect to the internal principles of conflict of laws.

7.2 Each of the parties irrevocably consents that any legal action or proceeding against it or any of its property with respect to this Termination Agreement may be brought in any court of ________________ and by execution and delivery of this Termination Agreement each of the parties irrevocably submits to and accepts solely with regard to any such action or proceeding, for itself and in respect of its property, the exclusive jurisdiction of the aforesaid court.

7.3 This Termination Agreement, and each of the terms and provisions hereof, may only be amended, modified, waived or supplemented by an agreement in writing signed by each party.

7.4 Neither party may assign, transfer or delegate any or all of its rights or obligations under this Termination Agreement without the prior written consent of the other party.

7.5 This Termination Agreement may be executed in counterparts, each of which is deemed an original, but all of which constitutes one and the same agreement.

7.6 The headings in this Termination Agreement are for reference only and do not affect the interpretation of this Termination Agreement.

7.7 If any term or provision of this Termination Agreement is invalid, illegal or unenforceable in any jurisdiction, such invalidity, illegality or unenforceability shall not affect any other term or provision of this Termination Agreement or invalidate or render unenforceable such term or provision in any other jurisdiction.

7.8 This Termination Agreement constitutes the sole and entire agreement of the parties with respect to the subject matter contained herein, and supersedes all prior and contemporaneous understandings, agreements, representations and warranties, both written and oral, with respect to such subject matter.

IN WITNESS WHEREOF, the parties have executed this Termination Agreement as of the day and year first above written.

ABC CO., LTD.

By: ______________________

Name:

Title:

DEF CO., LTD.

By: ______________________

Name:

Title:

9-② 和解契約書

SETTLEMENT AGREEMENT

THIS SETTLEMENT AGREEMENT ("Agreement") is made as of the __ day of ______, 20__, by and between ABC Corporation, a _________ corporation with its principal place of business located at ____________________ (hereinafter "ABC"), and XYZ Corporation, a _________ corporation with its principal place of business located at ___________________ (hereinafter "XYZ"). (ABC and XYZ shall be collectively referred to as the "Parties", and each, a "Party".)

RECITALS:

(A) ABC as purchaser and XYZ as seller entered into a contract dated ______, 20__ (contract No. ______) for the sale and purchase of ________________ (hereinafter the "CONTRACT"); and

(B) Certain claims were asserted by ABC against XYZ in respect of [*nature of claims*] ; and

(C) The Parties agree to resolve all such claims amicably through the compromise, settlement and release contained herein.

NOW, THEREFORE, in consideration of the premises set forth above and other good and valuable consideration as set out in this Agreement, the Parties agree as follows:

1. ACKNOWLEDGEMENT

The Parties hereby acknowledge the following facts as a sequence of events leading to this Agreement:

(i) …… (*description of background*)

(ii) ………………………………………

(iii) ………………………………………

2. SETTLEMENT

In order to finally settle all disputes and claims between ABC and XYZ arising out of or in connection with the aforesaid background and subject to the release pursuant to paragraph 3 hereof, XYZ hereby agrees to pay to ABC the sum of ________ United States Dollars (U.S.$______), which shall be paid within ____ days after the execution of this Agreement by telegraphic transfer remittance to the following bank account of ABC: [bank account details]

3. RELEASE

ABC hereby agrees to accept the payment pursuant to paragraph 2 above as final settlement and in full satisfaction of all claims asserted by it against XYZ. Further, in consideration of such payment, ABC does hereby, for itself, and for its officers, directors, employees, [shareholders,] agents, affiliates, successors and assigns (collectively "ABC Related Parties"), release, waive and forever discharge XYZ and its officers, directors, employees, [shareholders,] agents, affiliates, successors and assigns (collectively "XYZ Related Parties") of and from all actions, causes of action, suits, debts, dues, sums of money, accounts, reckonings, bonds, bills, covenants, contracts, controversies, agreements, promises, obligations, liabilities, variances, trespasses, damages, losses, costs, judgments, executions, claims, representations, warranties and demands of any kind and nature whatsoever, whether known or unknown, foreseen or unforeseen, matured or unmatured, in law, admiralty or equity which any of ABC Related Parties ever had, now has, or hereafter can, shall or may have against any of XYZ Related Parties, for, upon, or by reason of the CONTRACT, or the performance or non-performance thereof or any obligation or liability arising thereunder or in connection therewith, except for the payment obligation of XYZ pursuant to paragraph 2 hereof.

It is further understood and agreed by the Parties that XYZ may plead this Agreement as a complete defense and bar to any claim, demand, action, suit or other proceeding of any kind which might be brought against it.

4. COSTS

The Parties shall each bear their own legal costs in relation to the claims and this Agreement. This paragraph 4 supersedes and overrides any and all previous agreements between the Parties and any court order regarding the legal costs in relation to the claims and in relation to this Agreement (including the implementation of all matters provided by this Agreement).

5. NO ADMISSION

This Agreement is entered into in connection with the compromise of disputed matters and in the light of other considerations. It is not, and shall not be represented or construed by the Parties as, an admission of liability or wrongdoing on the part of either Party or any other person or entity.

6. CONFIDENTIALITY

The terms of this Agreement, and the substance of all negotiations in connection with it, are confidential to the Parties and their advisers, who shall not disclose them to, or otherwise communicate them to, any third party without the written consent of the other Party other than:

(i) to the Parties' respective auditors, insurers and lawyers on terms which preserve confidentiality;

(ii) pursuant to an order of a court of competent jurisdiction, or pursuant to any proper order or demand made by any competent authority or body where they are under a legal or regulatory obligation to make such a disclosure;

(iii) as far as necessary to implement and enforce any of the terms of this Agreement; and

(iv) to issue an agreed statement in the following terms (or terms substantially similar): (set out terms of agreed statement).

7. MISCELLANEOUS

(a) *Cooperation*

The Parties shall deliver or cause to be delivered such instruments and other documents at such times and places as are reasonably necessary or desirable, and shall take any other action reasonably requested by the other Party for the purpose of putting this Agreement into effect.

(b) *Severability*

If any provision or part-provision of this Agreement is or becomes invalid, illegal or unenforceable, it shall be deemed modified to the minimum extent necessary to make it valid, legal and enforceable. If such modification is not possible, the relevant provision or part-provision shall be deemed deleted. Any modification to or deletion of a provision or part-provision of this Agreement shall not affect the validity and enforceability of the rest of this Agreement.

(c) *Authority*

Each Party represents and warrants to the other with respect to itself that it has the full right, power and authority to execute, deliver and perform this Agreement.

(d) *Entire Agreement*

This Agreement represents the entire agreement and understanding of the Parties in relation to the subject matter hereof and supersedes all previous agreements, negotiations and discussions relating to such subject matter between the Parties. No variation of this Agreement shall be effective unless it is in writing and signed by the Parties (or their authorized representatives).

(e) *Governing Law*

This Agreement shall be governed by and construed in accordance with the laws of ______________, without giving effect to the internal principles of conflict of laws.

(f) *Jurisdiction*

Each Party hereby irrevocably consents that any legal action or proceeding against it or any of its property with respect to this Agreement shall be brought in the exclusive jurisdiction of any court of ______________. Each Party hereby irrevocably waives any objection which it may now or hereafter have to the laying of the venue of any suit, action or proceeding arising out of or relating to this Agreement brought in any such court and hereby further irrevocably waives any claim that any such suit, action or proceeding brought in any such court has been brought in an inconvenient forum.

IN WITNESS WHEREOF, the Parties have caused this Agreement to be executed by their duly authorized representatives as of the date and year first above written.

ABC Corporation

By: ______________________________

Name:

Title:

XYZ Corporation

By: ______________________________

Name:

Title:

10 売買契約の履行に伴う各種レター

10-① 船舶指名通知

_______________, 20____

ABC & CO., LTD.
[address]
Attention: Mr. ____________________________
[title] ____________________________

Dear Sirs:

Re: Nomination of Vessel

In accordance with Article ______ of the Agreement No. ______ dated ______, 20____, between you and us, for the sale by you to us of [quantity] of [type of goods], we hereby nominate [name of vessel] to take delivery of the goods covered by the Agreement.

The vessel is expected to arrive at [name of port] on ______, 20____.

Yours faithfully,

DEF & CO., LTD.

____
Name: ______________________
Title: ______________________

10-② 船積完了通知

______________, 20____

ABC & CO., LTD.
[address]____________________
Attention: Mr. ____________________________
[title]____________________________

Dear Sirs:

Re: Shipping Advice

We are pleased to inform you that we have made shipment to you of [quantity] of the goods covered by the Agreement No. ______ dated ______, 20____, between you and us, for the sale by us to you of [quantity] of [type of goods].

Shipment was made by delivering the goods to [name of vessel] on ________, 20____, for shipment to you on the following term(s):

The vessel is expected to arrive at [name of port] on ______, 20____.

Yours faithfully,

DEF & CO., LTD.

____
Name: ________________________
Title: ________________________

10-③　不可抗力による船積遅延通知

____________, 20____

ABC & CO., LTD.

[address]______________

Attention: Mr. ______________________

[title]______________________

Dear Sirs:

Re: Delayed Shipment

We regret to inform you that we will not be able to deliver to you the goods covered by the Agreement No. ______ dated ______, 20____, between you and us, for the sale by us to you of [quantity] of [type of goods] within the time specified in Article ______ of the Agreement. This delay is entirely attributable to the following event of force majeure:

Under these circumstances, we kindly request you to extend your letter of credit in the following manner:

New Shipping Date:

New Expiry Date:

We appreciate your assistance in this matter.

Yours faithfully,

DEF & CO., LTD.

____

Name: _________________________

Title: __________________________

10-④ 船積受領拒絶通知

______________, 20____

ABC & CO., LTD.
[address]__________________
Attention: Mr. ________________________________
[title]________________________________

Dear Sirs:

Re: Rejection of Shipment for Breach of Shipping Terms

In reference to the Agreement No. ______ dated ________, 20____, between you and us, for the sale by you to us of [quantity] of [type of goods] to be delivered to us at [name of port or place], we hereby reject the delivery attempted by you for the following reasons:

As a result of the delivery method used by you, the goods were not delivered to us until _____________, 20_____, that is ________ (________) days later than they would have been if you had used the following method of delivery:

Due to this delay in delivery, the goods were unable to be sold by us as originally intended.

We, therefore, exercise our right of rejection of the shipment pursuant to Article ________ of the Agreement and reserve the right to claim against you in order to recover all damages accruing to us as a result of such breach.

Yours faithfully,

DEF & CO., LTD.

____

Name: ________________________

Title: ________________________

10-⑤ 品質不良クレーム

______________, 20____

ABC & CO., LTD.

[address]______________________

Attention: Mr. ________________________

[title]________________________

Dear Sirs:

Re: Breach of Warranty

We hereby notify you that the warranty given by you in Article ________ of the Agreement No. ________ dated ________, 20____, between you and us, for the sale by you to us of [quantity] of [type of goods] has been breached by you in the following manner:

Unless this breach is cured within ________ (________) days from the date of this letter, we shall have no alternative other than to bring legal proceedings against you.

Yours faithfully,

DEF & CO., LTD.

____

Name: ____________________

Title: ____________________

10-⑥　受領拒絶通知

________, 20____

ABC & CO., LTD.

[address] ____________________

Attention: Mr. ____________________

[title] ____________________

Dear Sirs:

Re: Rejection of Nonconforming Goods

We hereby notify you that the [quantity] of [type of goods] which you delivered to us on ________, 20____, under the Agreement No. ____ dated ________, 20____, between you and us do not conform with the specifications in the Agreement, for the following reasons:

We, therefore, reject the above-mentioned shipment pursuant to Article ________ of the Agreement. We shall continue to hold these nonconforming goods at [place], until ________, 20____. All expenses resulting from your delivery of such goods are for your account.

Unless you deliver goods conforming to the Agreement within ______ (________) days from the date of this letter, we shall have no alternative other than to bring legal proceedings against you.

Yours faithfully,

DEF & CO., LTD.

____

Name: ________________________

Title: ________________________

10-⑦ 不可抗力援用通知

______________, 20____

ABC & CO., LTD.

[address]______________________

Attention: Mr. ________________________________

[title]________________________________

Dear Sirs:

Re: Notice of Force Majeure

We regret to inform you that we will not be able to make any further deliveries to you under the Agreement between you and us dated ____

____, 20____, for the sale by us to you of [quantity] of [type of goods]. Such deliveries have been made impracticable by:

＊

As a result of the foregoing and also because we do not have any stock of such goods on hand, we will be unable to deliver any goods of the type covered by the Agreement until ______. We, therefore, claim a release from our obligations under the Agreement.

Yours faithfully,

DEF & CO., LTD.

____

Name: ________________________

Title: ________________________

＊To select one of the following items:

a. the occurrence of the following event of force majeure as provided by Article ________ of the Agreement:

b. the occurrence of the following contingency, the non-occurrence of which was a basic assumption on which the Agreement between you and us was concluded:

c. compliance in good faith with an applicable foreign or domestic governmental regulation or order.

10-⑧　契約商品処分通知

______________, 20____

ABC & CO., LTD.

[address]____________________

Attention: Mr. ________________________

[title]________________________

Dear Sirs:

Re: Notice of Intention to Resell

Please refer to the Agreement between you and us dated ________, 20____, for the sale by us to you of [quantity] of [type of goods]. Further please refer to our email to you dated ________, 20____, notifying you of your default in payment to us under the Agreement.

You are hereby notified that we intend to resell the goods covered by the Agreement, and to hold you liable to us for any loss or damage suffered by us due to your default and breach of the Agreement.

Yours faithfully,

DEF & CO., LTD.

____

Name: ____________________________

Title: ____________________________

10-⑨　契約解除通知

________________, 20____

ABC & CO., LTD.

[address]______________________

Attention: Mr. ________________________

[title]________________________

Dear Sirs:

Re: Notice of Termination

In accordance with Article ________ of the Agreement between you and us dated ________, 20____, for the sale by you to us of [quantity] of [type of goods], we hereby terminate the Agreement, effective ______, 20____.

This termination is made for the following reasons:

As a result of this termination, we are holding you liable for ________ United States dollars (U. S. $________), calculated as follows:

Unless you remit this amount to us within ________ (________) days from the date of this letter, we shall have no alternative other than to bring legal proceedings against you.

Yours faithfully,

DEF & CO., LTD.

____

Name: ________________________

Title: _________________________

10-⑩ 売買債権譲渡通知 —— 譲受人

______________, 20____

ABC & CO., LTD.

[address] ____________________

Attention: Mr. __________________________

[title] _____________________________

Dear Sirs:

Re: Notice by Assignee of Right to Payment

We hereby notify you that on ________, 20____, XYZ Corporation, as assignor, assigned to us, as assignee, its right to receive payments due to it under the Agreement between you and XYZ Corporation dated ________, 20____, for the sale by XYZ Corporation to you of [quantity] of [type of goods] at a price of ________ United States dollars (U. S. $________). We are enclosing a copy of the assignment for your files. The assignment authorizes us to give you notice of such assignment.

From today, please send all payments due under the above-mentioned Agreement to us at ________________. Please acknowledge your receipt of this notice and your acceptance of its terms by signing a copy of this notice and returning it to us.

Yours faithfully,

DEF & CO., LTD.

____

Name: ________________

Title: ________________

Accepted and Agreed to by:

____

Name: ________________

Title: ________________

Date: ________________

10-⑪　売買債権譲渡通知 —— 譲渡人

_____________, 20____

ABC & CO., LTD.
[address]_____________________
Attention: Mr. ____________________________
[title]____________________________

Dear Sirs:

Re: Notice by Assignor of Right to Payment

We hereby notify you that on _______, 20____, we, as assignor, assigned to XYZ Corporation, as assignee, our right to receive payments due to us under the Agreement between you and us dated _______, 20____, for the sale by us to you of [quantity] of [type of goods] at a price of _______ United States dollars (U. S. $_______).

From today, please send all payments due under the above-mentioned Agreement to assignee at _______. Please acknowledge your receipt of this notice and your acceptance of its terms by signing a copy of this notice and returning it to us. The terms of this Notice may only be varied by written instructions from XYZ Corporation.

Yours faithfully,

DEF & CO., LTD.

____
Name: ______________________
Title: ______________________

Accepted and Agreed to by:

____

Name: ________________

Title: ________________

Date: ________________

10-⑫　支払遅延クレーム

______________, 20____

ABC & CO., LTD.

[address] ________________

Attention: Mr. ________________________

[title] ________________________

Dear Sirs:

Re: Demand for Late Payment

Please take notice that your company is substantially in arrears in the payment of our invoice number _______, dated _______, 20___, in the total amount of _______ United States dollars (U. S. $_______), a copy of which is enclosed, issued pursuant to the Agreement between you and us dated _______, 20___, for the sale by us to you of [quantity] of [types of goods] at a price of _________ United States dollars (U. S. $_______). In as much as the above-mentioned amount has been due since _______, 20___, we have no alternative other than to bring legal proceedings against you, unless such amount is paid by you within _______ (_______) days from the date of this letter.

We hope that this matter will be resolved without the necessity of our having to resort to legal proceedings.

Yours faithfully,

DEF & CO., LTD.

____

Name: ______________________

Title: _______________________

10-⑬　和解の申込み

____________, 20___

ABC & CO., LTD.

[address]__________________

Attention: Mr. ______________________________

[title]__________________________

Dear Sirs:

Re: Settlement Offer

Regarding the Agreement between you and us dated _______, 20___, for the sale by us to you of [quantity] of [type of goods], and our prior correspondences and negotiations with respect to the Agreement, the balance owed by you to us under the above-mentioned Agreement is _______ United States dollars (U. S. $_______). Based on the negotiations between you and us and for the purpose of settling and compromising the dispute between you and us, we hereby offer to receive the following amount as settlement in full of all amounts owed by you to us under the Agreement:

________ United States dollars (U.S.$________), payable ________.

Please let us know as soon as possible whether or not this proposal is acceptable to you. If so, we will prepare the settlement documents.

Yours faithfully,

DEF & CO., LTD.

____

Name: ________________________

Title: ________________________

10-⑭ 和解の承諾

______________, 20____

DEF & CO., LTD.
[address]____________________
Attention: Mr. ________________________
[title]________________________

Dear Sirs:

Re: Acceptance of Settlement Offer

We hereby accept the terms and conditions of the settlement offer contained in your letter to us dated ________, 20____, proposing the settlement and compromise of the dispute between you and us arising out of the Agreement between you and us dated ________, 20____, for the sale by you to us of [quantity] of [type of goods].

Please prepare the settlement documents in accordance with your settlement offer and send them to us for our signature.

Yours faithfully,

ABC & CO., LTD.

____

Name: ______________________

Title: ______________________

ABC & CO., LTD.

HEAD OFFICE
1-1, MARUNOUCHI 1-CHOME
CHIYODA-KU, TOKYO 100-0005,
JAPAN

TELEPHONE: (03) 3210-0001
FAX: (03) 3210-0002

SALES CONTRACT

This is to confirm our SALE to you as Buyer, and your PURCHASE from us as Seller, of the undermentioned Goods subject to the following terms and conditions (INCLUDING ALL THOSE PRINTED ON THE REVERSE SIDE HEREOF), which are expressly agreed to and form an integral part of this Contract.

BUYER'S NAME & ADDRESS	SELLER'S DEPT.	DATE
	SELLER'S CONTRACT NO.	BUYER'S REFERENCE NO.

MARKING	GOODS & QUALITY	QUANTITY	UNIT PRICE	AMOUNT

SHIPMENT & DELIVERY:

Time of Shipment:
Port of Loading:
Port of Destination:
Delivery Terms:

Transshipments permitted/not permitted.

Partial shipments permitted/not permitted.

PACKING:

PAYMENT:

The letter of credit shall bear this Contract's number as reference.

INSURANCE: To be covered by Buyer/Seller

Insured Amount: Conditions:

INSPECTION:

OTHER TERMS & CONDITIONS:

SHIPPING MARK (S):

ACCEPTED AND CONFIRMED
on ________________, 20____
BY:

____
(Buyer)

ABC & CO., LTD.
BY:

____
(Seller)

SEE REVERSE SIDE AND PLEASE SIGN AND RETURN ONE COPY.

GENERAL TERMS AND CONDITIONS

1. SHIPMENT OR DELIVERY

Shipment or delivery within the time specified on the face of this Contract shall be subject to the availability of vessel's space.

Date of bill of lading, air waybill, cargo receipt or any other similar document shall be accepted as conclusive evidence of the date of shipment or delivery.

If, under the terms of this Contract, Buyer is to secure or arrange vessel's space, Buyer shall secure or arrange necessary vessel's space on the basis of berth terms and give Seller shipping instructions in time, including without limitation, the name and detailed schedule of the vessel. Failure of Buyer to give such instructions in time is a breach of this Contract and Seller, at its sole discretion and for Buyer's risk and account, may either (i) arrange vessel's space and make shipment, (ii) dispose of the Goods specified on the face of this Contract or (iii) terminate this Contract or any part thereof, without prejudice to any other rights and remedies Seller may have.

In case of shipment or delivery in instalments, each shipment or delivery shall be regarded as a separate and independent contract.

The risk of loss of or damage to the Goods shall pass from Seller to Buyer, regardless of the requirements of stowing, trimming or leveling at the port of shipment under this Contract, in accordance with the provisions of Incoterms 2010, International Chamber of Commerce (hereinafter "INCOTERMS").

In case Seller shall secure or arrange vessel's space, all charges and expenses for discharge of the Goods including demurrage and other damages, which are to be for the account of the charterer under the relevant charterparty, shall be borne and paid by Buyer.

The title to the Goods shall pass from Seller to Buyer at the time of delivery.

2. PAYMENT

If payment for the Goods shall be made by letter of credit, Buyer shall, unless otherwise provided for herein, establish in favor of Seller an irrevocable letter of credit, through a prime bank of good international repute immediately after the conclusion of this Contract. Such a letter of credit shall (i) be in a form and upon terms satisfactory to Seller, (ii) authorize reimbursement to Seller for such sums, if any, as may be advanced by Seller for consular invoices, inspection fees and other expenditures for the account of Buyer, (iii) provide for partial availability against partial shipments or deliveries, if partial shipments or deliveries are allowed under the terms of this Contract and (iv) remain valid for at least thirty (30) days after the latest time of shipment or delivery set forth on the face of this Contract. If such a letter of credit is not established in accordance with the terms of this Contract or is dishonored, Buyer shall, upon notice thereof from Seller, immediately make payment in cash to Seller directly and unconditionally.

If Buyer fails to pay for the Goods in accordance with this Contract, Buyer shall pay to Seller as liquidated damages and not as a penalty, overdue interest at the rate of the lower of fourteen point five percent (14.5%) per annum or the maximum interest rate permitted by the usury laws of Buyer's country, calculated from the due date for such payment until the actual date of payment on the basis of a 360 day year.

If Buyer's failure to make payment or otherwise perform its obligations hereunder is reasonably anticipated, Seller may demand Buyer to provide, within a reasonable time, adequate assurance satisfactory to Seller of the due performance of this Contract, and withhold shipment or delivery of the undelivered Goods.

All bank charges outside Japan, including collection charges and stamp duties, and any charges for consular invoices, if any, shall be for the account of Buyer, provided that confirming commissions shall be for the account of Buyer regardless of being charged within or outside Japan.

3. INCREASED COST

Any new, additional or increased freight rates, surcharges (bunker, currency, congestion or other surcharges), taxes, customs duties, export or import surcharges or other governmental charges, or insurance premiums, which may be incurred by Seller with respect to the Goods after the conclusion of this Contract, shall be for the account of Buyer and shall be reimbursed to Seller by Buyer within a reasonable time on demand.

4. FORCE MAJEURE

If the performance by Seller of its obligations hereunder is affected or prevented by force majeure, directly or indirectly affecting the activities of Seller or any other person, firm or corporation connected with the sale, manufacture, supply, shipment or delivery of the Goods, including WITHOUT limitation, act of God, flood, typhoon, earthquake, tidal wave, landslide, fire, plague, epidemic, quarantine restriction, perils of the sea, war, declared or not, or threat of the same, civil commotion, blockade, arrest or restraint of government, rulers or people, requisition of vessel or aircraft, strike, lockout, sabotage, other labor dispute, explosion, accident or breakdown in whole or in part of machinery, plant, transportation or loading facility, governmental request, guidance, order or regulation, unavailability of transportation or loading facility, bankruptcy or insolvency of the manufacturer or supplier of the Goods, or any other causes or circumstances whatsoever beyond the reasonable control of Seller, then, Seller shall not be liable for loss or damage, or failure or delay in performing its obligations under this Contract and may, at its option, extend the time of shipment or delivery of the Goods or terminate unconditionally and without liability the unfulfilled portion of this Contract to the extent so affected or prevented, and Buyer may not terminate this Contract due to such failure or delay.

5. DEFAULT

Without prejudice to the rights and remedies Seller may have, Seller may, by written notice to Buyer, forthwith terminate this Contract, delay or suspend shipment, delivery of or stop the Goods in transit, or resell the Goods or hold the Goods for Buyer's risk and account, if any one of the following events shall occur:

(1) if Buyer shall fail to, or explicitly indicate the refusal to perform any provision of this Contract (including without limitation failure to furnish adequate assurance of the due performance of this Contract, to pay any amount when due hereunder or to establish a letter of credit immediately after the conclusion of this Contract or by the date stated on the face hereof); or

(2) if Buyer shall become unable to pay its debts generally as they become due, or shall hold a meeting of its creditors, or shall make a general assignment for the benefit of creditors, or shall file a petition in bankruptcy, or shall be adjudicated or declared bankrupt or insolvent, or shall file a petition or answer seeking, consenting to or acquiescing in any reorganization, arrangement, adjustment, composition, readjustment, liquidation, dissolution or similar relief under any present or future statute, law or regulation, or shall file an answer admitting or not contesting the material allegations of a petition or answer filed against it for or proposing any such relief, or if any proceedings against Buyer of the type referred to herein seeking any such relief shall not have been dismissed within thirty (30) days after the commencement thereof; or

(3) if a trustee, receiver or liquidator of Buyer or of any material part of Buyer's assets or properties shall be appointed with the consent or acquiescence of Buyer, or if any such appointment, not so consented to or acquiesced in, shall remain unvacated or unstayed or such trustee, receiver or liquidator shall not have been dismissed or discharged for an aggregate of thirty (30) days (whether or not consecutive).

6. CLAIM

Any claim by Buyer of whatever nature arising under or in relation to this Contract shall be made by registered airmail within thirty (30) days after the arrival of the Goods at the port of destination, or within six (6) months after the arrival of the Goods at the port of destination in the event of a latent defect, containing full particulars with the evidence certified by an authorized surveyor.

Seller shall not be responsible, whether in contract, tort or on any basis, to Buyer for any special, incidental, consequential, indirect or exemplary damages and in no event shall Seller's total liability on any or all claims from Buyer exceed the price of the Goods.

Buyer shall pay the price specified on the face of this Contract without availing itself of the benefit of any right of set-off, counterclaim, recoupment or other similar rights which Buyer may have against Seller, which rights shall be exercised in separate proceedings between Buyer and Seller.

7. INTELLECTUAL PROPERTY RIGHTS

Buyer shall hold Seller harmless from all liability for infringement of patent, trade mark, brand, utility model, design, pattern, copyright or other intellectual property rights in the Goods, whether in Japan or in any other country.

Nothing herein contained shall be construed as transferring any patent, trade mark, brand, utility model, design, pattern, copyright or other intellectual property rights in the Goods, all such rights being expressly reserved to the true and lawful owners thereof.

8. WARRANTY

UNLESS EXPRESSLY STIPULATED ON THE FACE OF THIS CONTRACT, SELLER MAKES NO WARRANTY OR CONDITION, EXPRESSLY OR IMPLIEDLY, AS TO THE FITNESS OR SUITABILITY OF THE GOODS FOR ANY PARTICULAR PURPOSE OR THE MERCHANTABILITY THEREOF.

If any warranty or condition is determined to exist, Seller's liability shall be limited to replacement or repair of the defective Goods.

9. TRADE TERMS AND GOVERNING LAW

The trade terms herein used, such as CIF, CFR and FOB, shall be interpreted in accordance with INCOTERMS. In all other respects, this Contract shall be governed by and construed in accordance with the laws of Japan, without giving effect to internal principles of conflict of laws.

10. ARBITRATION

All disputes, controversies or differences arising out of or in relation to this Contract or the breach thereof, which cannot be settled by mutual accord without undue delay, shall be settled by arbitration in Tokyo, Japan, in accordance with the rules of procedure of the Japan Commercial Arbitration Association. The award of arbitration shall be final and binding upon both parties and judgment on such award may be entered in any court or tribunal having jurisdiction thereof.

11. WAIVER

The failure of Seller at any time to require full performance by Buyer of the terms hereof shall not affect the right of Seller to enforce the same. The waiver by Seller of any breach of any provision of this Contract shall not be construed as a waiver of any succeeding breach of any provision or waiver of the provision itself.

12. ENTIRE AGREEMENT AND MODIFICATION

This Contract constitutes the entire agreement between the parties hereto and supersedes all prior or contemporaneous communications or agreements or undertakings with regard to the subject matter hereof. This Contract may not be modified or terminated, nor may any right be waived except in writing signed by the duly authorized representative of the party against whom enforcement of such modification, termination or waiver is sought.

13. NO ASSIGNMENT

Buyer shall not transfer or assign this Contract or any part thereof without Seller's prior written consent.

ABC & CO., LTD.

HEAD OFFICE
1-1, MARUNOUCHI 1-CHOME
CHIYODA-KU, TOKYO 100-0005,
JAPAN

TELEPHONE: (03) 3210-0001
FAX: (03) 3210-0002

PURCHASE CONTRACT

This is to confirm our PURCHASE from you as Seller, and your SALE to us as Buyer, of the undermentioned Goods subject to the following terms and conditions (INCLUDING ALL THOSE PRINTED ON THE REVERSE SIDE HEREOF), which are expressly agreed to and form an integral part of this Contract.

SELLER'S NAME & ADDRESS	BUYER'S DEPT.	DATE
	BUYER'S CONTRACT NO.	SELLER'S REFERENCE NO.

MARKING	GOODS & QUALITY	QUANTITY	UNIT PRICE	AMOUNT

SHIPMENT & DELIVERY:
Time of Shipment:
Port of Loading:
Port of Destination:
Delivery Terms:

Transshipments permitted/not permitted.

Partial shipments permitted/not permitted.

PACKING:

PAYMENT:

SHIPPING MARK (S):

INSURANCE: To be covered by Buyer/Seller

Insured Amount: Conditions:

INSPECTION:

OTHER TERMS & CONDITIONS:

ACCEPTED AND CONFIRMED
on ______________, 20____
BY:

ABC & CO., LTD.
BY:

____
(Seller)

____
(Buyer)

SEE REVERSE SIDE AND PLEASE SIGN AND RETURN ONE COPY.

GENERAL TERMS AND CONDITIONS

1. SHIPMENT OR DELIVERY

Time of shipment or delivery is of the essence of this Contract.

In the event Seller fails to make timely shipment or delivery of the Goods, Buyer may, upon written notice to Seller and at Buyer's sole discretion, immediately terminate this Contract or extend the period for shipment or delivery in either event without prejudice to all other rights or remedies Buyer may have.

In the event Seller is to secure or arrange the vessel's space under the terms of this Contract, Seller shall, unless otherwise agreed in this Contract, ship the Goods on a first class steamer or motor vessel owned or operated by a carrier of good international repute and standing and of a type normally used for the transportation of goods of the same type as the Goods.

The Goods shall be shipped by way of usual shipping routes without any deviation.

In the event Buyer is to secure or arrange vessel's space, all charges and expenses for loading of the Goods, including demurrage and other damages, which are to be for the account of the charterer against the shipowner under the relevant charterparty, shall be borne and paid by Seller.

Immediately after the completion of the loading of the Goods, Seller shall send to Buyer a notice of shipment or delivery, showing the number of this Contract, the name of vessel or the flight number of aircraft, the port of shipment or delivery, the description of the Goods and packing, the quantity loaded, the invoice amount and other essential particulars.

The title to the Goods shall pass from Seller to Buyer at the time of delivery.

2. PRICE

The price specified on the face of this Contract shall be firm and final and shall not be subject to any adjustment for any reason whatsoever.

3. CHARGES

All taxes, export duties, fees, banking charges and/or other charges incurred on the Goods, containers and/or documents including certificates of origin in the country of shipment or delivery shall be the responsibility of Seller and for Seller's account.

In the event of failure or delay in shipment or delivery of the Goods due to any reason whatsoever attributable to the fault of Seller, Seller shall, without prejudice to the other rights or remedies Buyer may have, reimburse to Buyer (i) the dead freight payable by Buyer in respect of the vessels and (ii) all other actual costs incurred by Buyer in respect of the Goods as a result of such failure or delay in shipment or delivery of the Goods.

4. WARRANTY

Seller shall convey to Buyer good and merchantable title to the Goods free of any encumbrance, lien or security interest. Seller warrants that the Goods shall fully conform to any and all specifications, descriptions, drawings and data or samples or models furnished to or by Buyer, and shall be merchantable, of good material and workmanship and free from defects, and shall be fit or suitable for the purpose(s) intended by Buyer and/or Buyer's customer(s).

Buyer shall make all claims, except for latent defects, regarding the Goods against Seller in writing as soon as reasonably practicable after arrival of the Goods at their final destination and unpacking and inspection thereof, whether by Buyer or Buyer's customer(s).

Seller shall be responsible for latent defects of the Goods at any time after delivery, notwithstanding inspection and acceptance of the Goods whether by Buyer or Buyer's customer(s), provided that notice of claim shall be made as soon as reasonably practicable after discovery of such defects.

5. INDEMNITY

Seller shall defend, indemnify and hold Buyer, Buyer's customer(s), users of the Goods, and its or their officers and directors harmless from and against any liability, loss, damage, penalty, cost, expense and disbursement (including attorneys' fees) or personal injury, death or property damage as a result of any claim or dispute caused by, due to or relating, in any way, to the Goods or any defect or malfunction thereof or any infringement of any patent, trademark, utility model, design, copyright, mask work or any other intellectual property rights in Japan or in any other country, which indemnity shall survive the termination of this Contract.

6. GOVERNMENTAL APPROVAL

Buyer shall not be responsible for failure or delay in obtaining any governmental approval necessary for the performance of this Contract.

7. FORCE MAJEURE

If the performance by Buyer of its obligations hereunder is affected or prevented by force majeure, directly or indirectly affecting the activities of Buyer or the customer(s) purchasing the Goods from Buyer or any other person, firm or corporation connected with the purchase, resale, transportation or taking delivery of the Goods, including without limitation act of God, flood, typhoon, earthquake, tidal wave, landslide, fire, plague, epidemic, quarantine restriction, perils of the sea, war, declared or not, or serious threat of the same, civil commotion, blockade, arrest or restraint of government, rulers or people, requisition of vessel or aircraft, strike, lockout, sabotage, other labor dispute, explosion, accident or breakdown in whole or in part of machinery, plant, transportation or loading facility, governmental request, guidance, order or regulation, unavailability of transportation or loading facility, or any other causes or circumstances whatsoever beyond the reasonable control of Buyer or Buyer's customer(s), then, Buyer shall not be liable for loss or damage, or failure or delay in performing its obligations hereunder and may, at its sole discretion, extend the time of taking delivery of the Goods or performing its other obligations hereunder or terminate unconditionally and without liability the unfulfilled portion of this Contract to the extent so affected or prevented, and Seller may not terminate this Contract due to such failure or delay.

8. DEFAULT

If Seller fails to perform any provision of this Contract, or is in breach of any express or implied term hereof, or explicitly indicate the refusal to perform the obligations hereunder, or becomes insolvent, or makes an assignment for the benefit of its creditors, or is adjudicated bankrupt or suffers a receiver to be appointed to its business, or makes a material liquidation of its assets, or ceases to do business or to exist, Buyer may terminate unconditionally this Contract or any part hereof, or reject or dispose of the Goods for the account of Seller at a time and price which Buyer deems reasonable, and Seller is bound to reimburse Buyer for any loss or damage sustained therefrom, including without limitation loss of profit obtainable from resale by Buyer of the Goods and damage caused to any customer purchasing the Goods from Buyer.

In the event of termination of this Contract in whole or in part under the terms of this Contract, Seller shall immediately repay to Buyer any money paid in advance by Buyer with respect to any unshipped or undelivered portion of the Goods together with interest thereon at the rate of the lower of fourteen point five percent (14.5%) per annum or the maximum interest rate permitted by the usury laws of Seller's country per annum, calculated on a day-to-day basis for actual days elapsed from the date on which such money shall have been paid by Buyer until the date of repayment in full thereof by Seller.

The rights and remedies of Buyer hereunder are cumulative and in addition to Buyer's rights, powers and remedies existing at law or in equity or otherwise.

9. TRADE TERMS AND GOVERNING LAW

The trade terms herein used, such as CIF, CFR and FOB, shall be interpreted in accordance with INCOTERMS 2010. In all other respects, this Contract shall be governed by and construed in accordance with the laws of Japan, without giving effect to internal principles of conflict of laws.

10. ARBITRATION

All disputes, controversies or differences arising out of or in relation to this Contract or the breach hereof, which cannot be settled by mutual accord without undue delay, shall be settled by arbitration in Tokyo, Japan, in accordance with the rules of procedure of the Japan Commercial Arbitration Association. The award of arbitration shall be final and binding upon both parties and judgment on such award may be entered in any court or tribunal having jurisdiction thereof.

11. WAIVER

The failure of Buyer at any time to require full performance by Seller of the terms hereof shall not affect the right of Buyer to enforce the same. The waiver by Buyer of any breach of any provision of this Contract shall not be construed as a waiver of any succeeding breach of any provision or waiver of the provision itself.

12. ENTIRE AGREEMENT AND MODIFICATION

This Contract constitutes the entire agreement between the parties hereto and supersedes all prior or contemporaneous communications or agreements or undertakings with regard to the subject matter hereof. This Contract may not be modified or terminated nor may any right be waived except in writing signed sent by the duly authorized representative of the party against whom enforcement of such modification, termination or waiver is sought.

13. NO ASSIGNMENT

Seller shall not transfer or assign this Contract or any part thereof without Buyer's prior written consent.

英文索引

A

acceptance ……16, 240, 345
additional insurance premium ……205, 208
adequate assurance ……48, 248
agent ……399
air waybill ……95
amendment ……316, 435, 436
American Arbitration Association International Centre for Dispute Resolution, the (ICDR) ……272
anticipatory breach ……42
applicable law ……286
arbitration ……268, 342, 368, 397, 423, 431
Arbitration Institute of the Stockholm Chamber of Commerce, the (SCC) ……272
AS IS, WHERE IS ……223
assignment ……297, 302, 396, 462, 463
average ……86

B

bankruptcy ……246
bareboat charter ……81
basic contract ……12
battle of forms ……4, 21, 23
B/C (bill for collection) ……163
berth terms ……179, 180
bill for collection (B/C) ……163
bill of lading ……87, 183
bonus ……404
breach of warranty ……456
bulk cargo ……134, 170

C

cancelling date ……83
carriage and insurance paid to (CIP) ……103
carriage paid to (CPT) ……103
carry over ……135
CFR (cost and freight) ……105, 153
CFS (container freight station) ……92
charter party (C/P) ……69, 79, 135, 174
charter party B/L ……91
China International Economic and Trade Arbitration Commission, the (CIETAC) ……272, 273
CIETAC (China International Economic and Trade Arbitration Commission) ……272, 273
CIF (cost, insurance and freight) ……106, 150, 153, 190, 433
CIF 条件 ……144, 153, 154, 155
CIP (carriage and insurance paid to) ……103
CISG (the United Nations Convention on Contracts for the International Sale of Goods) ……7, 59, 287
claim ……235, 366
clean B/L ……90, 184
commencing date ……83
commodity contract ……247
common seal ……34
condition precedent ……323
confirmed L/C ……165

consideration ……34, 120, 317
consolidation cargo ……95
container freight station (CFS) ……92
container yard (CY) ……91
contract of affreightment ……69, 79, 173
corporate seal ……34
cost and freight (CFR) ……105, 153
cost, insurance and freight (CIF)
……106, 150, 153, 190, 433
C/P (charter party) ……69, 79, 135, 174
CPT (carriage paid to) ……103
C. Q. D. (customary quick despatch (dispatch)). ……84, 181
cross default ……246, 252
customary quick despatch (dispatch) (C. Q. D.) ……84, 180
CY (container yard) ……91

D

D/A (document against acceptance) ……163
DAP (delivered at place) ……104
DAT (delivered at terminal) ……104
DDP (delivered duty paid) ……104
deed ……34
definitions ……353, 401
delayed shipment ……454
delegation ……299, 302
delivered at place (DAP) ……104
delivered at terminal (DAT) ……104
delivered duty paid (DDP) ……104
demand for payment ……464
demise charter ……81
demurrage
……69, 86, 171, 182, 187, 373, 395, 412, 172
department manager ……28
description ……124, 203, 213, 218
despatch (dispatch) money
……86, 171, 182, 187, 373, 412
detention ……412
direct cargo ……95
discovery ……71
discrepancy ……166, 176
disponent owner ……81
distoributorship contract ……12
document against acceptance (D/A) ……163
document against payment (D/P) ……163
documentary bill of exchange ……163
domestic sale and purchase contract ……7
D/P (document against payment) ……163
draft ……82, 170

E

EDI (Electronic Data Interchange) ……26
effective date ……322
enquiry ……3
entire agreement ……24, 312
estimate ……347
estimated time of arrival (ETA) ……179
estimation ……3
estoppel ……305
estoppel by deed ……34
ETA (estimated time of arrival) ……179
events of default ……243
ex works (EXW) ……102
extended FOB ……192
EXW (ex works) ……102

F

FAS (free alongside ship) ……104, 153
FCA (free carrier) ……103
FCL (full container load) ……88
FI (free in) ……84, 179, 180
FIO (free in out) ……84, 180
firm offer ……19
fitness for particular purpose ……213
FO (free out) ……84, 180

FOB (free on board)
……105, 153, 183, 190, 349, 350
FOB ST (stowed and trimmed) ……192
FOB with additional service ……192
FOB条件 ……144, 154
force majeure
…11, 245, 363, 376, 398, 422, 431, 454, 458
see also 不可抗力 ……11
formal contract ……331, 334
forward contract ……247
forwarding agent ……340
foul B/L ……90
foul or claused B/L ……184
free alongside ship (FAS) ……105, 153
free carrier (FCA) ……103
free in (FI) ……84, 180, 179
free in out (FIO) ……84, 180
free on board (FOB)
……105, 153, 183, 190, 349, 350
free out (FO) ……84, 180
frustration ……46, 50
full container load (FCL) ……88

G

GENCON (Uniform General Charter) ……85
general average ……86
general terms and conditions ……13
governing law ……58, 286

H

Hague Rules, The ……60, 89
Hague-Visby Rules, The ……60, 89
Hamburg Rules, The ……60, 89
hardship ……263, 368
hereby ……119
herein ……119
hereinafter ……119
hereof ……119
hereto ……119
hereunder ……119
HKIAC (the Hong Kong International Arbitration Centre) ……272
Hong Kong International Arbitration Centre, the (HKIAC) ……272

I

ICC (International Chamber of Commerce)
……72, 267, 272, 283
ICDR (International Centre for Dispute Resolution) ……272
impracticability ……46, 50
incidental damages ……167
Incoterms ……72, 153
independent inspector ……149
indirect damages ……362
individual contract ……12
inspect ……149
inspection ……141
inspection and claim ……141
insurable interest ……101
insurance policy ……183
insured amount ……207
insured value ……207
International Chamber of Commerce (ICC)
……72, 267, 272, 283
international sale and purchase contract ……7
International Trade Commission (ITC) …231
ipso facto clause ……247
irrevocable letter of credit ……164, 340
ITC (International Trade Commission) …231

J

Japan Commercial Arbitration Association, the (JCAA) ……272
JCAA (Japan Commercial Arbitration Association) ……272

L

lack of conformity ······ 220
laydays ······ 84
laytime ······ 84, 171, 180, 186, 373, 393, 410
L/C (letter of credit) ······ 69
LCIA (the London Court of International Arbitration) ······ 272
legal obligation ······ 331
letter of credit (L/C) ······ 159, 243, 357, 419
letter of intent ······ 9, 331, 334
letters rogatory ······ 281
liner terms ······ 179, 180
liquidaation ······ 246
liquidated damages ······ 44, 251
local B/L ······ 90
London Court of International Arbitration, the (LCIA) ······ 272
long term contract ······ 10
loss of profit ······ 215

M

marine insurance ······ 205
mate's receipt ······ 183
merchantability ······ 218

N

negotiable instruments ······ 62
network liability system ······ 61
nominal consideration ······ 318
nomination of vessel ······ 452
non-disclosure agreement ······ 335
non-vessel operating common carrier (NVOCC) ······ 78
non-waiver ······ 303
no reliance ······ 315
notice of readness (N/R) ······ 85, 171, 186, 373, 394
novation ······ 302
N/R (notice of readness) ······ 85
NVOCC (non-vessel operating common carrier) ······ 78

O

ocean B/L ······ 90
offer ······ 16, 338
officer ······ 28
on deck ······ 91
open terms ······ 25

P

package ······ 200
packaging ······ 200
packing ······ 200
packing list ······ 200, 185
parol evidence rule ······ 313
partial shipment ······ 175
particular purpose ······ 213
payment ······ 159, 340, 349, 356, 389, 419, 428
P. E. (permanent establishment) ······ 67
penalty ······ 44, 56, 404
permanent establishment (P. E.) ······ 67
posting rule ······ 21
power of attorney ······ 30
preamble ······ 118
price ······ 150, 427
price adjustment ······ 150
price review ······ 384
printed contract form ······ 4, 13
promissory estoppel ······ 319
pro-rating ······ 266
punitive damages ······ 44, 56
purchase contract ······ 折込み
purchase note ······ 14

Q

quantity ……… *132, 355, 381*
quotation ……… *3*

R

readiness to load or discharge ……… *85*
received B/L ……… *90, 92, 183*
receiver ……… *246*
receivership ……… *246*
recital ……… *118*
rejection of goods ……… *457*
rejection of shipment ……… *455*
remedies ……… *250*
remedy ……… *43*
repudiation ……… *42*
return receipt requested ……… *310*
Revised American Foreign Trade Definitions ……… *73, 194*
revocable L/C ……… *165*
risk ……… *189, 197*
running days ……… *84, 181*
running hours ……… *84*

S

safe berth ……… *372, 393*
sale contract ……… 折込み
sale note ……… *14*
SCC (Chamber of Commerce) ……… *272*
sea waybill ……… *184*
section manager ……… *28*
set-off ……… *293*
settlement ……… *446, 465, 466*
settlement of disputes ……… *268*
severability ……… *314*
severance ……… *314*
shipment ……… *170, 427*
shipped B/L ……… *90, 183*
Shipping Advice ……… *453*
shipping documents ……… *183*
shipping marks ……… *202*
shipping programme ……… *408*
shipping schedule ……… *390*
SIAC (Singapore International Arbitration Centre) ……… *272*
simple contract ……… *34*
Singapore International Arbitration Centre (SIAC) ……… *272*
special terms and conditions ……… *13*
specification ……… *125, 213, 349*
specifications ……… *229, 403, 433*
spot contract ……… *10*
statute of frauds ……… *33*
stoppage of the goods in transit ……… *248*

T

take or pay clause ……… *136*
take or pay contract ……… *10*
tax and duties ……… *289*
telegraphic transfer (T/T) ……… *162, 168*
termination ……… *44, 364, 461*
through B/L ……… *90*
time charter ……… *79, 174*
title ……… *189*
total output contract ……… *137*
total requirement contract ……… *136*
trade terms ……… *153*
transfer remittance ……… *349*
transport document ……… *183*
transshipment ……… *175*
T/T (telegraphic transfer) ……… *162*
T/T Remittance ……… *168*

U

UCC (Uniform Commercial Code) ……… *57*
UCP ……… *175*

ultra vires ······326, 327
UNCITRAL (United Nations Commission on International Trade Law) ······59, 274
unconfirmed L/C ······165
Uniform Commercial Code (UCC) ······56, 74
Uniform Customs and Practice for documentary Credits, 2007 revision ···160
Uniform General Charter (GENCON) ······85
uniform liability system ······61
Uniform Rules for Contract Guarantees ······75
Uniform Rules for Demand Guarantees ······75
United Nations Commission on International Trade Law (UNCITRAL) ······59, 274
United Nations Convention on Contracts for the International Sale of Goods, the (CISG) ······7, 59, 287
see also 国際物品売買契約に関する国際連合条約 ······59

V

validity of offer ······18
variation ······351
vicarious performance ······299
voyage charter ······79, 80, 174

W

waivers ······303
warranty ······175, 210, 213, 350, 361
Warsaw Convention ······97
weather premitting ······372
weather working days (W. W. D) ······84, 171, 181, 186
weather working days sundays and holidays expected (W. W. D. SHEX) ······410
weather working days sundays and holidays expected unless used (W. W. D. SHEX UU) ······181
weather working days sundays and holidays included (W. W. D SHINC) ······182
whereas clause ······115, 118
without prejudice ······305
witness ······35, 328
witness sign ······35, 36
working days ······84
W. W. D (weather working days). ······84, 181
W. W. D. SHEX (weather working days sundays and holidays expected) ······182
W. W. D. SHEX UU (weather working days sundays and holidays expected unless used) ······182
W. W. D SHINC (weather working days sundays and holidays included) ······182

和文索引

あ行

頭　書……114, 115, 116, 119, 120
後払条件・分割払条件……161
後払方式……165
後払方式……162
アメリカ・ランド・ブリッジ……79
安全港……83, 178
安全バース……83, 172, 178
逸失利益……215
一般社団法人日本商事仲裁協会……272, 273
一般条項……13
委任状……29
違約罰……44, 56
インコタームズ……58, 72, 102, 153, 175, 178, 184, 189, 190, 194, 206
印紙税……67
インプラクティカビリティ……46, 50
ウィーン売買条約……194
受取船荷証券……90, 92, 183
売　主
　——の担保責任……55
売申込書……338
運送区間個別責任原則……61
運送書類……183
運送人渡し……103
運送費込み……103
運送費保険料込み……103
運賃込み……105
運賃保険料込み……106
英国動産売買法……195
Exclusivity 条項……9
エスカレーション条項……152, 155, 156, 157
S. G. フォーム……107
MAR フォーム……107
延滞金利……167, 252
覚　書……8

か行

外国仲裁判断の効力……274
外国仲裁判断の執行に関する条約……64
外国仲裁判断の承認および執行に関する条約……64
外国判決の効力……281
会社の代表権（代理権）……27
解除
　催告によらない——……45
　催告による——……45
海上運送契約……79
海上運送状……184
海商法……69
海上保険……175
海上保険条項……190, 205
海上保険付保義務者……206
解除契約書……441
改正米国貿易定義……73
外　装……200
海　損……86
買　主
　——の破産……246
買申込書……339
解約日（傭船契約の）……83

海洋船荷証券 ……90
カウンター・サイン ……116
価格改定 ……152
価格調整……151, 154, 155, 156
価格調整条項 ……152
書　留 ……310
確定的申込み（ファーム・オファー）……19
確認信用状 ……165
慣習的早荷役 ……180
関　税 ……67
関税込み持込渡し ……104
間接損害……212, 215, 219
完全合意 ……24
甲板積 ……92
規格品売買 ……129
期限の利益喪失 ……249
——条項 ……249
危険負担 ……47
——の移転……102, 189, 175
議事録 ……8
吃　水 ……82, 172, 177
基本契約 ……12
記名捺印 ……327
協会貨物約款 ……106
強行船積 ……177
共同海損 ……86
禁反言 ……305
クレーム
——条項 ……235
——通知の内容 ……238
——の時期……214, 238, 241
継続的契約 ……13
継続的販売契約の留意点 ……230
契　約
——の譲渡……297, 298
——の譲渡禁止 ……300
——の譲渡条項 ……297
——の発効条項 ……322
——の変更条項 ……316
契約違反 ……41, 245
——とその救済条項 ……243
——の場合の救済 ……43
契約解除 ……45, 56, 176, 212, 233, 246
——権 ……45
——と通知 ……460
契約価格……11
契約期間の起算点 ……322
契約義務
——の委託 ……299
——の譲渡 ……299
契約金額条項 ……150
契約交渉 ……3
契約自由の原則 ……55
契約商品処分通知 ……459
契約商品，品名条項 ……122
契約締結権限 ……27, 326
契約締結日 ……116
契約当事者の表示 ……117
契約発効日 ……117
契約不適合……217, 220, 222, 236, 238, 239, 240, 241
契約変造の防止 ……6, 327
契約保証証券統一規則 ……75
決済通貨 ……154
検　査 ……141, 214, 236, 239, 240
——通知義務 ……148
——とクレーム ……142
——人 ……145
——不合格 ……147
現状有姿 ……130
検数・検量方法 ……146
検品・検量
——条件 ……144
——条項……141, 142, 143, 146
——の時期・場所 ……143
——費用 ……147

権　利
　——の譲渡 …… 299
　——の留保 …… 305
　——不放棄 …… 303
航海傭船契約 …… 79, 90, 174
交換（修理と） …… 212, 214, 222
恒久的施設 …… 67
工業所有権条項 …… 226
航空運送状 …… 95
航空貨物運送契約 …… 95
航空貨物代理店 …… 95
交叉申込み …… 24
公証人 …… 35, 36, 37
工場渡し …… 102
公正証書 …… 35
公租公課条項 …… 289
好天荷役日 …… 84, 172, 181
口頭証拠排除の原則 …… 313
国際海上物品運送法 …… 60, 88, 174
国際航空運送法 …… 61
国際商業会議所 …… 72, 267, 272, 283
国際売買契約 …… 7
　——と国内売買契約のちがい …… 7
国際複合輸送に関する条約 …… 61
国際物品売買契約に関する国際連合条約
　（The United Nations Convention on
　Contracts for the International Sale of
　Goods：CISG） …… 7, 59, 319
国際連合海上物品運送条約 …… 89
国　籍（船の） …… 81
故障船荷証券 …… 90, 184
個品運送契約 …… 79, 173, 174
個別契約 …… 12
　——書 …… 433
個別作成契約 …… 13
コーポレート・シール …… 34, 327, 328
コモディティ契約 …… 247
混載貨物 …… 95
混載業者 …… 95
コンテナ・フレート・ステーション …… 92
コンテナヤード …… 92
コンテナ利用 …… 190
梱　包 …… 200
梱包・荷印条項 …… 199
梱包明細書 …… 200

さ　行

債権譲渡 …… 298, 461, 463
催告による解除 …… 45
催告によらない解除 …… 45
裁　判 …… 269
裁判管轄 …… 281
　——と準拠法 …… 282
裁判条項 …… 268
債務者の責めに帰すべき事由 …… 41
債務不履行 …… 39, 41, 217, 228, 244
サイン証明 …… 36, 327
　——取得手続 …… 36
詐欺防止法 …… 33
作業日 …… 84, 181
先渡契約 …… 247
三倍賠償制度 …… 66
事情変更の原則 …… 52
私書証書 …… 35
事前の書面による同意 …… 298
私的自治の原則 …… 55
支払時期 …… 162
支払条件条項 …… 159
支払遅延クレーム …… 464
支払渡し …… 163
シベリア・ランド・ブリッジ …… 79
仕向地持込渡し …… 104
住　所 …… 118, 308
修　理 …… 212, 214, 222
出訴期限 …… 34
ジュネーブ議定書 …… 64

守秘義務契約 ……335
受　理（商品の） ……240
受　領（商品の） ……240
　——義務 ……246
　——拒絶通知 ……457
準拠法 ……8, 58, 74, 216, 282, 286, 287
　——の定めなき場合の準拠法の決まり方 ……287
仕　様 ……125
条件付承諾 ……21
条件付買承諾書 ……344
条件付売承諾書 ……346
証拠開示手続 ……71
商事仲裁に関する条約 ……63
使用主義（商標の） ……232
仕様書 ……213
　——売買 ……126, 144
承　諾 ……16, 20
　——の効力 ……20
商　標 ……129, 226, 232
商品性 ……218
商品の取戻し ……248
使用目的（商品の） ……213
嘱託送達 ……281
書式の戦い（書式の争い） ……4, 22
署　名 ……327
　——権者 ……326
　——者 ……6
　——方法 ……327
　——欄 ……325
書面性 ……318
所有権 ……189
　——と危険負担 ……189
　——の移転時期 ……190, 194
　——の留保 ……68, 195, 197
シンガポール国際仲裁センター ……272
信用状 ……164
　——に使用する日付用語 ……166
　——の開設時期 ……164
　——の開設不履行 ……166
　——の有効期間 ……165
　——を伴わない決済 ……163
信用状決済 ……145
信用状決済条項 ……164
信用状統一規則 ……75, 160, 165, 166, 175, 184
数量過不足許容規定（条件） ……134, 135, 137
数量条項 ……11, 132
ストックホルム商業会議所 ……272
ストライキ危険 ……112
スポット契約 ……10
スポット売買契約書 ……348
スポット・ベースの契約 ……156
請求払保証状統一規則 ……75
製造物責任 ……67
説明書（商品の） ……124, 213, 218, 219
設立準拠法（法人の） ……118
善意取得（動産の） ……68
先願主義（特許，商標の） ……232
船　級 ……82
全区間同一責任原則 ……61
全需要量供給契約 ……136, 139
全生産量買取契約 ……137, 139
戦争危険 ……111
戦争危険保険 ……153
専属的裁判管轄 ……281
船側渡し ……105
前提条件 ……323
船舶指名通知 ……452
先発明主義（特許の） ……232
先履行義務者 ……48
船　齢 ……81
送金小切手 ……162
相　殺 ……56, 250
　——の禁止 ……293
　——の禁止条項 ……293, 295
送　達 ……270

相当な期間 ……17
遡及効 ……323
即時解除 ……45
即時支払の請求 ……249
訴状の送達 ……281
損害軽減義務 ……56
損害賠償 ……43, 56, 176, 178, 215

た　行

代金取立手形 ……163
代金の精算 ……135
第三者機関 ……146
対象商品
　——の特定 ……123
　——の売買 ……122
滞船料 ……86, 172, 177, 182
代表取締役 ……27, 30
代理人 ……329
立会人（Witness） ……35
　——の権利・義務 ……35
建値方法 ……153
タームシート ……9
単純契約 ……34
知的財産権 ……66, 225
　——侵害 ……227, 228, 230
中国国際経済貿易仲裁委員会 ……272, 273
仲　裁 ……70, 269, 271
　——に関する国際条約・通商条約締結国一覧 ……275
仲裁機関 ……272
仲裁規則 ……274
仲裁契約（仲裁付託合意） ……274
　——と外国仲裁判断の効力 ……274
　——の効力と外国仲裁判断の執行 ……274
仲裁地 ……274
仲裁法 ……70
調印日 ……117, 329
長期（供給）契約 ……10, 134, 135
　——における数量規定 ……137
　——における追加買取り ……137
長期売買契約書
　——（液化石油ガス） ……380〜
　——（化学品） ……370〜
　——（砂糖） ……426〜
　——（標準） ……353〜
懲罰的損害賠償 ……44, 56
直接損害 ……212, 215, 219
直送貨物 ……95
追加保険料 ……205, 207
通常生ずべき損害 ……43
通　知 ……307, 308
　——条項 ……308
　——の期間 ……237
積揚費用 ……84
積　替 ……175
積込費用 ……179
積地，揚地 ……82
積地回船日 ……83
積付費用 ……180, 197
定期船 ……77
定義の使い方 ……119
定期傭船契約 ……79, 174
テイク・オア・ペイ ……136, 139
締結権者（契約の） ……326
ディスクレパンシー ……176
停泊期間 ……84, 85, 86, 172, 180
手形・小切手統一条約 ……62
電子署名 ……327
電子メール ……309, 310
電信送金 ……162
統一規則 ……54, 74
統一商法典（米国） ……19, 57
倒産解除条項 ……247
動産売買法（英国） ……57
同時履行の抗弁権 ……48
到達主義 ……310

到着予定日 ……178
登録主義（商標の） ……232
通し船荷証券 ……90
独占禁止法 ……65, 66
特別損害 ……43
特約条項 ……13
特　許 ……226, 230, 231
取消可能信用状 ……165
取消不能信用状 ……164
取締役会議事録 ……29, 31
トン
　──（重量単位） ……134
　──（船の） ……82

な　行

内　装 ……200
捺印契約 ……34
捺印証書による禁反言 ……34
均し費用 ……180, 197
荷為替手形 ……163, 164
荷　印 ……202
日本商事仲裁協会 ……273
荷役準備の完了 ……85
　──の通知 ……85, 172
荷役条件 ……84, 179
荷卸込持込渡し ……104
ニューヨーク条約 ……64
認　証 ……37

は　行

配給義務者 ……177
賠償額の予定 ……44, 56, 251
配船義務 ……174, 176, 188
売買契約 ……7, 10
　──と保険 ……100
　──の締結 ……27
　──の不履行と救済 ……39
売買契約書の作成 ……4, 33
　──売買債権譲渡通知（譲受人） ……461
　──売買債権譲渡通知（譲渡人） ……463
バース・ターム ……84
バースの安全性 ……178
裸傭船契約 ……81
バック・デイト ……117
発信主義 ……20, 310
発明者主義（特許の） ……231
ハードシップ ……263
早出料 ……86, 173, 182
パリ条約（工業所有権保護の） ……226
バルク・カーゴ ……170
バルク・カーゴ取引 ……192
反　訴 ……295
反ダンピング法 ……66
販売店契約 ……12, 230
ハンブルク・ルール ……60, 89
引合い ……3
引受渡し ……163
引渡時払条件 ……161
非専属的裁判管轄 ……281
被保険利益 ……100, 207
秘密保持契約 ……15, 313
表見代理 ……28
表示通貨 ……151
標準品売買 ……127, 131
費用（経費）の増加 ……154
品質条項 ……125
品質不良クレーム ……456
品質保証 ……143, 210
　──条項 ……210
品質保証違反 ……210
　──の場合の救済 ……214
品質保証責任 ……130
ファクシミリ ……309, 310
ファーム・オファー ……19
不安の抗弁 ……248
不安の抗弁権 ……48

不可抗力（force majeure）
　　………11, 51, 55, 181, 254, 256, 261, 264
　——援用通知 ……………………………458
　——条項 ………………………………254
　——による船積遅延通知 ………………454
不完全履行 ……………………………40, 41
複合運送 ……………………………………78
複合運送証券に関する統一規則 …………99
物品税 ………………………………………67
不定期船 ……………………………77, 154
船　積
　——時期 ………………………………174
　——時期・条件，船積書類条項 ………170
　——受領拒絶通知 ……………………455
　——条項 ………………………………170
　——書類 ……………………162, 163, 183
　——通知 ……………………174, 175, 453
　——停止 ………………………………248
　——船荷証券 ……………………90, 183
船荷証券 …………………87, 173, 183, 195
　——統一条約 …………………………60
　——の発行形式 ………………………93
船積証明追記 ……………………………184
フラストレーション ……………………46, 50
ブランド・銘柄 …………………………129
プロセスエージェント …………………281
分割給付 …………………………………247
分割船積 …………………………………175
紛争処理 ……………………………………8
紛争の解決条項 …………………………269
米国国際貿易委員会 ……………………231
米国仲裁協会国際紛争解決センター ………272
米国統一商法典 ……………………………74
米国貿易定義 ……………………………194
ヘーグ・ヴィスビー・ルール …60, 89, 174, 184
ヘーグ議定書 ………………………………96
ヘーグ・ルール ……………………60, 89
変更契約 …………………………………314
変更契約書
　全面的な—— …………………………438
　部分的な—— …………………………435
貿易・為替管理法 …………………………65
貿易条件基準 ……………………………153
貿易保険 …………………………………100
法定解除権 ………………………………246
保険価額 …………………………………207
保険金額 …………………………………207
保険証券 ……………………106, 107, 183, 184
保険条件 …………………………………106
保険法 ………………………………………69
保険約款 …………………………………108
保険料 ……………………………206, 207
　——（率）の増加 ………………………207
保険約款 …………………………………106
保証する品質の内容・条件 ………………213
保証渡し ……………………………………94
香港国際仲裁センター ……………………272
本船受取証 ………………………………183
本船渡し …………………………………105

ま　行

前払条件 …………………………………161
前払方式 …………………………162, 165
未決事項 ……………………………………25
見積書 ……………………………………347
ミニ・ランド・ブリッジ ……………………79
見　本 ……………………………129, 213
見本売買 …………………………129, 131
民事訴訟に関する条約 ……………………63
民事訴訟法 …………………………………70
無確認信用状 ……………………………165
無故障船荷証券 ……………………90, 184, 203
無条件売承諾書 …………………………345
無条件買承諾書 …………………………343
銘柄・商標品売買 ………………………129
明示の保証 ………………………………217

メトリック・トン ……………………………134
免　責 ………………………………………255
申込み ……………………………3, 16, 338, 339
　――の効力 …………………………………17
　――の撤回 ……………………………17, 19
　――の有効期間 ……………………………18
　――の誘引 …………………………………17
申込者と被申込者 ……………………………17
黙示の品質保証 ……………………………217
黙示の保証違反 ……………………………228
モントリオール条約 …………………………97

や　行

約　因 …………………18, 34, 120, 317, 318
　――文言 …………………………………120
役　員（英・米での）…………………………28
約定解除権 …………………………………247
役付取締役 ……………………………………28
郵便送金 ……………………………………162
傭船契約 ………………79, 135, 174, 177, 188

ら　行

ライナー・ターム ……………………………84
ランドブリッジ ………………………………78
履　行
　――拒絶 ……………………………………42
　――遅滞 ………………………………40, 41
　――不能 ……………………………40, 41, 257
レター・オブ・インテント …………9, 313, 332
連続時間 ………………………………………84
連続停泊期間 ………………………………181
連続日 …………………………………………84
ローカル船荷証券 ……………………………90
ロンドン国際仲裁裁判所 ……………………272

わ　行

和　解 ……………………………………465, 466
　――の承諾 ………………………………466
　――の申込み ……………………………465
和解契約書 …………………………………446
ワルソー条約 …………………………………97

新・国際売買契約ハンドブック〔第2版〕

2018年1月30日　初　版第1刷発行
2021年12月20日　第2版第1刷発行

編　者　住友商事株式会社法務部
三井物産株式会社法務部
三菱商事株式会社法務部

発行者　江　草　貞　治

発行所　株式会社　有　斐　閣
郵便番号101-0051
東京都千代田区神田神保町2-17
http://www.yuhikaku.co.jp/

印刷・大日本法令印刷株式会社／製本・大口製本印刷株式会社

ISBN 978-4-641-04689-4